고등
국어
HIGH SCHOOL

실전기출
문제은행

2B
2학기기말

비상 | 박영민

이 책의 **단원 구성**

실전기출 문제은행

이 책의 구성 및 특징

교과서 확인학습

- 교과서 핵심내용 해설 및 확인 문제
- 교과서 지문의 핵심내용 파악, 어휘 및 구문 풀이
- O,X 문제 및 서답형 문제 학습

객관식 기본문제

- 기초단계 기출문제 제시 및 풀이능력 체크
- 각 단원의 핵심문제 제시
- 교과서 기반의 기본적인 학습능력 제공

객관식 심화문제

- 중상급 난이도 기출문제 제시 및 오답풀이
- 전국 고등학교 중요 기출문제 엄선 및 풀이
- 변별력 있는 문제 중심으로 기출유형 분석
- 교과서 밖 연계지문 활용 고난도 문제풀이

서술형 심화문제

- 서술형 기출문제 제시 및 풀이능력 향상
- 배점 높은 서술형 문제의 적중도를 높임

단원별 종합평가

- 단원별 학습 후 모의시험을 통한 수준평가
- 각 단원의 최종 점검 및 학습 마무리

《Contents

8

삶 속에 흐르는
한국 문학의 강

청산별곡

□ : 화자의 이상향(도피처).
속세와 대비되는 공간

<u>살어리</u> 살어리랏다 <u>청산(靑山)</u>애 살어리랏다.
　3　　　3　　2　　　3　　　　3　　2　　　→ 3음보, 3 · 3 · 2조의 율격, 'a-a-b-a'의 문장 구조

<u>멀위랑 ᄃ래랑</u> 먹고 청산(靑山)애 살어리랏다.
　소박한 음식

<u>얄리얄리 얄랑셩 얄라리 얄라</u>　　　　　　▶ 1연 – '청산'에 대한 풍경
후렴구 ① 고려 가요의 형식적 특성을 드러냄.
　　　 ② 'ㄹ, ㅇ'음을 통해 밝고 경쾌한 느낌을 줌.
　　　 ③ 특정 시구를 반복하여 운율을 형성하고, 노래의 흥을 돋움.
　　　 ④ 각 연을 분절하고, 각 연마다 반복되어 구조적 통일성과 안정감을 줌.

*우러라 우러라 <u>새</u>여 자고 니러 우러라 새여.
　　　　　　　　화자가 동병상련을 느끼는 감정 이입의 대상

*널라와 시름 <u>한</u> 나도 자고 니러 <u>우니로라.</u>
　　　　　　　많은　　　　　　　　화자의 비애와 슬픔

얄리얄리 얄라셩 얄라리 얄라　　　　　　　▶ 2연 – 삶의 비애와 고독

<u>가던 새</u> 가던 새 본다 <u>믈 아래</u> 가던 새 본다.
① 날아가던 새(화자의 상실감)　　속세. 의미적으로 '청산', '바다'와 대비되는 공간
② 갈던 밭이랑(유랑민의 슬픔)

*잉 무든 <u>장글란</u> 가지고 믈 아래 가던 새 본다.
　　　　　　　　　　　　속세에 대한 미련

얄리얄리 얄라셩 얄라리 얄라　　　　　　　▶ 3연 – 현실 세계에 대한 미련

①유랑민의 이끼 묻은 쟁기
② 좌절한 지식인의 병기
③ 실연한 여인의 은장도

<u>이링공 뎌링공</u> ᄒ야 <u>나즈란</u> 디내와손뎌.
이럭저럭　　　　　　　　　　낮은 지내 왔지만

<u>오리도 가리도</u> 업슨 <u>바므란</u> 쏘 엇디 <u>호리라.</u>
올 사람도 갈 사람도　　밤 – 고독의 시간　　　비탄과 절망

얄리얄리 얄라셩 얄라리 얄라　　　　　　　▶ 4연 – 절망적인 고독과 비탄

*우러라 : ① 우는구나(감탄형), ② 울어라(명령형), ③ 노래하라(명　　*널라와 : 너보다
　　령형)

<u>어듸라</u> 더디던 돌코 누리라 마치던 돌코.
어디에다　　　　　　피할 수 없는 인간의 운명, 화자의 비애를 야기하는 매개체

<u>믜리도 괴리도</u> 업시 <u>마자셔 우니노라.</u>
미워할 이도 사랑할 이도　　　　화자의 고통스러운 삶 - 운명적 체념

얄리얄리 얄라셩 얄라리 얄라　　　　▶ 5연 - 삶의 운명에 대한 체념

살어리 살어리랏다 <u>바르래</u> 살어리랏다.
　　　　　　1연의 '청산'과 대응 - 화자의 이상향

*<u>ᄂᆞᄆᆞ자기</u> 구조개랑 먹고 바르래 살어리랏다.
소박한 음식, 1연의 '멀위랑 ᄃᆞ래'와 대응

얄리얄리 얄라셩 얄라리 얄라　　　　▶ 6연 - '바다'에 대한 동경

① 사슴이 ②'사르미'의 오기(誤記) ③ 사슴 분장의 광대가

가다가 가다가 <u>드로라</u> *에졍지 가다가 드로라.
　　　　　　　듣노라

<u>사스미</u> *<u>짒대예</u> 올아셔 히금(奚琴)을 혀거를 드로라.
① 기적이 일어나기를 바라는 절박한 심정 ② 연주를 들으며 삶의 괴로움을 잊고 싶은 심정 ③ 당대의 산대놀음과 결부시킨 것

얄리얄리 얄라셩 얄라리 얄라　　　　▶ 7연 - 삶에 대한 절박한 심정

가다니 <u>빈브른 도긔</u> *설진 강수를 비조라.
　　　　배가 부른 독에　　　　술 - 괴로움을 잊기 위한 도구 - 술로 고통을 해소함.(체념적 태도)

*<u>조롱곳</u> 누로기 미와 <u>잡스와니 내 엇디 ᄒᆞ리잇고.</u>
　　　　　　　　　　　　　　　　체념적 태도

얄리얄리 얄라셩 얄라리 얄라　　　　▶ 8연 - 술을 통한 고뇌의 해소

① (술이 나를)붙잡으니 - 술로 시름을 달래는 화자(주객전도형 표현)
② (술이 임을)붙잡으니 - 술에게 임을 빼앗긴 화자

*<u>ᄂᆞᄆᆞ자기</u> : 정확히 알 수는 없으나, '나문재'라는 식물을 뜻하는
　　　것으로 추정함.
*<u>에졍지</u> : 아직 정확한 뜻이 밝혀지지 않았으나, '외딴 곳에 떨어
　　　져 있는 부엌'이라고도 함.

*<u>짒대</u> : 장대. 대나무나 나무로 다듬어 만든 긴 막대기.
*<u>설진</u> : 덜 익은.
*<u>조롱곳</u> : 조롱박꽃.

⊙ 핵심정리

갈래	고려 가요	성격	현실 도피적, 애상적, 체념적
운율	3·3·2조, 3음보	제재	청산, 바다
주제	삶의 고뇌와 비애에서 벗어나고 싶은 욕구		
특징	• 상징적 시어를 사용하여 주제 의식을 강조함. • 시구의 반복을 통해 운율감을 형성하고 의미를 강조함. • 구전되어 오다가 조선 시대에 문자로 기록됨. • 구조상 1~4연을 '청산 노래'로 5~8연을 '바다 노래'로 본다면 5연과 6연의 순 서를 바꾸었을 때 시상 전개가 더 자연스러움.		

확인학습 ··

01 고려 가요는 구전되다가 조선 시대 훈민정음 창제 이후 기록되었다. ○☐ ×☐

02 고려 가요는 주로 서민들의 애환이나, 사랑, 이별 등의 보편적인 정서를 다룬다. ○☐ ×☐

03 후렴구가 존재하는데, 이러한 후렴구는 작품의 내용과 밀접한 관계를 맺는다. ○☐ ×☐

04 후렴구는 연과 연을 나눠주면서 구조적인 안정감과 작품 전체에 통일성을 부여한다. ○☐ ×☐

05 청산별곡은 각 연마다 3·3·3(2)조의 정형적 율격을 반복적으로 사용하고 있다. ○☐ ×☐

06 후렴구에서 'ㄹ', 'ㅇ'과 같은 특정 음운을 반복적으로 사용하고 있다. ○☐ ×☐

07 후렴구는 각 연과 조응하여 어둡고 비장한 분위기를 조성하고 있다. ○☐ ×☐

08 동일한 음보와 특정 음운의 반복으로 운율감을 형성하고 있다. ○☐ ×☐

09 자연물에 화자의 감정을 이입하여 정서를 강조하고 있다. ○☐ ×☐

10 계절의 변화에 따른 대상의 모습을 통해 시상을 전개하고 있다. ○☐ ×☐

11 다양한 문장 종결 방식을 사용하여 화자의 정서와 태도를 드러내고 있다. ○☐ ×☐

12 경쾌한 리듬과 세련된 언어 감각이 돋보이는 작품이다. ○☐ ×☐

13 '청산'과 '바다'는 속세와 대비되는 공간으로서의 자연이며, 현실의 도피처, 이상향 등으로 해석할 수 있다. ○☐ ×☐

14 '강수'는 독한 술을 말하며 내면의 고뇌와 갈등을 완전하게 해소하기 위한 수단으로 기능하고 있다. ○☐ ×☐

15 화자를 유랑민으로 볼 경우, 이 작품은 난리로 삶의 터전을 잃거나 지배층으 착취로 토지를 빼아기고 떠도는 유랑민의 고통과 비애를 읊은 노래로 볼 수 있다. ○☐ ×☐

16 화자를 실연 당한 사람으로 볼 경우, 이 작품은 사랑하는 사람과 헤어지거나 사별한 슬픔을 형상화한 작품이라고 할 수 있다. ○☐ ×☐

17 화자를 속세를 떠난 은자 또는 지식인으로 볼 경우, 이 작품은 권력의 횡포나 외세의 침략 등으로 속세에 좌절하고 숨어 사는 은자의 인생관을 노래한 작품으로 볼 수 있다. ○☐ ×☐

18 이 작품의 주제는 '실연 당한 사람의 한', '유랑민의 비애와 한', '좌절한 지식인의 고뇌와 갈등' 등 다양하게 해석될 수 있다. ○☐ ×☐

19 경쾌한 리듬과 세련된 언어 감각이 돋보이는 작품이다. ○☐ ×☐

20 다양한 문장 종결 방식을 사용하여 화자의 정서와 태도를 드러내고 있다. ○☐ ×☐

[01~02] 다음 글을 읽고 물음에 답하시오.

살어리 살어리랏다 청산애 살어리랏다.
멀위랑 두래랑 먹고 청산애 살어리랏다.
얄리얄리 얄랑셩 얄라리 얄라

㉠우러라 우러라 새여 자고 니러 우러라 새여.
널라와 시름 한 나도 자고 니러 우니로라.
얄리얄리 얄라셩 얄라리 얄라

가던 새 가던 새 본다 믈 아래 가던 새 본다.
잉 무든 장글란 가지고 믈 아래 가던 새 본다.
얄리얄리 얄라셩 얄라리 얄라

㉡이링공 뎌링공 ᄒᆞ야 나즈란 디내와손뎌.
오리도 가리도 업슨 바므란 쏘 엇디 호리라.
얄리얄리 얄라셩 얄라리 얄라

㉢어듸라 더디던 돌코 누리라 마치던 돌코.
믜리도 괴리도 업시 마자셔 우니노라.
얄리얄리 얄라셩 얄라리 얄라

살어리 살어리랏다 바ᄅᆞ래 살어리랏다.
ᄂᆞᄆᆞ자기 구조개랑 먹고 바ᄅᆞ래 살어리랏다.
얄리얄리 얄라셩 얄라리 얄라

가다가 가다가 드로라 에졍지 가다가 드로라.
㉣사스미 짒대예 올아셔 ᄒᆡ금을 혀거를 드로라.
얄리얄리 얄라셩 얄라리 얄라

㉤가다니 비브른 도긔 설진 강수를 비조라.
조롱곳 누로기 ᄆᆡ와 잡스와니 내 엇디 ᄒᆞ리잇고.
얄리얄리 얄라셩 얄라리 얄라

– 작자 미상, 「청산별곡」 –

01 다음 중 상징하는 바가 **다른** 시어는?

① 멀위   ② 두래   ③ ᄂᆞᄆᆞ자기   ④ 구조개   ⑤ 강수

02 윗글의 밑줄 친 부분에 대한 설명으로 적절하지 <u>않은</u> 것은?

① ㉠ : 화자의 말은 '울어라', '노래하라', '우는구나'로 해석할 수 있다.

② ㉡ : 화자는 이럭저럭 낮은 보내지만 아무도 없는 밤은 외롭다고 생각한다.

③ ㉢ : 돌은 화자가 자신을 고통스럽게 만든 세상에 저항하는 수단이다.

④ ㉣ : 화자는 사슴의 해금 연주를 상상하며 잠시나마 삶의 괴로움을 잊고자 한다.

⑤ ㉤ : 화자는 술로 삶의 고뇌를 달래며 체념적인 태도를 보인다.

[03~05] 다음 글을 읽고 물음에 답하시오.

살어리 살어리랏다 쳥산애 살어리랏다.
멀위랑 두래랑 먹고 쳥산애 살어리랏다.
얄리얄리 얄랑셩 얄라리 얄라

㉠우러라 우러라 새여 자고 니러 우러라 새여.
널라와 시름 한 나도 자고 니러 우니로라.
얄리얄리 얄라셩 얄라리 얄라

㉡가던 새 가던 새 본다 믈 아래 가던 새 본다.
잉 무든 장글란 가지고 믈 아래 가던 새 본다.
얄리얄리 얄라셩 얄라리 얄라

이링공 뎌링공 ㅎ야 나즈란 디내와손뎌.
오리도 가리도 업슨 바므란 또 엇디 호리라.
얄리얄리 얄라셩 얄라리 얄라

㉢어듸라 더디던 돌코 누리라 마치던 돌코.
믜리도 괴리도 업시 마자셔 우니노라.
얄리얄리 얄라셩 얄라리 얄라

살어리 살어리랏다 바르래 살어리랏다.
ㄴ무자기 구조개랑 먹고 바르래 살어리랏다.
얄리얄리 얄라셩 얄라리 얄라

㉣가다가 가다가 드로라 에졍지 가다가 드로라.
사스미 짒대예 올아셔 해금을 혀거를 드로라.
얄리얄리 얄라셩 얄라리 얄라

㉤가다니 빈브른 도긔 설진 강수를 비조라.
조롱곳 누로기 미와 잡스와니 내 엇디 ㅎ리잇고.
얄리얄리 얄라셩 얄라리 얄라

– 작자 미상, 「청산별곡」 –

03 ㉠~㉤에 대한 이해로 적절하지 <u>않은</u> 것은?

① ㉠ - 울고 있는 새를 통해 화자의 정서적 상황을 알려 주고 있다.
② ㉡ - 쟁기를 챙기는 모습을 통해 농사일을 하러 가는 장면을 표현하고 있다.
③ ㉢ - 돌에 맞아 우는 모습을 통해 운명에 괴로워하는 화자의 모습을 표현하고 있다.
④ ㉣ - 비현실적인 상상을 통해 삶의 괴로움을 잊고 싶은 화자의 심정을 표현하고 있다.
⑤ ㉤ - 술이 익어가는 모습을 통해 시름을 달래려는 화자의 모습을 표현하고 있다.

04 윗글의 표현방식에 대한 설명으로 적절한 것은?

① 시간의 대비를 통해 시상의 전환이 이루어지고 있다.
② 반어법을 활용하여 주제 의식을 부각하고 있다.
③ 의문문 형식의 표현을 통해 체념적인 정서가 강조되고 있다.
④ 계절의 변화를 통해 시적 분위기를 조성하고 있다.
⑤ 직유의 방식을 통해 대상의 이미지가 선명하게 드러나고 있다.

05 〈보기〉를 참고하여 윗글을 감상한 것으로 적절하지 <u>않은</u> 것은?

> ┤ 보기 ├
>
> 　고려 시대에 우리말로 불렸던 것으로 추정되는 고려 가요는 오늘날 『악학궤범』, 『악장가사』, 『시용향약보』 등의 악서를 통해 전해지고 있다. 따라서 우리가 알고 있는 고려 가요는 대부분 민간에서 구전되다가 궁중에 유입된 것으로 한글 창제 이후 기록되어 전승된 결과물이다.
>
> 　또한 궁중으로 유입되어 정착되는 과정에서 궁중이라는 특수한 공간을 고려한 것으로 보이는 다양한 흔적들을 발견할 수 있는데, 특정한 구절이 덧붙여지기도 하고 여러 편의 노래가 합쳐져 새로운 노래로 편곡이 된 듯한 모습도 보인다. 예를 들어 〈가시리〉의 후렴구인 '위 증즐가 대평성딩'와 〈동동〉의 제 1연에서 복을 비는 구절은 이별의 상황과 동떨어진 시어이고, 어떤 경우에는 일관된 해석이 어려울 정도로 시상 전개가 부자연스러운데, 이는 모두 궁중악으로 편입되는 과정에서 겪은 변화이다.
>
> 　고려 가요는 민간에서 민요로서 구전되었다. 많은 민요가 그러하듯 집단적으로 가창되기도 하였다. 함께 어울려 노동을 하는 가운데 소리에 자신이 있는 누군가가 선창을 하면 다함께 후렴구를 후창하거나, 여러 개의 연을 하나씩 나누어 부르며 흥겨움을 즐겼다. 경우에 따라 노래의 일부를 생략하거나 순서를 바꾸어 부를 수도 있었으며, 자신의 상황에 맞추어 가사를 만들어 부르는 것도 가능했다. 고정되고 폐쇄적인 형식이 아닌 유연하고 개방적인 노래였기에 종종 각 연의 유기성이 떨어지고 독립성이 두드러지는 모습이 보이기도 하는데 이는 고려가요의 민요적 특성에서 기인한 것이다.

① 각 연마다 나타나는 후렴구는 노래의 가창방식과 관련이 있을 것이다.
② 민간에서 민요의 형태로 불렸을 때는 후렴구가 존재하지 않았을 것이다.
③ 시상 전개가 매끄럽지 않은 이유를 노래의 전승 과정에서 찾아볼 수 있다.
④ 5연과 7연에서 유기성이 떨어지는 이유를 고려가요의 민요적 성격에서 찾아볼 수 있다.
⑤ '청산'과 '바룰'가 주된 시적 공간이지만 공간의 이동이 시상 전개에 큰 영향을 주지는 않는다.

[06~09] 다음 글을 읽고 물음에 답하시오.

ㄱ살어리 살어리랏다 청산(靑山)애 살어리랏다.
멀위랑 ㄷ래랑 먹고 청산애 살어리랏다.
얄리얄리 얄랑셩 얄라리 얄라

우러라 우러라 새여 자고 니러 우러라 새여.
널라와 시름 한 나도 자고 니러 우니로라.
얄리얄리 얄라셩 얄라리 얄라

가던 새 가던 새 본다 믈 아래 가던 새 본다.
잉 무든 장글란 가지고 믈 아래 가던 새 본다.
얄리얄리 얄라셩 얄라리 얄라

ㄴ이링공 뎌링공 ㅎ야 나즈란 디내와손뎌.
오리도 가리도 업슨 바므란 쏘 엇디 호리라.
얄리얄리 얄라셩 얄라리 얄라

ㄷ어듸라 더디던 돌코 누리라 마치던 돌코.
믜리도 괴리도 업시 마자셔 우니노라.
얄리얄리 얄라셩 얄라리 얄라

살어리 살어리랏다 바ㄹ래 살어리랏다.
ㄹㄴㅁ자기 구조개랑 먹고 바ㄹ래 살어리랏다.
얄리얄리 얄라셩 얄라리 얄라

가다가 가다가 드로라 에졍지 가다가 드로라.
사스미 짒대예 올아셔 히금(奚琴)을 혀거를 드로라.
얄리얄리 얄라셩 얄라리 얄라

ㅁ가다니 빅브른 도긔 설진 강수를 비조라.
조롱곳 누로기 미와 잡스와니 내 엇디 ᄒ리잇고.
얄리얄리 얄라셩 얄라리 얄라

– 작자 미상, 「청산별곡」 –

06 ㄱ~ㅁ에 대한 설명으로 적절하지 않은 것은?

① ㄱ : 청산은 속세와 대비되는 공간이라고 할 수 있다.
② ㄴ : 낮과 밤의 대비를 통해 화자의 고독감을 부각한다.
③ ㄷ : 인생을 살면서 갑자기 겪게 되는 불행을 상징한다.
④ ㄹ : 소박한 음식에 만족하는 화자의 태도가 드러난다.
⑤ ㅁ : 화자가 술을 빚으며 자연과 하나되는 태도가 드러나 있다.

07 윗글의 후렴구의 기능에 대한 설명으로 가장 적절한 것은?

① 글자 수를 제한하여 의미를 압축적으로 제시한다.
② 화자가 처한 상황을 제시하여 시적 분위기를 형성한다.
③ 의성어를 거듭 사용하여 시적 상황을 구체적으로 보여준다.
④ 화자의 정서를 집약적으로 표현하여 작품의 주제를 부각한다.
⑤ 각 연의 끝에 반복하여 사용함으로써 작품 전체에 통일성을 부여하고 구전하기 쉽게 하였다.

08 윗글을 〈보기〉와 같이 이해할 때, 시구의 대응이 적절하지 <u>않은</u> 것은?

┤ 보기 ├

이 노래는 5연과 6연의 위치를 바꾸면 1~4연은 '청산', 5~8연은 '바다'를 노래하고 있다고 볼 수 있다.

ⓐ	멀위랑 드래랑	┈┈ ㄴ 무자기 구조개랑
ⓑ	우러라 우러라 새여	┈┈ 믜리도 괴리도 업시
ⓒ	자고 니러 우니로라	┈┈ 마자셔 우니노라
ⓓ	가던 새 가던 새 본다	┈┈ 가다가 가다가 드로라
ⓔ	쏘 엇디 호리라	┈┈ 내 엇디 흐리잇고

① ⓐ　　　② ⓑ　　　③ ⓒ　　　④ ⓓ　　　⑤ ⓔ

09 윗글은 화자에 따라 다양하게 해석할 수 있다. 〈보기〉의 해석에 따라 작품을 이해한 것으로 적절하지 <u>않은</u> 것은?

┤ 보기 ├

㉠ [해석1] 이 고려가요는 고려 후기의 혼란스러운 시대 상황에서 창작된 것으로 알려져 있다. 화자는 농사를 짓고 살던 고려의 백성이었으나 난리(亂離) 때문에 삶의 터전인 경작할 밭을 잃고 떠돌아다니는 삶을 사는 사람으로 해석해 볼 수 있다. 즉, 이 고려가요는 유랑민의 삶의 비애와 고독을 표현한 작품으로 해석할 수 있다.

㉡ [해석2] 고려 후기에는 새로 집권한 무신들의 횡포로, 양심적 지식인들이 제 뜻을 펴지 못하는 현실에 좌절하였다. 즉, 이 고려가요는 무신 정권의 횡포로 속세를 떠나 사는 지식인의 염세적 태도를 표현한 작품으로 해석할 수 있다.

㉢ [해석3] 이 고려가요는 사랑하는 임을 잃은 슬픔을 노래하는 실연한 여인이다.

① ㉠일 경우 '잉 무든 장글'은 유랑민이 사용하던 이끼 묻은 쟁기로 해석할 수 있겠군.
② ㉠일 경우 '가던 새'는 떠돌게 되면서 헤어진 화자의 가족이라고 해석할 수 있겠군.
③ ㉡일 경우 '가던 새'는 자신과 뜻을 함께 하던 떠나버린 화자의 벗이라고 할 수 있겠군.
④ ㉢일 경우 '잉 무든 장글'은 여인이 지니고 있던 이끼묻은 은장도로 해석할 수 있겠군.
⑤ ㉢일 경우 이별의 슬픔을 잊기 위해 자연으로 도피하고자 하는 마음을 노래한 것으로 볼 수 있겠군.

[10~12] 다음 글을 읽고 물음에 답하시오.

살어리 살어리랏다 ㉠청산(靑山)애 살어리랏다.
멀위랑 드래랑 먹고 청산애 살어리랏다.
㉮얄리얄리 얄랑셩 얄라리 얄라

우러라 우러라 ⓐ새여 자고 니러 우러라 새여.
널라와 시름 한 나도 자고 니러 우니로라.
얄리얄리 얄라셩 얄라리 얄라

가던 새 가던 새 본다 ㉡믈 아래 가던 새 본다.
잉 무든 장글란 가지고 믈 아래 가던 새 본다.
얄리얄리 얄라셩 얄라리 얄라

이링공 뎌링공 ᄒᆞ야 나즈란 디내와숀뎌.
오리도 가리도 업슨 바므란 또 엇디 호리라.
얄리얄리 얄라셩 얄라리 얄라

어듸라 더디던 ㉢돌코 누리라 마치던 돌코.
믜리도 괴리도 업시 마자셔 우니노라.
얄리얄리 얄라셩 얄라리 얄라

살어리 살어리랏다 바ᄅᆞ래 살어리랏다.
㉣ᄂᆞᄆᆞ자기 구조개랑 먹고 바ᄅᆞ래 살어리랏다.
얄리얄리 얄라셩 얄라리 얄라

가다가 가다가 드로라 에졍지 가다가 드로라.
사ᄉᆞ미 짒대예 올아셔 ᄒᆡ금(奚琴)을 혀거를 드로라.
얄리얄리 얄라셩 얄라리 얄라

가다니 비브른 도긔 설진 ㉤강수를 비조라.
조롱곳 누로기 ᄆᆡ와 잡ᄉᆞ와니 내 엇디 ᄒᆞ리잇고.
얄리얄리 얄라셩 얄라리 얄라

– 작자 미상, 「청산별곡」 –

10 윗글에 해당하는 갈래의 특성으로 적절한 것은?

① 대체로 4음보, 분연체, 후렴구의 형식을 지닌다.
② 유교적 이념을 표출하기 위해 만든 고유의 정형시이다.
③ 남녀 간의 사랑, 삶의 애환 등 진솔한 생활감정을 표현하였다.
④ 고대로부터 내려오던 민요에서 형성된 것으로, 구비전승되어 기록은 남아있지 않다.
⑤ 우리말의 아름다움과 현학적인 한자어를 함께 사용하여 고려시대 전 계층에서 향유하였다.

11 ⊙~⑩의 상징적 의미로 적절하지 <u>않은</u> 것은?

① ⊙ : 화자가 괴로운 현실에서 벗어나서 가고자 하는 이상향이다.
② ⓛ : '청산'과 대비되는 공간으로 속세를 나타낸다.
③ ⓒ : 화자의 의지와 무관한 운명적 삶의 비애를 뜻한다.
④ ⓔ : 화자가 가난한 현실을 벗어나 누리고 싶은 물질적 욕망을 상징한다.
⑤ ⑩ : 삶의 괴로움과 고뇌를 잊기 위한 매개체이다.

12 다음 밑줄 친 대상의 시적 기능이 @와 유사한 것은?

① 그리고 한 사나이가 있습니다. / 어떤지 그 <u>사나이</u>가 미워져 돌아갑니다.

– 윤동주, 「자화상」 –

② 달밤이 싫여, 달밤이 싫여, <u>눈물같은 골짜기</u>에 달밤이 싫여, 아무도 없는 뜰에 달밤이 나는 싫여…….

– 박두진, 「해」 –

③ 붉은 해는 서산마루에 걸리었다. / <u>사슴의 무리</u>도 슬피 운다. / 떨어져 나가 앉은 산 위에서 / 나는 그대의 이름을 부르노라.

– 김소월, 「초혼」 –

④ 하늘에는 성근 별 / 알 수도 없는 모래성으로 발을 옮기고, / <u>서리 까마귀</u> 우지짖고 지나가는 초라한 지붕, / 흐릿한 불빛에 돌아앉아 도란도란거리는 곳.

– 정지용, 「향수」 –

⑤ 나는 아버지로 섬기는 이라 한즉 / 의원은 또다시 넌지시 웃고 말없이 팔을 잡아 맥을 보는데 / <u>손길</u>은 따스하고 부드러워 / 고향도 아버지도 아버지의 친구도 다 있었다.

– 백석, 「고향」 –

[13~14] 다음 글을 읽고 물음에 답하시오.

(가) 살어리 살어리랏다 청산(靑山)애 살어리랏다.
　　 멀위랑 다래랑 먹고 청산(靑山)애 살어리랏다.
　　 얄리얄리 얄랑셩 얄라리 얄라

(나) 우러라 우러라 새여 자고 니러 우러라 새여.
　　 널라와 시름 한 나도 자고 니러 우니로라.
　　 얄리얄리 얄라셩 얄라리 얄라

(다) 가던 새 가던 ⊙새 본다 믈 아래 가던 새 본다.
　　 잉 무든 장글란 가지고 믈 아래 가던 새 본다.
　　 얄리얄리 얄라셩 얄라리 얄라

(라) 이링공 뎌링공 ᄒ야 나즈란 디내와손뎌.
오리도 가리도 업슨 ⓛ바므란 ᄯ 엇디 호리라.
얄리얄리 얄라셩 얄라리 얄라

(마) 어듸라 더디던 ⓒ돌코 누리라 마치던 돌코.
믜리도 괴리도 업시 마자셔 우니노라.
얄리얄리 얄라셩 얄라리 얄라

(바) 살어리 살어리랏다 바ᄅ래 살어리랏다.
ⓔᄂᄆ자기 구조개랑 먹고 바ᄅ래 살어리랏다.
얄리얄리 얄라셩 얄라리 얄라

(사) 가다가 가다가 드로라 에졍지 가다가 드로라.
사ᄉ미 짒대예 올아셔 ᄒ금(奚琴)을 혀거를 드로라.
얄리얄리 얄라셩 얄라리 얄라

(아) 가다니 ᄇ브른 도긔 ⓜ설진 강수를 비조라.
조롱곳 누로기 ᄆ와 잡ᄉ와니 내 엇디 ᄒ리잇고.
얄리얄리 얄라셩 얄라리 얄라

– 작자 미상, 「청산별곡」 –

13 (가)~(아)를 읽고 이해한 내용으로 적절한 것은?

① (가)와 (바)를 통해, 자연을 속세에 비유하는 한국문학의 자연관을 확인할 수 있다.
② (나)와 (사)는 구성상 서로 대응되며, 상황에 대처하는 화자의 태도가 유사하다는 것을 알 수 있다.
③ (다)는 (가)에서 드러낸 소망과는 달리, 현실을 벗어나지 못하는 화자의 인간적인 고뇌를 진솔하게 그리고 있다.
④ (라)와 (마)를 통해, 첫 행에서 동일한 시어를 반복적으로 배치하는 구비문학의 특징을 파악할 수 있다.
⑤ (아)를 통해, 절박한 현실에 순응하며 살고자 하는 사대부 작자층의 삶의 태도를 확인할 수 있다.

14 밑줄 친 ㉠~㉤에 대한 설명으로 적절하지 않은 것은?

① ㉠ : 화자의 주관적인 감정이 이입된 대상이다.
② ㉡ : 화자의 정서를 심화하는 기능을 하고 있다.
③ ㉢ : 운명론적 세계관이 반영된 소재이다.
④ ㉣ : 소박한 삶을 의미하는 소재이다.
⑤ ㉤ : 화자의 고통을 해소하는 매개체이다.

객관식 심화문제

[01~05] 다음 글을 읽고, 물음에 답하시오.

(가) 살어리 살어리랏다 청산(靑山)애 살어리랏다.
    멀위랑 ᄃ래랑 먹고 청산(靑山)애 살어리랏다.
    얄리얄리 얄랑셩 얄라리 얄라

    우러라 우러라 새여 자고 니러 우러라 새여.
    널라와 시름 한 나도 자고 니러 우니로라.
    얄리얄리 얄라셩 얄라리 얄라

    ㉠가던 새 가던 새 본다 믈 아래 가던 새 본다.
    ㉡잉 무든 장글란 가지고 믈 아래 가던 새 본다.
    얄리얄리 얄라셩 얄라리 얄라

    이링공 뎌링공 ᄒ야 나즈란 디내와손뎌.
    오리도 가리도 업슨 바므란 ᄯ 엇디 호리라.
    얄리얄리 얄라셩 얄라리 얄라

    어듸라 더디던 돌코 누리라 마치던 돌코.
    믜리도 괴리도 업시 마자셔 우니노라.
    얄리얄리 얄라셩 얄라리 얄라

    살어리 살어리랏다 바ᄅ래 살어리랏다.
    ᄂᆞ자기 구조개랑 먹고 바ᄅ래 살어리랏다.
    얄리얄리 얄라셩 얄라리 얄라

    가다가 가다가 드로라 에졍지 가다가 드로라.
    사ᄉ미 짒대예 올아셔 ᄒ금(奚琴)을 혀거를 드로라.
    얄리얄리 얄라셩 얄라리 얄라

    가다니 ᄇ브른 도긔 설진 강수를 비조라.
    조롱곳 누로기 ᄆ와 잡ᄉ와니 내 엇디 ᄒ리잇고.
    얄리얄리 얄라셩 얄라리 얄라

                                    – 작자 미상, 「청산별곡(靑山別曲)」 –

(나) 정선의 구명은 무릉도원이 아니냐
    무릉도원은 어데 가고서 산만 충충하네
    아리랑 아리랑 아라리요
    아리랑 고개 고개로 나를 넘겨 주게

    명사십리가 아니라면은 해당화가 왜 피며
    모춘 삼월이 아니라면은 두견새는 왜 우나
    아리랑 아리랑 아라리요
    아리랑 고개 고개로 나를 넘겨 주게

아우라지 뱃사공아 배 좀 건네주게
싸릿골 올동백이 다 떨어진다
아리랑 아리랑 아라리요
아리랑 고개 고개로 나를 넘겨 주게

　　　　　　　　　　　　　　　　　　　　– 작자 미상, 「정선 아리랑」 –

(다) 산이 날 에워싸고
씨나 뿌리며 살아라 한다
밭이나 갈며 살아라 한다

어느 짧은 산자락에 집을 모아
아들 낳고 딸을 낳고
흙담 안팎에 호박 심고
들찔레처럼 살아라 한다
쑥대밭처럼 살아라 한다

산이 날 에워싸고
그믐달처럼 사위어지는 목숨
그믐달처럼 살아라 한다
그믐달처럼 살아라 한다

　　　　　　　　　　　　　　　　　　　　– 박목월, 「산이 날 에워싸고」 –

(라) 대숲으로 간다.
대숲으로 간다.
한사코 성근 대숲으로 간다.

자욱한 밤안개에 벌레 소리 젖어 흐르고
벌레 소리에 푸른 달빛이 배어 흐르고

대숲은 좋더라.
성글어 좋더라.
한사코 서러워 대숲은 좋더라.

꽃가루 날리듯 흥근히 드는 달빛에
기척 없이 서서 나도 대같이 살거나.

　　　　　　　　　　　　　　　　　　　　– 신석정, 「대숲에 서서」 –

01 (가)~(라)의 내용을 고려할 때, 밑줄 친 것 중 자연물에 대한 화자의 태도가 다른 것은?

① (가)의 '淸算(청산)'　　　　② (가)의 '바롤'　　　　③ (나)의 '산'
④ (다)의 '산'　　　　　　　⑤ (라)의 '대숲'

02 (가)~(라)의 공통점으로 가장 적절한 것은?

① 의문형 표현을 활용하여 화자의 정서를 강조하고 있다.
② 비슷한 유형의 문장 구조를 반복하여 리듬감을 형성하고 있다.
③ 계절감을 나타내는 시어를 활용하여 시적 분위기를 조성하고 있다.
④ 감정이입의 대상을 통해 화자가 자신의 감정을 보다 정확하고 확실하게 드러내고 있다.
⑤ 의인화의 방법을 활용하여 대상을 생동감 있게 표현하고 있으며 대상이 지닌 의미를 효과적으로 표현하고 있다.

03 〈보기〉 중 (가)에 대하여 설명한 내용으로 적절한 것끼리 묶은 것은?

┤ 보기 ├

ⓐ **원균**: 동병상련의 처지를 지닌 대상과 비교를 하여 화자의 괴로움과 고독함을 잘 표현하고 있다.
ⓑ **정일**: 3·5의 글자 수를 일정하게 반복적으로 배열하여 리듬감을 느끼게 하는 음수율을 엿볼 수 있어.
ⓒ **은희**: 구절을 의미상으로 자연스럽게 끊어 읽을 때에 네 부분으로 나누어서 읽는 음보율을 바탕으로 한 노래야.
ⓓ **영재**: 5연과 6연의 순서를 바꾸면 앞의 네 연과 뒤의 네 연이 내용상 서로 대칭이 되도록 내용이 구성되어 있어.
ⓔ **승철**: 미워할 사람도 사랑할 사람도 없는 화자가 외로움과 상실감 극복을 위해 속세에 남고 싶어 함이 잘 드러나 있어.
ⓕ **영관**: 후렴구를 각 연마다 일정한 자리에 반복되도록 배치하여 리듬감을 형성하고 있고 작품 전체에 통일감을 주고 있어.
ⓖ **지현**: 속세를 떠날 수밖에 없는 화자의 마음을 슬픈 느낌을 주는 후렴구를 사용하여 효과적으로 표현하고 있군.

① ⓐ, ⓓ, ⓕ　　② ⓐ, ⓔ, ⓖ　　③ ⓑ, ⓒ, ⓕ　　④ ⓑ, ⓓ, ⓖ　　⑤ ⓒ, ⓔ, ⓖ

04 (가)~(라)에 대한 설명으로 적절하지 않은 것은?

① **미령**: (가)는 기적을 바랄 수밖에 없는 상황에 처한 화자가 체념하는 모습을 보여 매우 안타까워.
② **경화**: (나)는 쓸쓸함을 자아내는 대상을 제시하여 화자가 느끼는 삶의 애환을 잘 표현하고 있는 것 같아.
③ **선희**: (다)는 의인화와 主客顚倒(주객전도)의 방법을 사용하여 화자가 자신의 마음과 의지를 드러내는 특징이 있어.
④ **근화**: (다)와 (라)는 반어적 표현을 사용하여 자연을 지향하는 화자의 감정과 이유를 효과적으로 드러내고 있어.
⑤ **은경**: (가)와 (라)는 의문형 종결어미를 사용하여 화자가 자신의 삶에 대한 생각을 밝히고 있어.

05 (가)와 (나)를 비교한 설명으로 가장 적절한 것은?

① (가)는 (나)와 달리 민중들의 생활 감정과 의식이 진솔하게 담겨 표현되었다는 특징을 지니고 있다.

② (가)는 (나)와 달리 우리말로 창작되어 불린 노래로, 구전(口傳)되다가 후에 악서(樂書)에 기록이 되어 오늘날까지 전승되고 있다.

③ (가)와 (나)의 후렴구는 특별한 뜻을 지니고 있고, 각 연을 나누는 역할을 하며 흥을 돋우는 역할을 한다.

④ (가)와 (나)는 정해진 형식으로 내용을 계속 덧붙일 수 있는 열린 구성이지만, 내용 간 연결성으로 인하여 각 연의 순서는 바꿀 수 없는 특성을 지닌 노래이다.

⑤ (가)와 (나)는 각 연의 내용이 하나의 주제가 아니라 다양한 상황이 나열된 형태로 구성되어 있어 현대시와 비교할 때 유기성이 떨어진다고 말할 수 있다.

[06~09] 다음 글을 읽고, 물음에 답하시오.

살어리 살어리랏다 ㉠청산(靑山)애 살어리랏다.
멀위랑 ᄃᆞ래랑 먹고 청산(靑山)애 살어리랏다.
얄리얄리 얄랑셩 얄라리 얄라

우러라 우러라 ㉡새여 자고 니러 우러라 새여.
널라와 시름 한 나도 자고 니러 우니로라.
얄리얄리 얄라셩 얄라리 얄라

가던 ㉢새 가던 새 본다 믈 아래 가던 새 본다.
잉 무든 장글란 가지고 믈 아래 가던 새 본다.
얄리얄리 얄라셩 얄라리 얄라

이링공 뎌링공 ᄒᆞ야 나즈란 디내와손뎌.
오리도 가리도 업슨 ㉣바므란 또 엇디 호리라.
얄리얄리 얄라셩 얄라리 얄라

┌ 어듸라 더디던 돌코 누리라 마치던 돌코.
[A] 믜리도 괴리도 업시 마자셔 우니노라.
└ 얄리얄리 얄라셩 얄라리 얄라

살어리 살어리랏다 ㉤바ᄅᆞ래 살어리랏다.
ᄂᆞᄆᆞ자기 구조개랑 먹고 바ᄅᆞ래 살어리랏다.
얄리얄리 얄라셩 얄라리 얄라

가다가 가다가 드로라 에졍지 가다가 드로라.
ⓗ사스미 짒대예 올아서 히금(奚琴)을 혀거를 드로라.
얄리얄리 얄라셩 얄라리 얄라

가다니 빈브른 도긔 설진 ⓢ강수를 비조라.
조롱곳 누로기 미와 잡스와니 내 엇디 ᄒ리잇고.
얄리얄리 얄라셩 얄라리 얄라

---

06 위 시가에 대한 설명으로 적절하지 <u>않은</u> 것은?

① 분연체의 형식을 지니고 있다.
② 민요와 같은 율격을 지니고 있다.
③ 공간적 대비를 통해 대칭 구조를 보여주고 있다.
④ 반복되는 후렴구를 통해 리듬감을 형성하고 있다.
⑤ 자신이 처해 있는 상황을 극복하려는 의지가 나타나 있다.

07 [A]에 드러난 화자의 정서와 가장 유사한 것은?

① 얼음장 밑에서도 고기가 숨쉬고/ 파릇한 미나리 싹이/ 봄날을 꿈꾸듯/
새해는 참고/ 꿈도 좀 가지고 맞을 일이다.
② 괴로움에 짐짓 웃을 양이면/ 슬픔도 오히려 아름다운 것이,
고난을 사랑하는 이에게만이/ 마음 나라의 원광은 떠오른다.
③ 혼자라도 기쁘게나 가자./ 마른 논을 안고 도는 착한 도랑이/ 젖먹이 달래는 노래를 하고, 제 혼자 어깨춤만 추
고 가네.
④ 흐르는 것이 물뿐이랴. 우리가 저와 같아서/ 강변에 나가 삶을 씻으며/ 거기 슬픔도 퍼다 버린다. 일이 끝나 저
물어/ 스스로 깊어 가는 강을 보며/ 쭈그려 앉아 담배나 피우고/ 나는 돌아갈 뿐이다.
⑤ 이제 나는 너그럽게 사람과 세상을 받아들이리/ 내 마음의 겸손과 원만함이 사람들에게 햇살처럼 퍼지게 하리/
겸손하게 빛나는 영혼의 세계를 위해 마음을 열고 얘기하리라.

08 ⊙~ⓢ에 대한 설명으로 적절하지 <u>않은</u> 것은?

① ⊙과 ⑩은 모든 것이 완벽하게 갖추어진 공간이다.
② ⓛ은 감정이입의 대상으로 ⓒ과는 의미가 다르다.
③ ⓔ은 화자의 절대적인 고독이 드러나는 시간이다.
④ ⓗ은 현실을 뛰어넘는 어떤 기적에 대한 소망을 의미한다.
⑤ ⓢ은 현실의 고통과 괴로움을 일시적으로 잊기 위한 도구이다.

09 위 시가와 〈보기〉의 공통점으로 적절한 것은?

> ┤ 보기 ├
>
> 아리랑 고개다 정거장을 짓고
> 전기차 오기만 기다린다
> 아리랑 아리랑 아라리요
> 아리랑 배 띄워라 노다 가세.
>
> 문전의 옥토는 어찌 되고
> 쪽박의 신세가 웬 말인가
> 아리랑 아리랑 아라리요
> 아리랑 배 띄워라 노다 가세.
>
> 밭은 헐려서 신작로 되고
> 집은 헐려서 정거장 되네.
> 아리랑 아리랑 아라리요.
> 아리랑 배 띄워라 노다 가세.
>
> − 「아리랑 타령」 중에서−

① 시간적 순서에 따라 시상을 전개하고 있다.
② 화자는 현실에 대해 부정적으로 인식하고 있다.
③ 시대적 상황을 드러내는 시어가 사용되었다.
④ 시가의 내용과 정서를 그대로 표현한 후렴구가 있다.
⑤ 화자가 비애를 느끼는 원인이 구체적으로 드러나 있다.

[10~14] 다음 글을 읽고, 물음에 답하시오.

(가) 살어리 살어리랏다 청산(靑山)애 살어리랏다.
멀위랑 드래랑 먹고 청산(靑山)애 살어리랏다.
ⓐ얄리얄리 얄랑셩 얄라리 얄라

우러라 우러라 ⓑ새여 자고 니러 우러라 새여.
널라와 시름 한 나도 자고 니러 우니로라.
얄리얄리 얄라셩 얄라리 얄라

㉠가던 새 가던 새 본다 믈 아래 가던 새 본다.
ⓒ잉 무든 장글란 가지고 믈 아래 가던 새 본다.
얄리얄리 얄라셩 얄라리 얄라

이링공 뎌링공 ᄒᆞ야 나즈란 디내와손뎌.
오리도 가리도 업슨 바므란 ᄯᅩ 엇디 ᄒᆞ리라.
얄리얄리 얄라셩 얄라리 얄라

어듸라 더디던 돌코 누리라 마치던 돌코.
믜리도 괴리도 업시 마자셔 우니노라.
얄리얄리 얄라셩 얄라리 얄라

살어리 살어리랏다 ⓛ바ᄅᆞ래 살어리랏다.
ⓒ ᄂᆞᄆᆞ자기 구조개랑 먹고 바ᄅᆞ래 살어리랏다.
얄리얄리 얄라셩 얄라리 얄라

가다가 가다가 드로라 에졍지 가다가 드로라.
ⓔ사ᄉᆞ미 짒대예 올아셔 ᄒᆡ금(奚琴)을 혀거를 드로라.
얄리얄리 얄라셩 얄라리 얄라

가다니 ᄇᆡ브른 도긔 설진 강수를 비조라.
조롱곳 누로기 ᄆᆡ와 ⓜ잡ᄉᆞ와니 내 엇디 ᄒᆞ리잇고.
얄리얄리 얄라셩 얄라리 얄라

– 작자 미상, 「청산별곡」 –

(나) 정선의 구명은 무릉도원이 아니냐
　　　무릉도원은 어데 가고서 산만 충충하네
　　　아리랑 아리랑 아라리요
　　　아리랑 고개 고개로 나를 넘겨 주게

　　　명사십리가 아니라면은 해당화가 왜 피며
　　　모춘 삼월이 아니라면은 두견새는 왜 우나
　　　아리랑 아리랑 아라리요
　　　아리랑 고개 고개로 나를 넘겨 주게

　　　아우라지 뱃사공아 배 좀 건네주게
　　　싸릿골 올동백이 다 떨어진다
　　　아리랑 아리랑 아라리요
　　　아리랑 고개 고개로 나를 넘겨 주게

– 작자 미상, 「정선 아리랑」 –

(다) 산이 날 에워싸고
　　　씨나 뿌리며 살아라 한다
　　　밭이나 갈며 살아라 한다

어느 짧은 산자락에 집을 모아

아들 낳고 딸을 낳고

흙담 안팎에 호박 심고

들찔레처럼 살아라 한다

쑥대밭처럼 살아라 한다

산이 날 에워싸고

그믐달처럼 사위어지는 목숨

그믐달처럼 살아라 한다

그믐달처럼 살아라 한다

– 박목월, 「산이 날 에워싸고」 –

10 (가)와 (다)를 탐구 학습한 내용으로 적절하지 **않은** 것은?

① **수진** : (가)와 (다) 모두 개인의 감정을 노래하고 있어.

② **희원** : (가)의 '바다'와 (다)의 '산'은 같은 기능을 하는 소재라고 할 수 있어.

③ **우혁** : (다)는 특히 자연과의 동화가 점층적으로 진행된다는 표현상의 특징이 있어.

④ **민승** : 천 년에 가까운 시간 차이가 있지만, 자연에 대한 동경이 드러난다는 점도 두 작품의 유사점이지.

⑤ **정용** : (가)에서 자연은 현실과 대비되는 도피처이지만, (다)의 자연은 현실과 조화되는 안식처로 그려지고 있어.

11 ㉠~㉤에 대한 설명으로 적절하지 **않은** 것은?

① ㉠ : 한국문학의 전통적 구조인 AABA형식으로 '가시리 가시리잇고 바리고 가시리잇고'와 같은 예를 들 수 있다.

② ㉡ : '청산'에 대응되는 소재라고 볼 때, 구전 과정에서 5연과 순서가 바뀌었다고 볼 수 있다.

③ ㉢ : 1연의 '멀위랑 두래'와 같은 기능을 하는 소재로, 소박한 음식의 대유적 표현이다.

④ ㉣ : 사슴탈을 쓴 광대의 공연을 보며 잠시나마 즐거워하는 화자의 심정이 드러나 있다.

⑤ ㉤ : 생략된 목적어를 '임'으로 본다면, 3연과 연결지어 이별의 원인을 알 수 있다.

12 ⓐ에 대한 설명으로 적절하지 <u>않은</u> 것은?

① 분연의 기능이 있다.
② 흥을 돋우는 역할을 한다.
③ 애상적 분위기를 강조하고 있다.
④ 구조적 통일성과 안정감을 준다.
⑤ 울림소리를 사용하여 밝고 경쾌한 느낌을 준다.

13 (가)와 (나) 갈래의 형식적 특징 및 작품의 전승방식에 대한 공통점으로 적절하지 <u>않은</u> 것은?

① 후대에 궁중으로 유입되었다.
② 후렴구에 특별한 의미가 없다.
③ 동일한 구조의 반복으로 인해 구전되기 쉽다.
④ 청자가 마음대로 노랫말을 붙여 이어 부르기 쉽다.
⑤ 각 연이 독립적 내용을 담고 있어 주제의 유기성이 떨어진다.

14 다음 작품의 밑줄 친 소재 중 ⓑ와 같은 기능을 하는 것은?

① 저 산에도 <u>가마귀</u>, 들에 가마귀, / 서산에는 해 진다고 / 지저귑니다.　　　　　　　　　　　　　　　 – 김소월, 「가는 길」 –
② <u>새</u>는 울어 / 뜻을 만들지 않고, / 지어서 교태로 / 사랑을 가식하지 않는다.　　　　　　　　　　　 – 박남수, 「새1」 –
③ 저 청청한 하늘 / 저 흰 구름 저 눈부신 산맥 / 왜 날 울리나 / 나는 <u>새</u>여 / 묶인 이 가슴　　　　　 – 김지하, 「새」 –
④ 훨훨 나는 저 <u>꾀꼬리</u> / 암수 서로 정다운데 / 외로운 이 내 몸은 / 뉘와 함께 돌아갈꼬　　　　　　 – 유리왕, 「황조가」 –
⑤ <u>산꿩</u>도 설게 울은 슬픈 날이 있었다 / 산절의 마당귀에 여인의 머리오리가 눈물 방울과 같이 떨어진 날이 있었
다.　　　 – 백석, 「여승」 –

[15~18] 다음 글을 읽고, 물음에 답하시오.

(가) 고려 시대에 우리마로 불렸던 것으로 추정되는 고려 가요는 오늘날 『악학궤범』, 『악장가사』, 『시용향약보』 등의 악서(樂書)를 통해 전해지고 있다. 따라서 우리가 알고 있는 고려 가요는 대부분 민간에서 구전되다가 궁중에 유입된 것으로 한글 창제 이후 기록되어 전승된 결과물이다.

이러한 고려 가요는 민간의 노래가 궁중악으로 정제되어 편입되는 과정에서 변화를 겪기도 했다. 즉 작품의 특정 부분에 긴밀한 유기적 관계를 맺을 수 있는 형식적 장치를 마련하여 한 작품이 구성될 때 ㉮작품 전체에 통일성을 부여하여 기능을 더하거나 궁중 영향을 고려한 것으로 보이는 특정한 부분이 덧붙여지기도 했다. 예컨대, ㉯송축(頌祝)의 내용을 담거나, 전체적으로 ㉰글의 내용과 어울리지 않는 시어를 붙이기도 한다.

(나) 가시리 **가시리잇고** 나는
　　부리고 가시리잇고 나는
　　<u>위 증즐가 대평셩딕(大平盛代)</u>

　　날러는 엇디 살라 ᄒᆞ고
　　부리고 가시리잇고 나는
　　위 증즐가 대평셩딕(大平盛代)

　　잡ᄉᆞ와 두어리마ᄂᆞᄂᆞᆫ
　　선ᄒᆞ면 아니 올셰라
　　위 증즐가 대평셩딕(大平盛代)

　　셜온 님 보내ᇰ노니 나는
　　가시ᄂᆞᆫ 듯 도셔 오쇼셔 나는
　　위 증즐가 대평셩딕(大平盛代)

　　　　　　　　　　　　　　　　　　　　　　　– 작자 미상, 「가시리」 –

(다) 살어리 살어리랏다 청산(靑山)애 살어리랏다.
　　멀위랑 ᄃᆞ래랑 먹고 청산(靑山)애 살어리랏다.
　　<u>얄리얄리 얄랑셩 얄라리 얄라</u>

　　우러라 우러라 새여 자고 니러 우러라 새여.
　　널라와 시름 한 나도 자고 니러 우니로라.
　　얄리얄리 얄라셩 얄라리 얄라

　　가던 새 가던 새 본다 믈 아래 가던 새 본다.
　　잉 무든 장글란 가지고 믈 아래 가던 새 본다.
　　얄리얄리 얄랑셩 얄라리 얄라.

　　이링공 뎌링공 ᄒᆞ야 나즈란 디내와손뎌,
　　오리도 가리도 업슨 바므란 ᄯᅩ 엇디 호리라.
　　얄리얄리 얄라셩 얄라리 얄라

　　어듸라 더디던 돌코 누리라 마치던 돌코.
　　믜리도 괴리도 업시 마자셔 우니노라.
　　얄리얄리 얄라셩 얄라리 얄라

살어리 살어리랏다 바르래 살어리랏다.
ᄂᆞᄆᆞ자기 구조개랑 먹고 바르래 살어리랏다.
얄리얄리 얄라셩 얄라리 얄라

가다가 가다가 드로라 에졍지 가다가 드로라.
사ᄉᆞ미 짒대예 올아셔 희금(奚琴)을 혀거를 드로라.
얄리얄리 얄라셩 얄라리 얄라.

가다니 빈 브른 도긔 설진 **강수**를 비조라.
조롱곳 누로기 ᄆᆡ와 잡ᄉᆞ와니 내 엇디 ᄒᆞ리잇고.
얄리얄리 얄라셩 얄라리 얄라

– 작자미상, 「청산별곡」 –

(라) 정선의 구명은 무릉도원이 아니냐
무릉도원은 어데 가고서 산만 충충하네
아리랑 아리랑 아라리요
아리랑 고개고개로 나를 넘겨 주게

명사십리가 아니라면은 해당화가 왜 피며
모춘 삼월이 아니라면은 두견새는 왜 우냐
아리랑 아리랑 아라리요
아리랑 고개고개로 나를 넘겨 주게

아우라지 뱃사공아 배 좀 건네주게
싸릿골 올동백이 다 떨어진다
아리랑 아리랑 아라리요
아리랑 고개고개로 나를 넘겨 주게

– 작자 미상, 「정선 아리랑」 –

(마) 산이 날 에워싸고
씨나 뿌리며 살아라 한다
밭이나 갈며 살아라 한다

어느 짧은 산자락에 집을 모아
아들 낳고 딸을 낳고
흙담 안팎에 호박 심고
들찔레처럼 살아라 한다
쑥대밭처럼 살아라 한다

산이 날 에워싸고
그믐달처럼 사위어지는 목숨
그믐달처럼 살아라 한다
그믐달처럼 살아라 한다

– 박목월, 「산이 날 에워싸고」 –

15 (가)의 ㉮~㉰를 바탕으로 (나)와 (다)를 이해한 것으로 가장 적절하지 <u>않은</u> 것은?

① (나)의 '위 증즐가 대평셩디(大平盛代)'는 ㉮의 예로 볼 수 없다.
② (나)의 '위 증즐가 대평셩디(大平盛代)'와 (다)의 '얄리얄리 얄랑셩 얄라리 얄라'는 ㉯의 예로 볼 수 있다.
③ (나)의 '위 증즐가 대평셩디(大平盛代)'는 ㉰의 예로 볼 수 있다.
④ (다)의 '얄리얄리 얄랑셩 얄라리 얄라'는 ㉮의 예로 볼 수 없다.
⑤ (다)의 1연에서 '얄리얄리 얄랑셩 얄라리 얄라'는 ㉰의 예로 볼 수 있다.

16 (나)와 (다)의 시어에 대한 이해로 가장 적절하지 <u>않은</u> 것은?

① '가시리잇고'에는 임이 떠나지 않기를 바라는 화자의 마음이 담겨 있다.
② '션ᄒᆞ면 아니 올셰라'는 자신의 행위가 임을 멀어지게 할지 모른다는 화자의 두려움이 나타난다.
③ '가시ᄂᆞᆫ 듯 도셔 오쇼셔'를 통해 화자의 체념적 태도가 드러난다.
④ '돌'은 화자의 의지와 무관한 숙명적인 삶을 의미한다.
⑤ '강수'는 화자가 시름을 잊기 위한 도구이다.

17 (다)~(마)에 대한 설명으로 가장 적절한 것은?

① (다)와 (라)는 각 연의 내용이 유기적으로 연결되어 있다.
② (다)와 (라)는 자연과의 관계가 점층적으로 진행되고 있다.
③ (다)와 (마)는 대조적 상황을 통해 주제를 강조하고 있다.
④ (다)와 (마)는 동일한 문장 구조의 반복으로 운율을 형성하고 있다.
⑤ (라)와 (마)는 모두 후렴구를 통해 음악적 효과를 거두고 있다.

18 〈보기〉를 바탕으로 (다)의 화자가 누구일지 추측해 보고, 작품을 해석해 보았다. 가장 적절하지 <u>않은</u> 것은?

┤ 보기 ├

　　이 고려가요는 고려 후기의 혼란스러운 시대 상황에서 창작된 것으로 알려져 있다. 이 시기는 무신정권의 횡포와 외세의 침략 등으로 인해 혼란스러운 시대 상황에 염증을 느낀 당대 ㉠지식인들이 속세를 떠나 자연을 지향하기도 하였으며, 전란으로 인해 삶의 터전을 잃고 방황하는 ㉡농민들도 많았다.

① '청산'과 'ᄇᆞ롤'은 ㉠과 ㉡ 모두에게 이상적 공간으로 해석할 수 있다.
② 화자를 ㉠으로 추측할 경우, 이 시가는 무신 정권의 횡포로 속세를 떠나 사는 지식인의 현실 극복 의지를 드러낸 작품으로 해석할 수 있다.
③ 화자를 ㉠으로 추측할 경우, '가던 새'의 '새'를 벗이라 해석하면 화자는 자신과 뜻을 같이 하던 벗이 떠나가는 것을 안타까워한다고 볼 수 있다.
④ 화자를 ㉡으로 추측할 경우, '잉 무든 장글란'을 '이끼 묻은 쟁기'로 해석할 수 있다.
⑤ 화자를 ㉡으로 추측할 경우, 이 시가는 유랑민의 삶의 비애와 고독을 표현한 작품으로 해석할 수 있다.

살어리 살어리랏다 ⊙청산(靑山)애 살어리랏다.
멀위랑 ᄃ래랑 먹고 청산(靑山)애 살어리랏다.
얄리얄리 얄랑셩 얄라리 얄라

우러라 우러라 새여 자고 니러 우러라 새여.
널라와 시름 한 나도 자고 니러 우니로라.
얄리얄리 얄라셩 얄라리 얄라

ⓐ가던 새 가던 새 본다 믈 아래 가던 새 본다.
ⓑ잉 무든 장글란 가지고 믈 아래 가던 새 본다.
얄리얄리 얄랑셩 얄라리 얄라

이링공 뎌링공 ᄒ야 나즈란 디내와손뎌,
ⓒ오리도 가리도 업슨 바므란 ᄯ 엇디 호리라.
얄리얄리 얄라셩 얄라리 얄라

어듸라 더디던 돌코 누리라 마치던 돌코.
ⓒ믜리도 괴리도 업시 마자셔 우니노라.
얄리얄리 얄라셩 얄라리 얄라

살어리 살어리랏다 바ᄅ래 살어리랏다.
ᄂᄆ자기 구조개랑 먹고 바ᄅ래 살어리랏다.
얄리얄리 얄라셩 얄라리 얄라

가다가 가다가 드로라 에졍지 가다가 드로라.
ⓒ사ᄉ미 짒대예 올아셔 ᄒ금(奚琴)을 혀거를 드로라.
얄리얄리 얄라셩 얄라리 얄라

가다니 빈 브른 도긔 ⓜ설진 강수를 비조라.
조롱곳 누로기 ᄆ와 잡ᄉ와니 내 엇디 ᄒ리잇고.
얄리얄리 얄라셩 얄라리 얄라

– 작자미상, 「청산별곡」 –

19 위 시에 대한 설명으로 적절하지 <u>않은</u> 것은?

① 동일한 시구의 반복으로 형태적 안정감을 주고 있다.
② 대조적인 시어를 제시하여 화자의 정서를 강조하고 있다.
③ 설의적 표현을 사용하여 화자의 태도를 효과적으로 드러내고 있다.
④ 5, 6연의 순서를 바꾸면 '청산'과 '바ᄅ'의 노래로 대칭 구조를 이룬다.
⑤ 화자의 감정을 대상에 투영하여 비판 의식을 우회적으로 드러내고 있다.

20 ㉠~㉤에 대한 설명으로 가장 적절한 것은?

① ㉠은 화자가 청산을 벗하며 자신의 유교적 이념을 실현하고자 하는 소망이 드러난다.
② ㉡은 올 사람도 갈 사람도 없는 밤이지만 어떻게든 극복하겠다는 화자의 의지가 드러난다.
③ ㉢은 미워할 사람도 나와 함께 괴로워 할 사람도 없이 절망감에 울고 있는 화자의 모습이 나타난다.
④ ㉣은 불가능한 상황을 설정하여 기적이 일어나기를 바라는 삶의 태도가 드러난다.
⑤ ㉤은 화자가 독한 술을 빚음으로써 고통을 이겨내려는 태도가 드러난다.

21 위 시에서 시적 화자에 따른 ⓐ, ⓑ의 해석으로 옳은 것은?

시적 화자	ⓐ	ⓑ
① 실연한 여인	떠나간 임	이끼 묻은 쟁기
② 유랑민	갈던 밭	이끼 묻은 쟁기
③ 유랑민	함께하던 벗	날이 무딘 병기
④ 좌절한 지식인	갈던 밭	날이 무딘 병기
⑤ 좌절한 지식인	함께하던 벗	이끼 묻은 은장도

22 위 시와 〈보기〉를 이해한 내용으로 가장 적절한 것은?

┤ 보기 ├

아무도 그에게 수심(水深)을 일러준 일이 없기에
흰 나비는 도무지 바다가 무섭지 않다.

청(靑)무우밭인가 해서 내려갔다가는
어린 날개가 물결에 절어서
공주(公主)처럼 지쳐서 돌아온다.

삼월(三月)달 바다가 꽃이 피지 않아서 서글픈
나비 허리에 새파란 초생달이 시리다.

– 김기림, 「바다와 나비」 –

① 위 시는 〈보기〉와 달리 감각의 전이를 통해 현실의 고통스러움을 드러낸다.
② 위 시와 달리 〈보기〉는 현실에 대한 미련을 드러내고 있다.
③ 위 시와 달리 〈보기〉는 이상향을 동경하지만 현실에 부딪혀 좌절한다.
④ 위 시와 〈보기〉는 모두 이상향에 대한 두려움이 나타난다.
⑤ 위 시와 〈보기〉는 모두 색채 대비를 통해 공간적 배경을 형상화 한다.

23 위 시와 〈보기〉를 이해한 내용으로 가장 적절한 것은?

> ┤ 보기 ├
>
> 달아 달아 밝은 달아 / 강 ~ 강 ~ 술 ~ 래
> 저기 저기 저 달 속에 / 강 ~ 강 ~ 술 ~ 래
> 계수나무 백혔거니 / 강 ~ 강 ~ 술 ~ 래
> 금도끼로 다듬어서 / 강 ~ 강 ~ 술 ~ 래
> 초가삼간 집을 지어 / 강 ~ 강 ~ 술 ~ 래
> 양친 부모 모셔다가 / 강 ~ 강 ~ 술 ~ 래
> 천년 넘고 살어 보세 / 강 ~ 강 ~ 술 ~ 래
>
> 달 떠온다 달 떠온다 / 강 ~ 강 ~ 술 ~ 래
> 동해 동천 달 떠온다 / 강 ~ 강 ~ 술 ~ 래
> 저야 달은 누 달이냐 / 강 ~ 강 ~ 술 ~ 래
> 방 호방네 달이로세 / 강 ~ 강 ~ 술 ~ 래
> 방호방은 어디 가고 / 강 ~ 강 ~ 술 ~ 래
> 저 달 뜬 줄 모르느냐 / 강 ~ 강 ~ 술 ~ 래
>
> ─ 작자미상, 「강상술래」 ─

① 위 시는 〈보기〉와 달리 'a-a-b-a' 구조를 통해 운율을 형성하고 있다.
② 위 시는 〈보기〉와 달리 4음보의 율격이 뚜렷하며 민간에서 구전되다 궁중에 유입되었다.
③ 위 시와 달리 〈보기〉는 각 연이 독립적인 내용을 담고 있어 주제의 유기성이 떨어진다.
④ 위 시와 달리 〈보기〉는 후렴구를 통해 각 연을 분절하고 사람들의 흥을 돋우고 있다.
⑤ 위 시와 〈보기〉는 후렴구에서 울림소리를 반복하여 사용해서 밝고 경쾌한 느낌을 준다.

[24~27] 다음 글을 읽고, 물음에 답하시오.

(가) 살어리 살어리랏다 ㉠청산(靑山)애 살어리랏다.
  멀위랑 ᄃ래랑 먹고 청산(靑山)애 살어리랏다.
  얄리얄리 얄랑셩 얄라리 얄라

  ┌우러라 우러라 새여 자고 니러 우러라 새여.
[A] 널라와 시름 한 나도 자고 니러 우니로라.
  └얄리얄리 얄라셩 얄라리 얄라

  ┌가던 새 가던 새 본다 믈 아래 가던 새 본다.
[B] 잉 무든 장글란 가지고 믈 아래 가던 새 본다.
  └얄리얄리 얄랑셩 얄라리 얄라

  ┌이링공 뎌링공 ᄒ야 나즈란 디내와손뎌,
[C] 오리도 가리도 업슨 바므란 또 엇디 호리라.
  └얄리얄리 얄라셩 얄라리 얄라

  ┌어듸라 더디던 돌코 누리라 마치던 돌코.
[D] 믜리도 괴리도 업시 마자셔 우니노라.
  └얄리얄리 얄라셩 얄라리 얄라

  살어리 살어리랏다 바ᄅ래 살어리랏다.
  ᄂᄆ자기 구조개랑 먹고 바ᄅ래 살어리랏다.
  얄리얄리 얄라셩 얄라리 얄라

  가다가 가다가 드로라 에졍지 가다가 드로라.
  사ᄉ미 짒대예 올아셔 히금(奚琴)을 혀거를 드로라.
  얄리얄리 얄라셩 얄라리 얄라

  ┌가다니 비 브른 도긔 설진 강수를 비조라.
[E] 조롱곳 누로기 미와 잡ᄉ와니 내 엇디 ᄒ리잇고.
  └얄리얄리 얄라셩 얄라리 얄라

– 작자미상, 「청산별곡」 –

(나) 「청산별곡」은 모두 8연으로 짜여져 있는 작품으로 작자와 연대가 미상인 채 《악장가사》에 실려 전해오고 있다. 남녀 간의 사랑과 연정(戀情)을 읊는 노래가 아니고 고달픈 삶의 외로움, 슬픔을 읊고 있는 점이 이 작품의 특색이다.

대체로 고려 후기에 지어진 것으로 추정되고 있다. 삶의 고뇌를 풀기 위해서 산과 바다를 헤매며 기적과 위안을 구하면서도 삶을 집요하게 추구하는 지식인의 술노래라는 견해가 있는 한편, 삶의 터전을 상실한 피지배계층이 자연을 떠돌면서 부른 노래라는 견해도 있고, 원나라의 제2차 침범을 전후하여 조성의 시책에 따라 산성(山城)과 해도(海島)로 난리를 피하면서 떠돌던 피난민의 노래라는 주장도 있어서 창작 계층과 작품의 성격 등에 관한 정설이 아직은 확고하게 서 있지 않다.

구조적 측면에서는 5연과 6연을 서로 바꾸어 놓으면서 시 전체의 대응이 아주 정연해지고 청산(靑山)의 노래 4연과 바다의 노래 4연이 모두 기·승·전·결의 구성양식을 정확히 띠게 된다. 뿐만 아니라 청산의 노래 첫 연과 바다의 노래 첫 연, 그리고 그 이하의 연들까지도 의미상 대응되어서 훌륭하게 조화를 이루고 있다.

24 (가)의 표현상의 특징에 대한 설명으로 적절하지 <u>않은</u> 것은?

① 상징적 시어를 사용하여 주제를 강조하고 있다.

② 설의적 표현을 통해 화자의 심리를 나타내고 있다.

③ 후렴구를 통해 구조적 통일성과 안정감을 주고 있다.

④ 자연물과 화자를 동일시하여 화자의 심리를 드러내고 있다.

⑤ 반어적 표현을 사용하여 화자의 내적 갈등을 드러내고 있다.

25 (나)를 바탕으로 (가)를 설명한 것으로 적절하지 <u>않은</u> 것은?

① 화자를 '유랑민'으로 본다면, 삶의 터전을 잃고 떠도는 유랑민의 슬픔을 노래한 것으로 볼 수 있다.

② 대칭적 구조로 볼 때 1연의 '멀위, 두래,'와 6연의 '누므자기 구조개'를 대응하는 시어로 볼 수 있다.

③ 화자를 무신란으로 인해 속세를 떠난 지식인으로 본다면, 3연의 '잉무든 장글란'을 '날이 무딘 병기'로 해석할 수 있다.

④ 3연의 '가던 새'를 '갈던 밭'으로, '잉 무든 장글란'을 '이끼 묻은 쟁기'로 해석하면, 화자는 농토를 잃고 떠돌아 다니던 유랑민으로 볼 수 있다.

⑤ 3연의 '가던 새'에서 속세에 대한 미련을 드러내는 화자는 7연의 '짒대예 오른 사슴'을 통해 기적이 일어나 현실을 바꿀 수 있는 기대감을 표현하고 있다.

26 [A]~[E]에 대한 설명으로 적절하지 <u>않은</u> 것은?

① [A] : 삶의 비애감을 동병상련의 대상인 '새'에 이입시켜 표현하고 있다.

② [B] : 현실에 대한 관심을 끊고 사사로운 욕심을 버린 화자의 마음을 표현하고 있다.

③ [C] : 낮과 밤의 상황적 대비를 통해 화자의 고독감을 강조하고 있다.

④ [D] : '돌'을 매개로 하여 피할 수 없는 운명에 대한 비애감을 표현하고 있다.

⑤ [E] : '술'로 삶의 괴로움을 잊고자 하는 화자의 마음을 표현하고 있다.

27 윗글과 〈보기〉를 비교하여 감상한 내용으로 적절하지 <u>않은</u> 것은?

┤ 보기 ├

정선의 구명(舊名)은 무릉도원(武陵桃源)이 아니냐
무릉도원은 어데 가고서 산만 충충하네

아리랑 아리랑 아라리요
아리랑 고개고개로 나를 넘겨 주게

명사십리가 아니라면은 해당화가 왜 피며
모춘 삼월이 아니라면은 두견새는 왜 우나

아리랑 아리랑 아라리요
아리랑 고개고개로 나를 넘겨 주게

아우라지 뱃사공아 배 좀 건너 주게
싸릿골 올동백이 다 떨어진다

아리랑 아리랑 아라리요
아리랑 고개고개로 나를 넘겨 주게

– 작자미상, 「정선아리랑」 –

① 두 작품 모두 여러 연으로 구성된 분연체 형식의 노래이다.

② 두 작품 모두 주로 민중이 창작하고 향유하며 부르던 노래이다.

③ 두 작품 모두 후렴구가 있어 각 연을 나누며, 운율을 형성하고 흥을 돋우는 역할을 하고, 구조적 통일성과 안정 감을 준다.

④ (가)와 달리 〈보기〉는 하나의 주제로 연결되는 것이 아니라 다양한 상황과 정서가 나열된 형태로 구성되어 유기 성이 떨어진다.

⑤ (가)는 고려인들의 삶의 애환을 담은 노래이고, 〈보기〉는 특정 지역의 지역적 특성과 지역 사람의 삶의 모습과 정서를 담은 노래이다.

(가) 살어리 살어리랏다 청산(靑山)애 살어리랏다
멀위랑 ᄃ래랑 먹고 청산애 살어리랏다
㉠얄리얄리 얄랑셩 얄라리 얄라

우러라 우러라 ㉡새여 자고 니러 우러라 새여
널라와* 시름 한 나도 자고 니러 우니로라
얄리얄리 얄라셩 얄라리 얄라

가던 새 가던 새 본다 믈 아래 가던 새 본다
잉 무든 장글란* 가지고 믈 아래 가던 새 본다
얄리얄리 얄라셩 얄라리 얄라

이링공 뎌링공 ᄒ야 나즈란 디내와손뎌
오리도 가리도 업슨 바므란 ᄯ 엇디 호리라
얄리얄리 얄라셩 얄라리 얄라

어듸라 더디던 돌코 누리라 마치던 돌코
믜리도 괴리도 업시 마자셔 우니노라
얄리얄리 얄라셩 얄라리 얄라

살어리 살어리랏다 바ᄅ래 살어리랏다
ᄂᄆ자기 구조개랑 먹고 바ᄅ래 살어리랏다
얄리얄리 얄라셩 얄라리 얄라

가다가 가다가 드로라 에졍지* 가다가 드로라
사ᄉ미 짒대예* 올아셔 ᄒ금(奚琴)을 혀거를 드로라
얄리얄리 얄라셩 얄라리 얄라

가다니 ᄇ브른 도긔 설진* 강수를 비조라
조롱곳 누로기 ᄆ와 잡ᄉ와니 내 엇디 ᄒ리잇고
얄리얄리 얄라셩 얄라리 얄라

*널라와 : 너보다.
*잉 무든 장글란 : ① 이끼 묻은 쟁기일랑 ② 날이 무딘 병기(兵器)일랑 ③ 이끼 묻은 은장도(銀粧刀)일랑
*에졍지 : 외따로 떨어져 있는 부엌
*짒대 장대 : 대나무나 나무로 다듬어 만든 긴 막대기.
*설진 : 덜 익은.

– 작가미상, 「청산별곡」 –

(나) 명사십리가 아니라면은 해당화가 왜 피며
　　모춘 삼월이 아니라면은 두견새는 왜 우나
　　아리랑 아리랑 아라리요
　　아리랑 고개고개로 나를 넘겨 주게

　　아우라지 뱃사공아 배 좀 건네주게
　　싸릿골 올동백이 다 떨어진다
　　아리랑 아리랑 아라리요
　　아리랑 고개고개로 나를 넘겨 주게

　　　　　　　　　　　　　　　　　　　　－ 작가미상, 「정선아리랑」 －

(다) 산이 날 에워싸고
　　씨나 뿌리며 살아라 한다
　　밭이나 갈며 살아라 한다

　　어느 짧은 산자락에 집을 모아
　　아들 낳고 딸을 낳고
　　흙담 안팎에 호박 심고
　　들찔레처럼 살아라 한다
　　쑥대밭처럼 살아라 한다

　　　　　　　　　　　　　　　　　　　　－ 박목월, 「산이 날 에워싸고」 －

28 (가)~(다)에 대한 설명으로 적절하지 <u>않은</u> 것은?

① (가)는 주로 평민 계층들이 창작하고 향유하였다.
② (나)는 각 연의 내용이 다양한 상황과 정서가 나열된 형태로 유기성이 떨어진다.
③ (가)와 (나)는 입에서 입을 통해 전승되다가 조선 시대에 문자로 기록되었다.
④ (가)와 (나)는 당시 민중의 생활 감정과 의식, 삶의 애환 등을 진솔하게 담고 있다.
⑤ (나)와 (다)는 자연에서 느끼는 비애감과 쓸쓸함을 드러내고 있다.

29 ㉠의 기능으로 적절하지 <u>않은</u> 것은?

① 각 연을 분절하는 기능을 한다.
② 전체적인 구조적 안정감을 준다.
③ 특정 시구를 반복하여 운율을 형성한다.
④ 시조의 종장의 첫 구 3음절에 영향을 준다.
⑤ 'ㄹ, ㅇ'음을 활용하여 밝고 경쾌한 느낌을 준다.

30 ⓛ과 같은 기능을 하는 표현이 드러나지 <u>않은</u> 것은?

① 산꿩도 섧게 울은 슬픈 날이 있었다 / 산 절의 마당귀에 여인의 머리오리가 눈물방울과 같이 떨어진 날이 있었다.

– 백석, 「여승」 –

② 그립고 아쉬움에 가슴 조이던 / 머언 먼 젊음의 뒤안길에서 / 인제는 돌아와 거울 앞에 선 / 내 누님같이 생긴 꽃이여.

– 서정주, 「국화 옆에서」 –

③ 행여나 다칠세라 너를 안고 줄 고르면 / 떨리는 열 손가락 마디마디 애인 사랑 / 손닿자 애절히 우는 서러운 내 가얏고여.

– 정완연, 「조국」 –

④ 붉은 해는 서산 마루에 걸리었다. / 사슴의 무리도 슬피 운다. / 떨어져 나가 앉은 산 위에서 / 나는 그대의 이름을 부르노라.

– 김소월, 「초혼」 –

⑤ 나는 무엇인지 그리워 / 이 많은 별빛이 내린 언덕 위에 / 내 이름자를 써 보고 / 흙으로 덮어 버리었습니다. // 딴은 밤을 새워 우는 벌레는 부끄러운 이름을 슬퍼하는 까닭입니다.

– 윤동주, 「별헤는 밤」 –

[01~09] 다음 글을 읽고, 물음에 답하시오.

살어리 살어리랏다 ⓐ청산애 살어리랏다
멀위랑 두래랑 먹고 청산애 살어리랏다
㉠얄리얄리 얄랑셩 얄라리 얄라

우러라 우러라 새여 자고 니러 우러라 새여
널라와 시름 한 나도 자고 니러 우니로라
얄리얄리 얄라셩 얄라리 얄라

㉯가던 새 가던 새 본다 믈 아래 가던 새 본다
㉰잉 무든 장글란 가지고 믈 아래 가던 새 본다
얄리얄리 얄라셩 얄라리 얄라

이링공 뎌링공 ᄒᆞ야 나즈란 디내와손뎌
오리도 가리도 업슨 바므란 ᄯᅩ 엇디 호리라
얄리얄리 얄라셩 얄라리 얄라

어드라 더디던 돌코 누리라 마치던 돌코
믜리도 괴리도 업시 마자셔 우니노라
얄리얄리 얄라셩 얄라리 얄라

살어리 살어리랏다 바ᄅᆞ래 살어리랏다
ᄂᆞ모자기 구조개랑 먹고 바ᄅᆞ래 살어리랏다
얄리얄리 얄라셩 얄라리 얄라

가다가 가다가 드로라 에졍지 가다가 드로라
사스미 짒대예 올아셔 ᄒᆡ금(奚琴)을 혀거를 드로라
얄리얄리 얄라셩 얄라리 얄라

가다니 ᄇᆡ브른 도긔 설진 강수를 비조라
조롱곳 누로기 ᄆᆡ와 잡ᄉᆞ와니 내 엇디 ᄒᆞ리잇고
얄리얄리 얄라셩 얄라리 얄라

– 작가미상, 「청산별곡」 –

01 공간에 대한 화자의 인식과 관련하여 다음 물음에 답하시오.

┤ 조건 ├

1. 화자가 이상향으로 인식하고 있는 공간 두 곳을 본문에서 찾아 쓸 것.
2. 1의 공간과 대비되는 공간을 의미하는 시어를 본문에서 찾아 2어절로 쓸 것.
3. 2의 공간에 대한 화자의 태도를 말할 것.
4. '-다.' 형태의 완결한 문장으로 서술할 것.

02 다음에서 ⓐ와 비슷한 의미의 시어를 찾아 그 상징적인 의미를 〈조건〉에 맞게 서술하시오.

산이 날 에워싸고
씨나 뿌리며 살아라 한다 / 밭이나 갈며 살아라 한다

어느 짧은 산자락에 집을 모아
아들 낳고 딸을 낳고 / 흙담 안팎에 호박 심고
들찔레처럼 살아라 한다 / 쑥대밭처럼 살아라 한다
산이 날 에워싸고
그믐달처럼 사위어지는 목숨
그믐달처럼 살아라 한다 / 그믐달처럼 살아라 한다

– 박목월, 「산이 날 에워싸고」 –

┤ 조건 ├

• 아래 예시 형식에 맞추어 문장형으로 서술할 것
[예시] (   )은/는 '청산'과 비슷한 의미의 시어로 (   )을/를 의미한다.

03 〈보기〉의 내용을 바탕으로 본문의 3연에 밑줄 친 ㉮, ㉯의 구체적인 의미를 화자의 신분 및 처지와 관련하여 서술하시오. [단, ㉮와 ㉯는 내용 상 유기적으로 연결되어야 함.]

┤ 보기 ├

'청산별곡(靑山別曲)'의 화자가 누구인지에 대하여서는 여러 가지 견해가 있다. 그러한 견해 중에서 화자를 '농사를 직고 살던 백성이었으나 몽고의 침입과 같은 난리(亂離) 때문에 삶의 터전인 경작할 밭을 잃고 떠돌아다니는 사람'으로 보는 경우에 3연의 ㉮와 ㉯의 구절을 화자의 신분과 처지를 고려하여 다음과 같이 그 구체적인 의미를 풀어 설명할 수 있다.

　　㉮ '가던 새' → '날아가던 새' 또는 '(　　　　　　)'
　　㉯ '잉무든 장글란' → '(　　　　　　)'

04 〈보기〉를 참고하여 윗 글의 밑줄 친 ㉯의 의미를 각 각 쓰시오.

┤ 보기 ├

'청산별곡'은 고려 후기의 혼란스러운 시대 상황에서 창작된 것으로 알려져 있다. 이 시의 화자는 농사를 짓고 살던 고려의 백성이었으나 난리(亂離) 때문에 삶의 터전인 경작할 밭을 잃고 떠도는 유랑민으로 해석해 볼 수도 있고 새로이 집권한 무신정권의 횡포로 속세를 떠나 사는 좌절한 지식인이라 볼 수도 있고 사랑하는 연인과 이별하고 삶의 비애 속에 있는 사람이라고도 생각할 수 있다.

화자	'잉 무든 장글란'의 의미
유랑민	(1)
좌절한 지식인	(2)
연인과 이별한 사람	(3)

05 ㉠에 드러난 후렴구의 기능을 3가지 쓰시오.

06 고려가요의 형식적 특성 두 가지를 완결된 문장으로 서술하시오.

07 (1)위 작품이 속한 갈래의 명칭과 (2)그 갈래의 형식적 특징을 두 가지만 서술하시오. (단, 특징을 두 가지 이상 서술했을 경우, 앞에서부터 채점함.

08 윗글은 시적 화자를 누구로 보느냐에 따라 다양하게 해석된다. 주어진 예시의 형식에 맞추어 나머지 두 유형의 시적 화자를 제시하고, 그에 따른 ㉯의 해석을 서술하시오.

┤ 예시 ├

화자를 '농토 잃은 유랑민'으로 볼 때, '이끼 묻은 쟁기'로 해석할 수 있다.

09 (가)의 화자가 처한 상황을 구체적으로 서술하고, 이를 고려하여 '청산(靑山)'과 '바롤'의 의미가 무엇인지 서술하시오.

(1) 화자가 처한 상황

(2) '청산(靑山)', '바롤'의 의미

대나무 - 충신의 지조와 절개를 상징함.

눈 마즈 휘여진 딕를 뉘라셔 굽다턴고
시련, 고난   누가   변절을 의미함.

「구블 절(節)이면 눈 속의 프를소냐」「」: 설의법 - 화자의 지조와 절개를 드러냄.
  굽힐 절개   푸르겠는가

아마도 *세한 고절(歲寒孤節)은 너쑨인가 ㅎ노라
              원관념 - 대나무(의인법)

                                                    – 원천석 –

동지(冬至)ㅅ둘 기나긴 밤을 한 허리를 버혀 내어
    부정적 시간 - 임이 부재함.   '한 허리를 버혀내어, 서리서리 너헛다가, 구뷔구뷔 펴리라' : 시간이라는 추상적 개념을 구체적 사물로 형상화함.

춘풍(春風) 니불 아레 서리서리 너헛다가
              서리서리: 실이나 새끼 등을 둥그렇게 포개어 감아 놓은 모양

*어론 님 오신 날 밤이여든 구뷔구뷔 펴리라
  긍정적 시간 - 임과 함께함.   구뷔구뷔: 여러 굽이로 구부러지는 모양

                                                    – 황진이 –

「」: 약자에게 강하고 강자에게 약한 두터비의 모습을 희화화함.

          ➤ 힘없는 백성, 피지배층
「두터비 파리를 물고 두험 우희 치다라 안자
탐관오리, 부패한 양반, 권력자   두엄

것넌산 바라보니 *백송골(白松骨)이 떠 잇거늘 가슴이 금즉하여 풀덕 뛰여 내닷다가 두험 아래 쟛바지거고」
                중앙 관리, 외세   섬뜩하여   자빠졌구나

「모쳐라 날낸 낼식만졍 에헐질 번 하괘라」「」: 화자가 두꺼비로 전환됨. → 자신의 약점을 감추기 위해 허세를 부
                                  리는 모습. 두꺼비의 자화자찬(自畫自讚), 허장성세(虛張聲勢)

                                                    – 작자 미상 –

*세한 고절: 한겨울의 추위에도 홀로 지키는 절개.   *모쳐라 : 마침.

*어론 님: 정분을 맺은 임   *낼식만졍: 나이기에망정이지

*백송골 : 흰 송골매   *애헐질 번 하괘라: 멍이 들 뻔 하였구나.

눈 마ㅈ 휘여진 딕를~ – 원천석			
갈래	평시조	성격	의지적, 절의적, 회고적
제재	대나무	주제	고려 왕조에 대한 충절
특징	• 자연물의 속성을 활용하여 화자의 굳은 절개와 의지를 표현함. • 고도의 상징과 설의법, 의인법을 활용함.		

동지(冬至)ㅅ돌 기나긴 밤을~ – 황진이			
갈래	평시조	성격	낭만적, 감상적, 애상적
제재	동짓달 (기나긴) 밤	주제	정든 임을 그리워하는 애틋한 정
특징	• 적절한 의태어의 사용으로 우리말의 묘미를 잘 살려 표현함. • '시간'이라는 추상적 개념을 구체적 사물로 형상화함(관념의 시각화).		

두터비 파리를 물고~ – 작자 미상			
갈래	사설시조	성격	풍자적, 우의적, 희화적, 비판적
제재	두꺼비, 파리, 백송골	주제	탐관오리의 횡포와 약육강식의 세태 풍자
특징	• 풍자와 해학의 표현 기법을 사용함으로써 대상을 희화화하여 웃음을 유발함. • 의인화를 통해 지배 계층의 허위와 수탈을 우의적으로 드러냄. • 종장에서 화자를 바꾸어 풍자의 효과를 높임.		

확인학습

01 시조의 세부 갈래는 평시조, 엇시조, 사설시조, 연시조로 나눌 수 있다. O☐ X☐

02 평시조는 3장 6구 45자 내외의 형식적인 정형성을 가지고 있으며, 종장의 첫머리는 3음절로 맞추고 있다. O☐ X☐

03 종장 첫머리를 3음절로 맞추는 형식적 특성은, 10구체 향가의 낙구 첫머리의 감탄사의 형식적 특성의 영향을 받았다고 할 수 있다. O☐ X☐

04 시조의 작자층은 전기에서 후기로 갈수록 축소된다. O☐ X☐

05 사대부 시조는 주로 유교적 사상이나, 자연 예찬의 내용을 담고 있다. O☐ X☐

06 기녀(기생) 시조는 주로 임에 대한 사랑이나 이별 등의 내용을 담고 있다. O☐ X☐

07 사설시조는 주로 서민들의 삶의 애환이나, 지배층에 대한 풍자 등의 내용을 담고 있다. O☐ X☐

08 '눈 마ㅈ 휘여진 딕를~'에서의 '딕'는 지조와 절개 등을 상징한다. O☐ X☐

09 '딕' 부러질지언정 굽어지지 않는 성질을 지닌 대상으로 화자는 이러한 '딕'의 모습을 예찬하고 있다. O☐ X☐

10 '동지(冬至)ㅅ돌 기나긴 밤을~'에서 주로 구체적인 사물을 추상화 혹은 관념화하는 '구체적 대상의 관념화(추상화)' 기법이 주로 쓰였다. O☐ X☐

11 '동지(冬至)ㅅ돌 기나긴 밤을~'은 음성상징어의 사용으로 우리말의 묘미를 잘 살렸다. O☐ X☐

12 '두터비 파리를 물고~'에서의 중장은 보통의 평시조보다 무제한적으로 길어지는 특징을 보이는데, 이는 기존의 평시조의 형식을 완전히 파괴했다고 볼 수 있다. O☐ X☐

13 '두터비 파리를 물고~'는 주로 풍자와 해학적 성격을 띤다. O☐ X☐

14 '두터비 파리를 물고~'에서 파리는 백성을 의미하고, 두꺼비는 탐관오리를 의미하며, 백송골은 중앙관리나 외세 등을 의미한다. O☐ X☐

15 시조는 고려 중기에 발생하여 조선 시대에 크게 성행한 후 이후 자취를 감춘 갈래이다. O☐ X☐

객관식 기본문제

[01~05] 다음 글을 읽고 물음에 답하시오.

(가) 눈 마즈 휘여진 딕를 뉘라셔 굽다턴고
　　구블 절(節)이면 눈 속에 프를소냐
　　아마도 세한고절(歲寒孤節)은 너쑨인가 ᄒ노라

　　　　　　　　　　　　　　　　　　　　　　　　　　　　　　　－ 원천석 －

(나) 동지(冬至)ㅅ둘 기나긴 밤을 한 허리를 버혀 내어
　　춘풍(春風) 니불 아레 서리서리 너헛다가
　　어론 님 오신 날 밤이여든 구뷔구뷔 펴리라

　　　　　　　　　　　　　　　　　　　　　　　　　　　　　　　－ 황진이 －

(다) ㉠두터비 ㉡파리를 물고 두험 우희 치다라 안자
　　것넌산 바라보니 백송골(白松骨)이 떠 잇거늘 가슴이 금즉하여 풀덕 뛰여 내닷다가 두험 아래 쟛바지거고
　　모쳐라 날낸 낼식만졍 에헐질 번 하괘라.

　　　　　　　　　　　　　　　　　　　　　　　　　　　　　　　－ 작자 미상 －

01 다음을 참고하여 (가)~(다) 갈래의 변화 양상에 따른 특징으로 적절한 것만을 〈보기〉에서 있는 대로 고르면?

> 시조는 고려 말, 조선 전기에서 조선 후기로 이어지면서 여러 가지 변화 양상을 보여준다. (가)는 고려 말, 조선 전기에 창작된 시조이고, (나)는 조선 중기에, (다)는 조선 후기에 지어진 시조라고 할 수 있다.

┤ 보기 ├
ㄱ. 종장의 첫 음보는 3음절로 고정되었다.
ㄴ. 초장-중장-종장의 3장 구성이 지켜졌다.
ㄷ. 관념적이고 추상적인 내용을 주로 다루었다.
ㄹ. 시간이 흐름에 따라 작자층이 향유층과 점차 분리되었다.
ㅁ. 정형성이 강조되어 4음보의 율격이 엄격하게 유지되었다.

① ㄱ, ㄴ　　　　② ㄴ, ㄹ　　　　③ ㄱ, ㄷ, ㄹ　　　　④ ㄷ, ㄹ, ㅁ　　　　⑤ ㄱ, ㄴ, ㄷ, ㅁ

02 시적 화자의 정서와 태도가 (가)와 가장 유사한 것은?

① 냇ᄀ에 해오라비 므스 일 셔 잇ᄂᆞᆫ다
　무심(無心)ᄒᆞᆫ 져 고기를 여어 무슴 ᄒᆞ려ᄂᆞᆫ다
　무어라 흔믈에 잇거니 니저신들 엇ᄃᆞ리

　　　　　　　　　　　　　　　　　　　　　　　　– 신흠 –

② 히 다 져 져믄 날에 지져귀는 참시들아
　조고마흔 몸이 반 가지도 족ᄒᆞ거늘
　엇더타 크나큰 덤불을 싀와 무슴ᄒᆞ리오

　　　　　　　　　　　　　　　　　　　　　　　　– 조명이 –

③ 구즌비 개단 말가 흐리던 구름 걷단 말가
　압내회 기픈 소히 다 ᄆᆞᆰ앗다 ᄒᆞᄂᆞᆫ고
　진실로 ᄆᆞᆰ디옷 ᄆᆞᆰ아시면 갇근 시서 오리라

　　　　　　　　　　　　　　　　　　　　　　　　– 윤선도 –

④ 초당(草堂)에 일이 업서 거문고를 베고 누어
　태평성대(太平聖代)를 꿈에나 보려ᄐᆞ니
　문전(門前)에 수성어적(數聲漁笛)이 ᄌᆞᆷ든 날을 깨와다

　　　　　　　　　　　　　　　　　　　　　　　　– 유성원 –

⑤ 암반(巖盤) 설중(雪中) 고죽(孤竹)이야 반갑기도 반가왜라
　묻노라 고죽(孤竹)아 고죽군(孤竹君)의 네 엇던닌다
　수양산(首陽山) 만고(萬古) 청풍(淸風) 이제(夷齊) 본 듯ᄒᆞ여라

　　　　　　　　　　　　　　　　　　　　　　　　– 서견 –

03 (가)와 〈보기〉의 시어에 대한 설명으로 대한 설명으로 적절한 것은?

┌─ 보기 ├─────────────────────────────────────
　생사(生死) 길은
　예 있으매 머뭇거리고,
　나는 간다는 말도
　몯다 이르고 어찌 갑니까.
　어느 가을 이른 바람에
　이에 저에 떨어질 잎처럼,
　한 가지에 나고
　가는 곳 모르온저.
　아아, 미타찰(彌陀刹)에서 만날 나
　도(道) 닦아 기다리겠노라.

　　　　　　　　　　　　　　　　　　– 월명사, 「제망매가」 –
└───

① '눈'과 '이른 바람'은 시적 화자에게 닥친 시련과 고난을 의미한다.
② '휘여진 디'와 '떨어진 잎'은 시적 화자의 모습을 빗대어 나타낸 표현이다.
③ '너'와 '나'는 의인화된 표현으로 시적 화자의 정서를 드러내는 역할을 한다.
④ '아마도'와 '아아'는 시상을 전환하여 서정적 완결성을 갖추는 역할을 한다.
⑤ '세한고절'과 '미타찰'에서는 시적 화자가 지향하는 삶의 태도를 엿볼 수 있다.

04 (나)와 〈보기〉의 시적 화자를 비교한 내용으로 적절하지 <u>않은</u> 것은?

┤ 보기 ├

남은 다 쟈는 밤에 닉 어이 홀로 씨야
옥장(玉帳) 깊푼 곳에 쟈는 님 싱각는고
천리(千里)예 외로운 쑴만 오락가락 ㅎ노라

– 송이 –

① (나)와 〈보기〉의 시적 화자는 모두 임이 부재한 밤이라는 상황에 처해 있다.

② (나)와 〈보기〉의 시적 화자는 모두 임과 함께 하고 싶은 소망을 드러내고 있다.

③ (나)와 〈보기〉에서 시적 화자는 모두 상황을 극복하려는 능동적인 태도를 보여준다.

④ (나)와 달리 〈보기〉는 시적 화자가 작품 속에서 자신의 정서를 직접 드러내고 있다.

⑤ (나)와 달리 〈보기〉에는 시적 화자가 임에 대해 느끼는 심리적 거리감이 드러나 있다.

05 (다)와 〈보기〉에 대한 설명으로 적절하지 <u>않은</u> 것은?

┤ 보기 ├

놀부 심사를 볼작시면 초상난 데 춤추기, 불붙는 데 부채질하기, 해산한 데 개 잡기, 장에 가면 억매 흥정하기, 집에서 몹쓸 노릇하기, 우는 아해 볼기 치기, 갓난 아해 똥 먹이기, 무죄한 놈 뺨치기, 빚값에 계집 뺏기, 늙은 영감 덜미 잡기, 아해 밴 계집 배 차기, 우물 밑에 똥 누기, 오려 논에 물 터놓기, 잦힌 밥에 돌 퍼붓기, 패는 곡식 이삭 자르기, 논두렁에 구멍 뚫기, 호박에 말뚝 박기, 곱사등이 업어 놓고 발꿈치로 탕탕 치기, 심사가 모과나무의 아들이라. 이놈 심술은 이러하되, 집은 부자라 호의호식(好衣好食)하는구나.

– 작자 미상, 「흥부전」 –

① (다)의 '두터비'와 〈보기〉의 '놀부'는 대상을 인식하는 방식에 차이가 있다.

② (다)를 대상의 행동을 우의적으로, 〈보기〉는 대상의 면모를 장황하게 나열하고 있다.

③ (다)와 〈보기〉는 모두 심각하거나 부정적인 상황을 희화화한 표현방식을 사용하고 있다.

④ (다)와 〈보기〉는 모두 서민 특유의 건강한 웃음을 불러일으키는 표현 방식을 사용하고 있다.

⑤ (다)와 〈보기〉는 모두 주어진 상황을 극복하고자 하는 민중들의 삶의 의지를 드러냄으로써 골계미를 나타낸다.

(가) 눈 마즈 ㉠휘여진 딕를 뉘라셔 ㉡굽다턴고
　　　구블 절(節)이면 눈 속에 프를소냐
　　　아마도 세한고절(歲寒孤節)은 너뿐인가 ᄒ노라

－ 원천석 －

(나) 동지(冬至)ㅅ둘 기나긴 밤을 한 허리를 버혀 내어
　　　춘풍(春風) 니불 아레 서리서리 너헛다가
　　　어론 님 오신 날 밤이여든 구뷔구뷔 펴리라

－ 황진이 －

(다) 두터비 파리를 물고 두험 우희 치다라 안자
　　　것넌산 바라보니 백송골(白松骨)이 떠 잇거늘 가슴이 금즉하여 풀덕 뛰여 내닷다가 두험 아래 잣바지거고
　　　모쳐라 날낸 낼식만졍 에헐질 번 하괘라.

－ 작자 미상 －

06 (가)～(다)의 형식에 대한 설명으로 적절한 것은?

① (가)는 (나), (다)와 달리 첫 음보가 감탄사의 성격을 지닌다.
② (나)는 (가), (다)와 달리 일정한 율격을 지닌다.
③ (다)는 (가), (나)와 달리 4단계로 시상이 전개된다.
④ (가)～(다)는 모두 화자의 독백 형식을 지닌다.
⑤ (가)～(다)는 모두 종장(終章) 첫 음보의 음절수가 일정하다.

07 ㉠과 ㉡에 대한 설명으로 적절하지 않은 것은?

① ㉠은 '눈'을 맞아 생기는 현상이다.
② ㉡은 ㉠에 대한 세상 사람들의 평가이다.
③ ㉠과 ㉡은 '절(節)'의 측면에서 구별된다.
④ 화자는 ㉠과 ㉡을 다른 의미로 해석한다.
⑤ '눈 속의 푸르름'은 ㉠을 부정하는 근거이다.

08 〈보기〉에서 (나)와 시적 발상이 가장 유사한 것은?

┤ 보기 ├

　　㉠명황(明皇)은 귀비(貴妃)를 주거나 여희여니
　　셟다 셟다 흔들 우리 ᄀ티 셜울런가
　　㉡사라셔 못 보니 더욱 ᄒ나 망극(罔極)ᄒ다
　　㉢수심(愁心)은 블이 되여 가슴애 픠여나니
　　졀로 난 그 블이 ᄂᆞ믜 탓도 아니로ᄃᆡ
　　㉣내ᄒᆡ 하 셜워 수인씨(燧人氏)를 원(怨)ᄒ노라
　　㉤함양궁전(咸陽宮殿)이 다ᄆᆞᆫ 삼월(三月) 블거셔도
　　지금(至今)에 그 블롤 오래 타다 ᄒᆞ것마ᄂᆞᆫ
　　이 원수(怨讐) 이 블은 몃 삼월(三月)을 디내연고

　　　　　　　　　　　　　　　　　　　　　 – 박인로, 「상사곡(相思曲)」 –

① ㉠　　　　　② ㉡　　　　　③ ㉢　　　　　④ ㉣　　　　　⑤ ㉤

09 〈보기〉를 바탕으로 (다)를 감상한 것으로 적절하지 않은 것은?

┤ 보기 ├

　　한국 문학의 미적 범주에서 눈에 띄는 전통으로 풍자와 해학을 들 수 있다. 풍자와 해학은 대상을 있는 그대로 드러내지 않고, 과장하거나 왜곡하고 비꼼으로써 웃음을 유발한다. 그러나 풍자가 대상에 대한 부정적 인식을 바탕으로 대상을 날카롭게 비판하는 표현 방식인 반면에, 해학은 연민과 애정을 가지고 대상을 감싸 안음으로써 대상에게 동정심을 유발하는 표현 방식이라고 할 수 있다. 즉, 풍자와 해학은 모두 대상을 희화화함으로써 익살 섞인 웃음을 불러일으키는 표현 방식이지만, 대상에 대한 인식에서는 차이를 보인다.

① '두터비'를 있는 그대로 드러내지는 않았군.
② 말과 행동을 통해 '두터비'를 희화화하는군.
③ 웃음을 통해 '두터비'를 날카롭게 비판하는군.
④ 대상인 '두터비'를 부정적으로 인식하고 있군.
⑤ '백송골'은 '두터비'에 대해 동정심을 유발하는군.

(가) 눈 마주 휘여진 뒤를 뉘라셔 굽다턴고
　　구블 절(節)이면 눈 속에 프를소냐
　　아마도 세한고절(歲寒孤節)은 너쑨인가 ᄒ노라

　　　　　　　　　　　　　　　　　　　　　　　　　　　　　　　－ 원천석 －

(나) 동지(冬至)ㅅ둘 기나긴 밤을 한 허리를 버혀 내어
　　춘풍(春風) 니불 아레 서리서리 너헛다가
　　어론 님 오신 날 밤이여든 구뷔구뷔 펴리라

　　　　　　　　　　　　　　　　　　　　　　　　　　　　　　　－ 황진이 －

(다) 두터비 파리를 물고 두험 우희 치다라 안자
　　것넌산 바라보니 백송골(白松骨)이 떠 잇거늘 가슴이 금즉하여 풀덕 뛰여 내닷다가 두험 아래 쟛바지거고
　　모쳐라 날낸 낼싀만졍 에헐질 번 하괘라.

　　　　　　　　　　　　　　　　　　　　　　　　　　　　　　　－ 작자 미상 －

10 〈보기〉를 바탕으로 (가)를 감상한 내용으로 적절하지 <u>않은</u> 것은?

┤ 보기 ├

　　(가)의 작자인 원천석은 고려 말 초선 초 왕조교체기의 은사(隱士)로 혼란한 정계를 개탄하며 치악산에 은거하여 조선 왕조에 협력하기를 거부하였으며, 제자였던 태종이 직접 찾아가 출사를 청하여도 응하지 않았다.

① '눈'은 새 왕조에 협력하기를 작가에게 강요하는 존재들을 나타낸다고 볼 수 있겠군.
② '휘여진'은 새 왕조에 협력하기를 거부했지만 고충 속에서 약해져 가는 작가의 의지를 나타낸다고 볼 수 있겠군.
③ '뒤'는 고려 왕조에 대한 작가의 모습과 유사한 속성을 가진 대상으로 작가 자신을 투영한 대상이라고 볼 수 있겠군.
④ '굽다'던 새 왕조에 협력하는 것을 나타내는 것으로 작가가 거부하고자 했던 삶을 나타낸다고 볼 수 있겠군.
⑤ '세한 고절'은 새 왕조를 거부하고 끝까지 출사를 거부했던 작가의 태도와 관련이 있겠군.

11 (나)와 〈보기〉에 대한 설명으로 가장 적절한 것은?

┤ 보기 ├

이화우(李花雨) 흩뿌릴 제 울며 잡고 이별한 임
추풍낙엽(秋風落葉)에 저도 날 생각는가
천리(千里)에 외로운 꿈만 오락가락 하노매

– 계랑 –

① (나)의 화자는 〈보기〉의 화자와 달리 임의 부재로 인한 슬픔을 과장하고 있다.
② (나)의 화자는 〈보기〉의 화자와 달리 이별의 원인을 자신의 탓으로 돌리고 있다.
③ 〈보기〉의 화자는 (나)의 화자와 달리 재회에 대한 희망을 드러내고 있다.
④ 〈보기〉의 화자는 (나)의 화자와 달리 공간적 거리감을 통해 임에 대한 그리움을 배가시키고 있다.
⑤ (나)와 〈보기〉의 화자는 모두 자신을 떠난 임에 대한 원망을 드러내고 있다.

12 〈보기〉를 바탕으로 (다)를 감상한 내용으로 가장 적절한 것은?

┤ 보기 ├

(다)는 조선 후기의 사설시조로, 당시 지방 탐관오리들이 위선적인 모습을 동물 세계의 약육강식에 빗대어 풍자한 작품이다. 즉 자신보다 신분이 낮은 서민은 못살게 굴고 자신보다 강한 권력자에게는 비굴하게 구는 탐관오리의 모습을 비판한 것이다. 이를 통해 양반들의 허세에 찬 모습과 이를 조롱하는 당시 서민들의 정서를 파악할 수 있다.

① '두험'과 '것넌산'의 대비를 통해 조선 후기 신분제도의 모습을 드러내고 있군.
② '백송골'을 보고 놀라는 '두터비'를 통해 지방 관리들이 겪는 비애를 드러내고 있군.
③ '두터비'가 '날낸 낼식망졍'이라고 자랑하는 모습을 통해 탐관오리들의 허장성세를 드러내고 있군.
④ '두험 아래 잣바지'는 '두터비'를 통해 서민을 괴롭히는 탐관오리들은 몰락한다는 교훈을 드러내고 있군.
⑤ '두터비'가 몰고 있는 '파리'를 화자로 설정하여 탐관오리들의 모습을 조롱하는 당시 서민들의 정서를 드러내고 있군.

13 (가)~(다)에 대한 설명으로 가장 적절한 것은?

① (가)는 설의적 표현을 통해 화자의 좌절감을 드러내고 있다.
② (나)는 시간의 흐름을 통해 대상이 가진 속성의 변화를 나타내고 있다.
③ (다)는 역설적 상황 설정을 통해 현실에 대한 비판의식을 드러내고 있다.
④ (가)와 (나)는 시어의 대비를 통해 속세에 대한 부정적 인식을 드러내고 있다.
⑤ (나)와 (다)는 음성 상징어를 활용하여 생동감을 드러내고 있다.

(가) 눈 마조 휘여진 딕를 뉘라셔 굽다턴고
　　구블 절(節)이면 눈 속에 프를소냐
　　아마도 세한고절(歲寒孤節)은 너쑨인가 ᄒ노라

　　　　　　　　　　　　　　　　　　　　　　　　　　　　－ 원천석 －

(나) 동지(冬至)ㅅ돌 기나긴 밤을 한 허리를 버혀 내어
　　춘풍(春風) 니불 아레 서리서리 너헛다가
　　어론 님 오신 날 밤이여든 구뷔구뷔 펴리라

　　　　　　　　　　　　　　　　　　　　　　　　　　　　－ 황진이 －

(다) 두터비 파리를 물고 두험 우희 치다라 안자
　　것넌산 바라보니 백송골(白松骨)이 떠 잇거늘 가슴이 금즉하여 풀덕 뛰여 내닷다가 두험 아래 쟛바지거고
　　모쳐라 날낸 낼식만졍 에헐질 번 하꽤라.

　　　　　　　　　　　　　　　　　　　　　　　　　　　　－ 작자 미상 －

14 (가)와 〈보기〉를 비교하여 감상한 내용으로 적절하지 **않은** 것은?

┌─ 보기 ├─
　　이 몸이 주거 가셔 무어시 될꼬 ᄒ니
　　봉래산(蓬萊山) 제일봉(第一峰)에 낙락장송(落落長松) 되야 이셔
　　백설이 만건곤홀 제 독야청청(獨也靑靑)하리라.

　　　　　　　　　　　　　　　　　　　　　　　　　　　　－ 성삼문 －

낙락장송(落落長松) : 가지가 길게 늘어진 큰 소나무
독야청청(獨也靑靑) : 홀로 푸르게 서있는 모습
└─────────────────────

① (가)와 〈보기〉는 모두 시련에 처한 시대현실을 '눈'과 '백설'로 상징화 하고 있다.
② (가)와 〈보기〉는 모두 전통적으로 충신을 상징하는 자연물을 중심소재로 삼고 있다.
③ (가)와 〈보기〉는 모두 색채 대비를 통해 지조와 절개를 지키고자 하는 화자의 의지를 드러내고 있다.
④ (가)는 〈보기〉와 달리 설의법을 사용하여 대상이 지닌 속성을 강조하고 있다.
⑤ 〈보기〉는 (가)와 달리 멸망한 왕조에 대한 탄식과 무상함을 표현하고 있다.

15 〈보기〉를 참고하여 감상할 때, (나)에 드러난 시적 발상 및 표현이 가장 유사한 것은?

┤ 보기 ├

(나)는 추상적인 대상을 구체적 사물로 형상화한 발상과 표현이 특징이다.

① 전원(田園)에 나믄 흥(興)을 전나귀에 모도 싯고
  계산(溪山) 니근 길로 흥치며 도라와셔
  아해 금서(琴書)를 다스려랴 남은 해를 보내리라.

   – 김천택 –

② 청산(靑山)은 어찌ᄒ야 만고(萬古)에 프르르며,
  유수(流水)는 어찌ᄒ야 주야(晝夜)애 긋디 아니ᄂ고
  우리도 그치지 마라 만고상청(萬古常靑) ᄒ리라.

   – 이황 –

③ 어져 내 일이야 그릴 줄을 모로던가.
  이시라 하더면 가랴마는 제 구태여
  보내고 그리는 정(情)은 나도 몰라 하노라.

   – 황진이 –

④ 국화(菊花)야, 너는 어이 삼월동풍(三月東風) 다 지내고
  낙목한천(落木寒天)에 네 홀로 픠엿는다.
  아마도 오상고절(傲霜孤節)은 너뿐인가 ᄒ노라.

   – 이정보 –

⑤ 청산(靑山)도 절로절로 녹수(綠水)도 절로절로
  산(山)절로 물 절로 산수(山水) 간(間)에 나도 절로
  그중에 절로 자란 몸이 늙기도 절로절로.

   – 송시열 –

16 (다)에 대한 설명으로 적절하지 않은 것은?

① '파리'는 힘없는 백성을, '두터비'는 탐관오리를, '백송골'은 상부의 중앙관리를 상징한다.
② 해학과 풍자의 표현 기법을 사용함으로써 대상을 희화화하여 웃음을 유발한다.
③ 종장에서는 화자가 두터비로 전환되어 허장성세(虛張聲勢)하는 태도를 보인다.
④ 열거법과 연쇄법을 통해 피지배층의 고통과 절신한 감정을 표현하고 있다.
⑤ 탐관오리의 횡포와 약육강식의 세태를 비판하는 주제를 표현하고 있다.

객관식 심화문제

[01~03] 다음 글을 읽고 물음에 답하시오.

(가) ㉠눈 마ᄌ 휘여진 딕를 뉘라셔 굽다턴고
　　구블 절(節)이면 눈 속에 프를소냐
　　아마도 세한고절(歲寒孤節)은 너쑨인가 ᄒ노라

- 원천석 -

(나) 동지(冬至)ㅅ둘 기나긴 밤을 한 허리를 버혀내어
　　춘풍(春風) 니불 아레 서리서리 너헛다가
　　어론 님 오신 날 밤이여든 구뷔구뷔 펴리라

- 황진이 -

(다) 수양산(首陽山) ᄇ라보며 이제(夷齊)를 한(恨)하노라.
　　주려 주글진들 채미(採薇)도 ᄒᄂ것가.
　　비록애 푸새엣 거신들 긔 뉘 짜헤 낫ᄃ니.

- 성삼문 -

(라) 어리고 셩권 매화(梅花) 너를 밋지 아녓녀디
　　눈 기약(期約) 능(能)히 직혀 두세 송이 픠엿고나
　　촉(燭) 줍고 갓가이 ᄉ랑헐 제 암향(暗香)조차 부동(浮動)터라.

- 안민영 -

(마) 간 밤의 우던 여흘 슬피 우러 지내여다
　　이제야 싱각ᄒ니 님이 우러 보내도다
　　저 물이 거스리 흐르고져 나도 우러 녜리라

- 원호 -

01 (가)~(마)에 대한 설명으로 적절하지 <u>않은</u> 것은?

① (가)- 선명한 색채 대비를 통해 주제의식이 강조된다.
② (나)- 추상적 시간을 구체적 사물로 형상화하는 관념의 시각화가 일어난다.
③ (다)- 중국고사에 등장하는 인물의 허물을 비판하며 자신을 결의를 드러낸다.
④ (라)- 초장, 중장, 종장으로 이동하면서 의구심, 감탄, 도취의 순으로 정서가 이동하고 있다.
⑤ (마)- 자연의 순리에 순응하여 깊은 슬픔에서 벗어나려고 노력하고 있다.

02 (가), (라)의 공통점으로 가장 적절한 것은?

① 대상에 관습적 상징을 부여하고 이를 예찬하고 있다.
② 상징법, 과장법을 사용하여 화자의 절개를 강조한다.
③ 주변상황을 탓하지 않고 안분지족하는 태도를 보여준다.
④ 자연물을 인격화하여 자신의 미약한 의지를 끌어올린다.
⑤ 작가의 성품과 정서를 대상물과 일치시켜 비운의 시대와 맞서고 있다.

03 밑줄 친 시어 중 (가)의 ㉠과 상징적 의미가 가장 비슷한 것은?

① 진실로 진실로 내가 그대를 사랑하는 까닭은 내 나의 사랑을 한없이 잇닿은 그 기다림으로 바꾸어 버린 데 있었다. 밤이 들면서 골짜기엔 눈이 퍼붓기 시작했다. 내 사랑도 어디쯤에선 반드시 그칠 것을 믿는다. 다만 그때 내 기다림의 자세를 생각하는 것뿐이다. 그동안에 눈이 그치고 꽃이 피어나고 낙엽이 떨어지고 또 눈이 퍼붓고 할 것을 믿는다.

  – 황동규, 「즐거운 편지」 –

② 끊임없는 광음을 / 부지런한 계절이 피어선 지고/ 큰 강물이 비로소 길을 열었다.// 지금 눈 내리고/ 매화 향기 홀로 아득하니/ 내 여기 가난한 노래의 씨를 뿌려라// 다시 천고(千古)의 뒤에/ 백마 타고 오는 초인이 있어/ 이 광야에서 목놓아 부르게 하리라.

  – 이육사, 「광야」 –

③ 눈은 살아있다/ 떨어진 눈은 살아있다/ 마당 위에 떨어진 눈은 살아있다// 기침을 하자/ 젊은 시인이여 기침을 하자/ 눈더러 보라고 마음놓고 마음놓고/ 기침을 하자

  –김수영, 「눈」–

④ 샤갈의 마을에는 삼월에 눈이 온다/ 봄을 바라고 섰는 사나이의 관자놀이에/ 새로 돋는 정맥이/ 바르르 떤다./ 바르르 떠는 사나이의 관자놀이에/ 새로 돋은 정맥ㅇㄹ 어루만지며/ 눈은 수천 수만의 날개를 달고/ 하늘에서 내려와 샤갈의 마을의/ 지붕과 굴뚝을 덮는다./ 삼월에 눈이 오면/ 샤갈의 마을의 쥐똥만한 겨울 열매들은/ 다시 올리브 빛으로 물이 들고/ 밤에 아낙네들은/ 그 해의 제일 아름다운 불을/ 아궁이에 지핀다.

  – 김춘수, 「샤갈의 마을에 내리는 눈」 –

⑤ 어느 먼 – 곳의 그리운 소식이기에/ 이 한밤 소리 없이 흩날리느뇨.// 처마 끝에 호롱불 여위어 가며/ 서글픈 옛 자췬 양 흰 눈이 내려// 하이얀 입김 절로 가슴이 메어/ 마음 허공에 등불을 켜고/ 내 홀로 밤 깊어 뜰에 나리면// 먼–곳에 여인의 옷 벗는 소리.

  – 김광균, 「설야」 –

(가) ᄆᆞᆷ이 어린 후(後)니 ᄒᆞᄂᆞᆫ 일이 다 어리다
　　㉠만중운산(萬重雲山)에 어닉 님 오리마ᄂᆞᆫ
　　지ᄂᆞᆫ 닙 부ᄂᆞᆫ 부람에 힝여 긘가 ᄒᆞ노라.

　　　　　　　　　　　　　　　　　　　　　　－ 서경덕 －

(나) 어져 내 일이야 그릴 줄을 모로ᄃᆞ냐
　　이시라 ᄒᆞ더면 가랴마ᄂᆞᆫ 제 구ᄐᆞ여
　　보닉고 그리ᄂᆞᆫ 정(情)은 나도 몰라 ᄒᆞ노라.

　　　　　　　　　　　　　　　　　　　　　　－ 황진이 －

(다) 이화우(梨花雨) 훗샏릴 제 울며 잡고 이별한 님
　　추풍낙엽(秋風落葉)에 저도 날 싱각ᄂᆞᆫ가
　　천리(千里)에 외로운 ᄭᅮᆷ만 오락가락 ᄒᆞ노매

　　　　　　　　　　　　　　　　　　　　　　－ 계량 －

(라) 두터비 파리를 물고 두험 우희 치다라 안자
　　것넌산 바라보니 백송골(白松骨)이 떠 잇거늘 가슴이 금즉하여 풀덕 뛰여 내닷다가 두험 아래 쟛바지거고
　　모쳐라 날낸 낼식만졍 에헐질 번 하괘라.

　　　　　　　　　　　　　　　　　　　　　　－ 작자미상 －

(마) 개를 여라믄이나 기르되 요 개같이 얄믜오랴.
　　뮈온 님 오며ᄂᆞᆫ 소리를 홰홰 치며 쒸락 ᄂᆞ리 쒸락 반겨서 내ᄃᆞᆺ고 고온 님 오며ᄂᆞᆫ 뒷발을 버동버동 므르락 나으락
　　캉캉 즈녀셔 도라가게 ᄒᆞᆫ다
　　쉰밥이 그릇그릇 난들 너 머길 줄이 이시랴

　　　　　　　　　　　　　　　　　　　　　　－ 작자미상 －

(바) 귀ᄯ리 져 귀ᄯ리 어엿부다 져 귀ᄯ리
　　어인 귀ᄯ리 지ᄂᆞᆫ 둘 새ᄂᆞᆫ 밤의 긴 소릭 쟈른 소릭 절절(節節)이 슬픈 소릭 제 혼자 우러 녜어 사창(紗窓) 여윈 ᄌᆞᆷ을 슬ᄭᅵ도 ᄭᆡ오ᄂᆞᆫ고야.
　　두어라, 제 비록 미물(微物)이나 무인동방(無人洞房)에 내 ᄠᅳᆺ 알 리ᄂᆞᆫ 너ᄲᅮᆫ인가 ᄒᆞ노라.

　　　　　　　　　　　　　　　　　　　　　　－ 작자미상 －

(사) 나모도 바히돌도 업슨 뫼헤 매게 ᄶ쫏친 가토리 안과
　　대천(大川) 바다 한가온ᄃᆡ 일천 석 시른 빈에 노도 일코 닷도 일코 농총도 근코 돗대도 것고 치도 싸지고 ᄇᆞ람 부러 물결치고 안개 뒤셧게 ᄌᆞ자진 날에, 갈 길은 천리만리 나믄ᄃᆡ 사면이 거머어득 져믓 천지적막(天地寂寞) 가치노을 썻ᄂᆞᆫ듸, 수적(水賊) 만난 도사공의 안과,
　　엊그제 님 여흰 내 안히야 엇다가 ᄀᆞ을ᄒᆞ리오.

　　　　　　　　　　　　　　　　　　　　　　－ 작자미상 －

(아) 싀어마님 며ᄂᆞ라기 낫바 벽 바닥을 구르지 마오.
　　빗에 바든 며ᄂᆞ린가 갑세 쳐 온 며ᄂᆞ린가. 밤나모 셕은 등걸에 휘초리 나니ᄀᆞ치 앙살픠신 싀아바님, 볏 뵌 쇠ᄯᅩᆼᄀᆞ치 되죵고신 싀어마님, 삼 년 겨론 망태에 새 송곳부리ᄀᆞ치 샢죡ᄒᆞ신 싀누의님, 당피 가론 밧틔 돌피나니ᄀᆞ치 싀노란 욋곳 ᄀᆞᄐᆞᆫ 피ᄯᅩᆼ 누ᄂᆞᆫ 아들 ᄒᆞ나 두고,
　　건 밧틔 메곳 ᄀᆞᄐᆞᆫ 며ᄂᆞ리를 어듸를 낫바 ᄒᆞ시ᄂᆞᆫ고.

　　　　　　　　　　　　　　　　　　　　　　－ 작자미상 －

04 (가)~(마)에 대한 설명으로 적절하지 <u>않은</u> 것은?

① (가)– 일반적 진술에서 구체적 진술로 시상을 전개한다.
② (나)– 중장을 행간 걸침으로 해석하면 '제'는 임으로 풀이된다.
③ (다)– 하강의 이미지로 정서를 강화한다.
④ (라)– 종장에서 시적화자가 전환된다.
⑤ (마)– 의성어, 의태어의 사용으로 우리말의 묘미가 살아난다.

05 〈보기〉의 밑줄 친 ⓐ~ⓔ중 (가)의 ㉠과 상징적 의미가 유사한 것은?

> ⓐ꽃 지고 새 잎 나니 녹음이 깔렸는데,
> *나위 적막하고 *수막이 비어 있다.
> ⓑ*부용을 걷어 놓고 공작을 둘러 두니,
> 가뜩 시름 한데 날은 어찌 길던가.
> *원앙을 베어 놓고 오색실 풀어내어,
> ⓒ금자로 재어서 님의 옷 지어내니,
> 솜씨는 물론이고 제도도 갖추었네.
> 산호수 지게 위에 ⓓ백옥함에 담아두고
> 님에게 보내오려 님 계신 곳 바라보니,
> 산인가 ⓔ구름인가 험하기도 험하구나.
> 천리만리 길에 누가 찾아갈고.
> 가거든 열어 두고 나인가 반기실가.
>
> – 정철. 「사미인곡」 –
>
> *나위 : 얇은 비단으로 만든 장막
> *수막 : 수놓은 장막
> *부용 : 연꽃 그려진 병풍
> *원앙 : 원앙이 그려진 비단

① ⓐ   ② ⓑ   ③ ⓒ   ④ ⓓ   ⑤ ⓔ

06 (다) ~ (사) 중 주제의 성격이 가장 <u>다른</u> 것은?

① (다)   ② (라)   ③ (마)   ④ (바)   ⑤ (사)

[07~13] 다음 글을 읽고 물음에 답하시오.

(가) 생사(生死) 길은
예 있으매 머뭇거리고,
나는 간다는 말도
몯다 이르고 어찌 갑니까.
㉠어느 가을 이른 바람에
이에 저에 떨어질 잎처럼,
한 가지에 나고
가는 곳 모르온저.
㉡아아, 미타찰(彌陀刹)에서 만날 나
도(道) 닦아 기다리겠노라.

(나) ㉢눈 마즈 휘여진 딕를 뉘라셔 굽다턴고
㉣구블 절(節)이면 눈 속에 프를소냐
아마도 ㉤세한고절(歲寒孤節)은 너뿐인가 ᄒᆞ노라

(다) 동지(冬至)ㅅ둘 기나긴 밤을 한 허리를 버혀 내어
춘풍(春風) 니불 아레 서리서리 너헛다가
어론 님 오신 날 밤이여든 구뷔구뷔 펴리라

(라) ㉮두터비 ㉯파리를 물고 두험 우희 치다라 안자
것넌산 바라보니 백송골(白松骨)이 떠 잇거늘 가슴이 금즉하여 풀덕 뛰여 내닷다가 두험 아래 쟛바지거고
㉰모쳐라 날낸 낼싀만경 에헐질 번 하괘라.

07 〈보기〉를 참고하여 ㉠~㉤에 나타난 작가의 처지를 이해한 내용으로 적절하지 <u>않은</u> 것은?

┤ 보기 ├
　작가의 삶에 대한 이해는 작품 감상의 폭을 넓혀 준다. (가)는 승려인 작가가 죽은 누이를 추모하기 위한 작품이고, 고려 말, 문신이었던 (나)의 작가는 고려가 망하자 치악산에 들어가 은둔생활을 하였다. 조선의 태종이 된 이방원을 가르친 바가 있어, 태종이 즉위한 뒤로 여러 차례 벼슬을 내리고 그를 불렀으나 응하지 않았다.

① ㉠ : 어느 가을의 때 이른 바람이라는 인식을 통해 예기치 못한 누이의 죽음에 대해 안타까움을 느끼고 있군.
② ㉡ : 극락에서 다시 만날 때까지 도를 닦으며 기다리겠다는 다짐을 통해 슬픔을 종교의 힘으로 극복하려 하는군.
③ ㉢ : '눈'은 부정적인 현실을 비유하는 시어로 새 왕조인 조선에 협력하기를 강요하는 압력이나 세력을 뜻 하는군.
④ ㉣ : 설의법을 통해 자신은 끝까지 고려 왕조에 대한 지조와 충절을 지키겠다는 의지를 드러내고 있군.
⑤ ㉤ : '세한고절은 너뿐인가 ᄒᆞ노라.'를 통해 지조와 절개를 지키지 않는 세태에 대한 비판과 풍자를 하고 있군.

08 '세한고절'과 의미상 가장 유사한 한자성어는?

① 오상고절(傲霜孤節)　　② 안빈낙도(安貧樂道)　　③ 무위자연(無爲自然)

④ 맥수지탄(麥秀之嘆)　　⑤ 고진감래(苦盡甘來)

09 (다)의 표현상 특징으로 적절하지 않은 것은?

① 시간을 구체적인 사물로 형상화하였다.

② 우리말의 우수성을 잘 살려 표현하였다.

③ 시어의 이미지들이 대립 관계를 이루고 있다.

④ 의태어를 활용하여 화자의 정서를 표출하고 있다.

⑤ 자연물에 감정을 이입하여 친밀감을 드러내고 있다.

10 다음 중, 시적 대상에 대한 화자의 태도가 (나)와 가장 유사한 것은?

① 정월(正月) 냇물은 / 아아 얼고 녹고 하는데

　세상 가운데 이 몸은 / 홀로 살아가네.

② 이월(二月) 보름에 / 아으 높이 켠 등불 같아라.

　만인(萬人)을 비춰실 모습이시네

③ 사월(四月) 아니 잊어 / 아으 오실 꾀꼬리 새여

　어이타 녹사님은 / 옛날을 잊고 계신지요.

④ 유월(六月) 보름에 / 아아 벼랑에 버려진 빗과 같구나.

　돌아보실 임을 / 잠깐 좇아갑니다.

⑤ 팔월(八月) 보름은 / 아아 가윗날이지만

　임을 모시고 다니거든 / 오늘이 가위로구나

11 〈보기〉를 바탕으로 (나)~(라)를 이해한 내용으로 적절하지 <u>않은</u> 것은?

┤ 보기 ├

　시조는 고려 후기와 조선 초기에 걸쳐 사대부들이 정치적 이념과 정신세계를 담아내기에 적합한 간결하고 단아한 형식으로 완성되었다. 조선 전기까지 유학자들이 주요 창작 주체가 되어, 3장 6구 45자 내외로 구성된 평시조에 유교적 충의 사상이나 관념화된 자연의 아름다움에 대한 예찬을 주로 담았다.

　조선 후기에 들어 문화적으로 성장한 평민 계층이 시조 창작에 참여하면서 시조 문학은 적지 않은 변화를 겪었다. 형식으로는 평시조에서 준수되던 4음보의 정형성을 파괴한, 사설시조의 탈규범적인 시형이 성행하였다. 내용 면에서는 유학자들의 관념적 세계에서 벗어나 현실과 밀접하게 관련된 소재와 주제를 활용하였다. 시정의 풍속, 서민들의 구체적인 삶의 모습 등을 소재로 하였는데, 평민들의 현실 감각과 진솔한 감정을 대담하게 표현하였으며 거침없는 자기 폭로를 통해 기성도덕에 도전하거나 생생한 현실 고발을 통해 기존 질서를 날카롭게 비판하기도 하였다. 이에 따라 우아미, 비장미, 숭고미 등이 구현된 평시조에 비해 사설시조에는 서민의 일상어로 이루어진 비유나 재담, 재미있는 말장난 등이 많이 나오고 이러한 요소들을 활용한 해학과 풍자로 독자의 웃음을 유발하는 골계미가 두드러지게 나타난다.

① (나)는 사대부들의 정치적 이념과 정신세계를 드러내는군.
② (나)와 달리 (다)는 유학자들의 관념적 세계에서 벗어난 진솔한 감정을 대담하게 표현하였군.
③ (다)는 (나)와 달리 비유나 재미있는 말장난을 활용하여 골계미를 구현하고 있군.
④ (라)는 우의적 표현을 통해 부조리한 현실을 해학과 풍자로 독자의 웃음을 유발하고 있군.
⑤ (라)는 4음보의 정형성을 파괴하여 탈규범적 시형을 창조한 반면, (나), (다)는 형식상의 간결함과 단아함을 추구하는군.

12 (라)의 표현상 특징으로 바른 것은?

① 대화의 형식으로 시상을 전개하고 있음.
② 의인화를 통해 지배 계층의 허위와 탐욕을 비판함.
③ 중장은 화자를 바꾸어 대상에 대한 풍자의 효과를 높임.
④ 영탄적 어조를 사용하여 화자의 소망의 절실함을 드러냄.
⑤ 대구법과 설의법을 통해 운율감을 형성하고 의미를 강조함.

13 밑줄 친 ㉺에 나타난 '두터비'의 태도를 비판하는 사자성어로 적절한 것은?

① 수주대토(守株待兎)　　　② 반포지효(反哺之孝)　　　③ 토사구팽(兎死狗烹)
④ 허장성세(虛張聲勢)　　　⑤ 침소봉대(針小棒大)

[14~17] 다음 글을 읽고 물음에 답하시오.

(가) 묏버들 가려 꺾어 보내노라 님에게
　　자시는 창(窓) 밖에 심어 두고 보소서
　　밤비에 새잎 나거든 나인가도 여기소서

－「홍랑」－

(나) 눈 마ᄌ 휘여진 뒤를 뉘라셔 굽다턴고
　　구블 절(節)이면 눈 속에 프를소냐
　　아마도 세한고절(歲寒孤節)은 너ᄲᆞᆫ인가 ᄒ노라

－「원천석」－

(다) 동지(冬至)ㅅᄃᆞᆯ 기나긴 밤을 한 허리를 버혀 내어
　　춘풍(春風) 니불 아레 서리서리 너헛다가
　　어론 님 오신 날 밤이여든 구뷔구뷔 펴리라

－「황진이」－

(라) 두터비 파리를 물고 두험 우희 치다라 안자
　　것넌산 바라보니 백송골(白松骨)이 떠 잇거늘 가슴이 금즉하여 풀덕 뛰어 내닷다가 두험 아래 쟛바지거고
　　모쳐라 날낸 낼싀만졍 에헐질 번 하괘라.

－「작자미상」－

(마) 붉가버슨 아해(兒孩) 들리 거믜줄 테를 들고 기천으로 왕래(往來)ᄒ며,
　　붉가숭아 붉아숭아 져리 가면 죽ᄂ니라. 이리 오면 ᄉᄂ니라. 부로나니 붉가숭이로다.
　　아마도 세상(世上) 일이 다 이러ᄒᆞᆫ가 ᄒ노라.

－「이정신」－

(바) 오백 년(五百年) 도읍지(都邑地)를 필마(匹馬)로 도라드니,
　　산천(山川)은 의구(依舊)ᄒ되 인걸(人傑)은 간 듸 업다.
　　어즈버, 태평연월(太平烟月)이 쑴이런가 ᄒ노라.

－「길재」－

14 **(가)~(바)의 형식상 특징으로 적절하지 않은 것은?**

① (나), (다)는 4음보의 음보율로 전개된다.
② (다), (바)는 평시조이고 (라), (마)는 사설시조이다.
③ (라)는 (나)와 달리 3·4조를 통해 운율을 형성하고 있다.
④ (라), (마)는 (나), (다)와 달리 3장 6구에서 변형된 형식이다.
⑤ 가~(바)는 모두 '초장-중장-종장'으로 구성되며 종장의 첫 음보는 3음절로 고정되고 있다.

15 (가)~(바)에 대한 설명으로 가장 적절한 것은?

① (가)와 (다)는 시적 화자와 시적 대상이 공간적으로 떨어져 있다.
② (다)와 (마)는 시적 대상과의 만남에 대한 기대감을 드러내고 있다.
③ (라)와 (바)의 시적 화자는 맥수지탄(麥秀之嘆)의 정서를 느끼고 있다.
④ (마)와 (바)는 자연물의 속성을 활용하여 화자의 굳은 절개와 의지를 표현하고 있다.
⑤ (나), (라), (마)는 상황을 과장하여 제시하고 있다.

16 (가)와 (나)에 대한 이해로 적절하지 <u>않은</u> 것은?

① (가)에서는 '묏버들'에서 환기된 화자의 정서가 '새잎'이라는 매개물로 전이되었다.
② (나)에서는 '눈 속의 프를소냐'라는 설의적 표현을 통해 대나무의 절개를 강조하고 있다.
③ (가)의 '나인가도 여기소서'에는 화자의 소망이, (나)의 '너뿐인가 ᄒᆞ노라'에는 대상을 예찬하는 화자의 태도가 드러난다.
④ (가)에서는 '밤비'로 시간적 배경을 (나)에서는 '눈'으로 계절적 배경을 드러내어, 화자가 시련을 겪고 있는 상황을 강조하고 있다.
⑤ (가)의 '보내노라 님에게'는 '묏버들'을 받는 대상을, (나)의 '세한고절'은 시적 대상에 대한 화자의 예찬적 태도를 강조하고 있다.

17 (다)~(바)의 표현상 특징으로 적절하지 <u>않은</u> 것은?

① (다)는 대조적 시어를 통해 시적 상황의 변화를 표현하고 있다.
② (다)에서는 의태어를 활용하여 추상적 개념을 시각적으로 표현하고 있다.
③ (라)에서는 우의적 표현을 통해 주제의식의 풍자성을 드러낸다.
④ (마)에서는 언어유희를 통한 화자의 자기 합리화가 드러난다.
⑤ (바)에서는 서로 상반되는 시어를 통해 시적 화자의 무상감을 나타내고 있다.

[18~23] 다음 글을 읽고 물음에 답하시오.

(가) 눈 마쟈 휘여진 ㉠딕를 뉘라셔 굽다턴고
구블 절(節)이면 눈 속에 프를소냐
아마도 세한 고절(歲寒孤節)은 ㉡너쑨인가 ᄒ노라.

– 원천석 –

(나) 동지(冬至)ㅅ둘 기나긴 밤을 한 허리를 버혀 내여
춘풍(春風) 니불 아레 서리서리 너헛다가
어론 님 오신 날 밤이여든 구뷔구뷔 펴리라

– 황진이 –

(다) 두터비 파리를 물고 ㉢두험 우희 치다라 안자
것넌산 바라보니 백송골(白松骨)이 떠 잇거늘 가슴이 금즉하여 풀덕 뛰여 내닷다가 두험 아래 쟛바지거고
모쳐라 날낸 낼식만졍 에헐질 번 하괘라.

– 작자 미상 –

(라) 생사(生死) 길은
예 있으매 머뭇거리고,
㉣나는 간다는 말도
몯다 이르고 어찌 갑니까.
어느 가을 ㉤이른 바람에
이에 저에 떨어질 잎처럼,
한 가지에 나고
가는 곳 모르온저.
아아, 미타찰(彌陀刹)에서 만날 나
도(道) 닦아 기다리겠노라.

– 월명사, 「제망매가」 –

(마) 놀부 심사를 볼작시면 초상난 데 춤추기, 불붙는 데 부채질하기, 해산한 데 개 잡기, 장에 가면 억매(抑賣) 홍정하기, 집에서 몹쓸 노릇하기, 우는 아해 볼기 치기, 갓난 아해 똥 먹이기, 무죄한 놈 뺨치기, 빚값에 계집 뺏기, 늙은 영감 덜미 잡기, 아해 밴 계집 배 차기, 우물 밑에 똥 누기, 오려 논에 물 터놓기, 잦힌 밥에 돌 퍼붓기, 패는 곡식 이삭 자르기, 논두렁에 구멍 뚫기, 호박에 말뚝 박기, 곱사등이 업어 놓고 발꿈치로 탕탕 치기, 심사가 모과나무의 아들이라. 이놈 심술은 이러하되, 집은 부자라 호의호식(好衣好食)하는구나. 흥부는 집도 없이 집을 지으려고 집 재목을 내려 갈 양이면 만첩청산(萬疊靑山) 들어가서 소부등(小不等) 대부등(大不等)을 와들렁 퉁탕 버혀다가 안방, 대청, 행랑, 몸채, 내외 분합(分閤) 물림퇴에 살미 살창 가로닫이 입 구(口) 자로 지은 것이 아니라, 이놈은 집 재목을 내려 하고 수수밭 틈으로 들어가서 수수깡할 뭇을 버혀다가 안방, 대청, 행랑, 몸채 두루 짚어 말집을 꽉 짓고 돌아보니, 수숫대 반 뭇이 그저 남았구나. 방 안이 넓든지 말든지 양주(兩主) 드러누워 기지개 켜면 발은 마당으로 가고, 대고리는 뒤꼍으로 맹자 아래 대문하고 엉덩이는 울타리 밖으로 나가니, 동리 사람이 출입하다가 "이 엉덩이 불러들이소." 하는 소리가 들리는구나.

– 작자 미상, 「흥부전」 –

18 (가)에 대한 설명으로 적절한 것을 모두 골라 바르게 묶은 것은?

┌─ 보기 ┐

ㄱ. 설의적 표현 활용함으로써 화자의 태도를 강조하고 있다.

ㄴ. 대화의 형식을 사용함으로써 대상과의 친밀감을 부각하고 있다.

ㄷ. 동일한 시어를 반복하여 제시함으로써 안정적 운율감을 형성하고 있다.

ㄹ. 색채 대비를 통해 시어에 담긴 상징적·함축적 의미를 강조하고 있다.

ㅁ. 대비되는 감각적 심상을 활용하여 대상에 대한 비판적 태도를 드러내고 있다.
└─────────┘

① ㄱ, ㄹ   ② ㄱ, ㄴ, ㄹ   ③ ㄱ, ㄷ, ㄹ   ④ ㄱ, ㄴ, ㄷ, ㄹ   ⑤ ㄱ, ㄴ, ㄹ, ㅁ

19 (나)와 (다)를 비교하여 감상한 것으로 적절한 것은?

① (나)와 (다) 모두 시간의 속성을 변용하여 화자의 정서를 강조하고 있다.

② (나)와 달리 (다)에서는 중장에서 점층적 시상 전개로 대상에 대한 화자의 정서를 강조하고 있다.

③ (나)에서는 영탄적 어조를 통해, (다)에서는 의지적 어조를 통해 주제를 강조하고 있다.

④ (나)에서는 임이 계신 공간을, (다)에서는 화자가 처한 공간을 비유를 통해 형상화하고 있다.

⑤ (다)와 달리 (나)에서는 특정 단어를 중첩하여 사용하여 의미를 강조하고 리듬감을 살리고 있다.

20 (다)에 대한 설명으로 가장 적절한 것은?

① 설의적 표현을 통해 주관적 정서를 강화하고 있다.

② 과거와 현재를 대비하여 주제 의식을 강조하고 있다.

③ 대상에 인격을 부여하여 시적 상황을 표현하고 있다.

④ 말을 건네는 방식으로 대상과의 친밀감을 나타내고 있다.

⑤ 화자를 전환하여 자신의 삶을 성찰하는 화자의 태도를 부각하고 있다.

21 〈보기1〉과 〈보기2〉는 수업의 한 장면이다. 선생님의 질문에 바르게 응답한 학생은?

┤ 보기 1 ├

선생님 : 향가가 4구체, 8구체, 10구체로 발전하였으므로 10구체의 향가는 대체로 4구, 4구, 2구로 나누어 해석이 가능하며 이러한 구성적 특징이 시조의 형태로 이어졌다는 주장이 향가 기원설입니다. (라)는 향가이고, 〈보기2〉는 시조인데, 〈보기2〉가 (라)의 영향을 받은 점을 하나씩 구체적으로 확인해 볼까요?

ⓐ **철수** : (라)와 〈보기2〉는 향찰로 표기되어 있다는 점이 똑같네요.

ⓑ **영희** : (라)와 〈보기2〉는 세 부분으로 구성되어 있다는 점이 닮았어요.

ⓒ **민수** : (라)와 〈보기2〉는 모두 4음보의 율격을 지니고 있어요.

ⓓ **수민** : (라)와 〈보기2〉는 모두 화자가 처한 상황에 대응하는 방식이 동일해요.

ⓔ **창규** : (라)와 〈보기2〉는 마지막 부분의 첫 구절이 감탄사로 시작된다는 점이 같아요.

┤ 보기 2 ├

꿈에나 님을 볼려 잠 이룰가 누엇드니
시벽 달 지시도록 자규성(子規聲)을 어이 ᄒ리
두어라 단장춘심(斷腸春心)은 너나 늬나 달으려

– 호석균 –

*단장춘심(斷腸春心) : 마음이 끊어지는 아픔

① ⓐ, ⓑ   ② ⓑ, ⓓ   ③ ⓑ, ⓔ   ④ ⓑ, ⓒ, ⓔ   ⑤ ⓑ, ⓒ, ⓓ, ⓔ

22 ㉠~㉤에 대한 설명으로 적절하지 않은 것은?

① ㉠ : 사군자(四君子)에 해당하는 소재로 지조와 절개를 상징한다.

② ㉡ : 세속의 이해타산에 물들지 않는 '눈'의 순수함을 의인화한 표현이다.

③ ㉢ : '두꺼비'가 차지하고 있는 지방 벼슬자리를 뜻하는 것으로 볼 수 있다.

④ ㉣ : 갑작스럽게 죽은 누이를 가리키는 말이다.

⑤ ㉤ : 누이가 이른 나이에 죽었음을 드러내는 표현이다.

23 〈보기〉는 (마)의 표현 방식을 계승한 작품으로 알려져 있다. 〈보기〉와 (마)의 공통점에 대한 설명으로 적절한 것은?

> **┤ 보기 ├**
>
> 한번은 장인님이 헐떡헐떡 기어서 올라오더니 내 바짓가랭이를 요렇게 노리고서 단박 웅켜잡고 매달렸다.
> 악, 소리를 치고 나는 그만 세상이 다 팽그르 도는 것이,
> "빙장님! 빙장님! 빙장님!"
> "이 자식! 잡아먹어라, 잡아먹어!"
> "아! 아! 할아버지! 살려 줍쇼, 할아버지!" / 하고 두 팔을 허둥지둥 내절 적에는 이마에 진땀이 쭉 내솟고
> 인젠 참으로 죽나 부다 했다. 그래두 장인님은 놓질 않드니 내가 기어이 땅바닥에 쓰러져서 거진 까무러치게
> 되니까 놓는다. 더럽다, 더럽다. 이게 장인님인가? 나는 한참을 못 일어나고 쩔쩔맸다. 그러나 얼굴을 드니
> (눈엔 참 아무것도 보이지 않았다.) 사지가 부르르 떨리면서 나도 엉금엉금 기어가 장인님의 바짓가랑이를
> 꽉 웅키고 잡아나꿨다.
>
> – 김유정, 「봄봄」 –

① 과거와 현재의 사건을 넘나들며 이야기를 전개하고 있다.
② 웃음을 유발하는 방식으로 인물의 처지나 행동을 서술하고 있다.
③ 주인공이 자신의 경험을 서술하는 형태로 내용이 전개되고 있다.
④ 서술자가 인물의 행동을 객관적으로 관찰하여 서술하고 있다.
⑤ 시대적 배경을 구체적으로 묘사하여 사회 현실의 문제를 지적하고 있다.

[24~27] 다음 글을 읽고 물음에 답하시오.

(가) 눈 마즈 휘여진 디를 뉘라셔 굽다턴고
　　구블 절(節)이면 눈 속에 프를소냐
　　아마도 세한 고절(歲寒孤節)은 너쑨인가 ᄒ노라.

(나) 동지(冬至)ㅅ둘 기나긴 밤을 한 허리를 버혀 내여
　　춘풍(春風) 니불 아레 서리서리 너헛다가
　　어론 님 오신 날 밤이여든 구뷔구뷔 펴리라

(다) 두터비 파리를 물고 두험 우희 치다라 안자
　　것넌산 바라보니 백송골(白松骨)이 떠 잇거늘 가슴이 금즉하여 풀덕 뛰여 내닷다가 두험 아래 쟛바지거고
　　모쳐라 날낸 낼식만졍 에헬질 번 하괘라

(라) 생사(生死) 길은
　　예 있으매 머뭇거리고,
　　㉠나는 간다는 말도
　　몯다 이르고 어찌 갑니까.

어느 가을 ⓛ이른 바람에
이에 저에 떨어질 잎처럼,
ⓒ한 가지에 나고
가는 곳 모르온저.
ⓔ아아, 미타찰(彌陀刹)에서 만날 ⓜ나
도(道) 닦아 기다리겠노라.

– 월명사, 「제망매가」 –

(마) 어와 성은(聖恩)이야 망극(罔極)할사 성은(聖恩)이다
강호(江湖)도 안로(安老)도 분(分)밧긔 일이어든
하물며 두 아들 정성을 다해 봉양함은 또 어이인가 하노라

〈제2수〉

딜 밝고 바람 잔잔하니 물결이 비단일다
단정(短艇)을 비스듬히 놓아 오락가락 하는 흥(興)을
백구(白鷗)야 하 즐겨 마라 세상(世上)알가 하노라

〈제5수〉

모래 우희 자는 백구(白鷗) 한가(閑暇)할샤
강호(江湖) 풍취(風趣)를 네가 지닐 때 내가 지닐 때
석양(夕陽) 반범귀흥(半帆歸興)은 너도 날만 못 하리라

〈제6수〉

식록(食祿)을 긋친 후(後)로 어조(漁釣)을 생애(生涯)하니
혜 업슨 아이들은 괴롭다 하지마는
두어라 강호한적(江湖閑滴)이 내 분(分)인가 하노라

〈제9수〉
– 나위소, 「강호구가(江湖九歌)」 –

*단정 : 자그마한 배.
*반범귀흥 : 돛을 반쯤 올리고 돌아오는 멋
*식록 : 먹고 살기 위한 벼슬. / *어조 : 낚시질.

24 **(가)~(다)에 대한 설명으로 가장 적절하지 않은 것은?**

① (가)는 색채 이미지를 활용하여 주제를 강조하고 있다.
② (가)는 설의법을 사용하여 화자의 정서를 드러내고 있다.
③ (나)는 추상적 개념을 구체적 사물로 형상화하여 표현하고 있다.
④ (다)는 시적 대상을 부정적으로 바라보며 희화화하고 있다.
⑤ (다)는 중장에서 화자를 바꾸어 풍자의 효과를 높이고 있다.

25 다음 중 화자의 정서가 (나)와 가장 유사한 것은?

① 청산(靑山)은 엇뎨ᄒ야 만고(萬古)에 프르르며 / 유수(流水)는 엇뎨ᄒ야 주야(晝夜)에 긋디 아니ᄂᆞᆫ고 / 우리도 그치지 마라 만고상청(萬古常靑)호리라.
　　– 이황 –

② 백설(白雪)이 ᄌᆞ자진 골에 구루미 머흐레라. / 반가온 매화(梅花)는 어늬 곳에 픠엿ᄂᆞᆫ고, / 석양(夕陽)에 홀로 셔 이셔 갈 곳 몰라 ᄒ노라.
　　– 이색 –

③ ᄒᆞᆫ 손에 막ᄃᆡ 잡고 쏘 ᄒᆞᆫ 손에 가싀 쥐고 / 늙ᄂᆞᆫ 길 가싀로 막고 오ᄂᆞᆫ 백발(白髮) 막ᄃᆡ로 치려터니, / 백발(白髮)이 제 몬져 알고 즈럼길노 오더라.
　　– 우탁 –

④ 묏버들 갈히 것거 보내노라 님의 손ᄃᆡ / 자시ᄂᆞᆫ 창(窓) 밧긔 심거 두고 보쇼셔 / 밤비예 새닙곳 나거든 날인가도 너기쇼셔
　　– 홍랑 –

⑤ 이화(梨花)에 월백(月白)ᄒ고 은한(銀漢)이 삼경(三更)인제 / 일지춘심(一枝春心)을 자규(子規)야 아랴마ᄂᆞᆫ / 다정(多情)도 병(病)인 냥ᄒ여 좀 못 드러 ᄒ노라.
　　– 이조년 –

26 (라)에 대한 설명으로 적절하지 <u>않은</u> 것은?

① ㉠과 ㉢은 화자를 가리킨다.
② ㉡ : 누이의 요절(夭折)을 암시한다.
③ ㉢ : 화자와 누이의 혈연적 관계를 상징하는 표현이다.
④ ㉣ : 시상 전환의 역할을 하고 있다.
⑤ 비극적인 상황을 제시한 후 화자의 바람을 드러내고 있다.

27 (마)에 대한 설명으로 가장 적절하지 <u>않은</u> 것은?

① 4음보를 통하여 리듬감을 형성하고 있다.
② 임금의 은혜에 감사하는 태도가 드러나 있다.
③ 영탄적 어조를 통해 화자의 정서를 표현하고 있다.
④ 다른 대상과 비교하는 방식으로 의미를 강조하고 있다.
⑤ 자연에서 느끼는 흥취를 타인과 나누려는 마음가짐이 드러나 있다.

[28~32] 다음 글을 읽고 물음에 답하시오.

(가) 눈 마즈 휘여진 디를 뉘라셔 굽다턴고
구블 절(節)이면 눈 속에 프를소냐
아마도 세한 고절(歲寒孤節)은 너쑨인가 ᄒ노라.

– 원천석 –

(나) 동지(冬至)ㅅ들 기나긴 밤을 한 허리를 버혀 내어
춘풍(春風) 니불 아레 서리서리 너헛다가
어론 님 오신 날 밤이여든 구뷔구뷔 펴리라

– 황진이 –

(다) 두터비 파리를 물고 두험 우희 치다라 안자
것넌산 바라보니 백송골(白松鶻)이 떠 잇거늘 가슴이 금즉하여 풀덕 뛰여 내닷다가 두험 아래 쟛바지거고
모쳐라 날낸 낼식만졍 에헬질 번 하괘라.

– 작자미상 –

(라) 생사(生死) 길은
예 있으매 머뭇거리고,
나는 간다는 말도
몯다 이르고 어찌 갑니까.
어느 가을 이른 바람에
이에 저에 떨어질 잎처럼,
한 가지에 나고
가는 곳 모르온저.
아아, 미타찰(彌陀刹)에서 만날 나
도(道) 닦아 기다리겠노라.

– 월명사, 「제망매가」 –

28 (가)~(다)에 대한 설명으로 가장 적절한 것은?

① (가)와 (나)는 계절감이 드러나는 시어를 사용하여 시적 상황을 제시하고 있다.
② (가)와 (나)는 음성 상징어를 활용해 우리말의 묘미를 잘 살리고 있다.
③ (가)와 (다)는 4음보의 정형성을 유지하며 인간의 정서를 진솔하게 드러내고 있다.
④ (나)와 (다)는 추상적인 개념을 구체적인 사물로 형상화하여 화자의 정서를 부각하고 있다.
⑤ (가)~(다)는 의인화를 통해 대상에 대한 친근감을 부여하고 있다.

29 (나)~(다)에 대한 설명으로 적절하지 않은 것은?

① (나)는 대상의 부재로 느끼는 삶의 무상감이 드러나 있다.
② (나)는 이별한 임을 그리워하며 재회하기를 소망하고 있다.
③ (다)는 약육강식의 세태를 우의적으로 풍자하고 있다.
④ (다)는 자신의 약점을 감추기 위한 허장성세의 모습이 드러나 있다.
⑤ (다)는 탐관오리가 백성들을 수탈하는 가렴주구의 형태가 드러나 있다.

30 〈보기2〉를 참고하여 (가)와 〈보기1〉을 이해한 내용으로 가장 적절한 것은?

---| 보기 1 |---

이 몸이 주거 가셔 무어시 될꼬 하니
봉래산(蓬萊山) 제일봉(第一峰)에 낙락장송(落落長松) 되야이셔
백설(白雪)이 만건곤(滿乾坤)할 제 독야청청(獨也靑靑)하리라.

– 성삼문 –

*만건곤(滿乾坤) : 하늘과 땅에 가득하다

---| 보기 2 |---

(가)의 작가 원천석은 고려 말의 학자이자 고려의 유신(儒臣)으로 고려가 멸망하자 벼슬을 버리고 원주 치악산에 숨어 살았다. 태종이 간곡히 불렀으나 끝나 나가지 않았다.
〈보기1〉의 작가 성상문은 사육신 가운데 한 사람으로 조선왕조의 대표적인 절신(節臣)으로 꼽는다. 세조가 단종을 몰아내고 왕위에 오르자, 단종 복위를 계획하였으나 실패하였다.

① (가)의 '눈'은 새 왕조에 협력하도록 강요하는 무리를 뜻하는 반면 〈보기1〉의 '백설'은 순수한 세계를 의미한다.
② (가)와 〈보기1〉의 화자는 '딕'와 '낙락장송'을 통해 자신이 추구하고자 하는 바를 자연물에 빗대어 표현하고 있다.
③ (가)의 '구블 절'은 〈보기1〉의 '낙락장송'과 달리 현실에 타협한 작가의 삶과 관련이 있다.
④ (가)와 〈보기1〉는 '눈 마즈'와 '백설이 만건곤 할 제'에서 촉각적 심상을 통해 화자의 처지를 부각하고 있다.
⑤ (가)의 '눈 속 프를소냐'는 새 왕조에 협력하는 사람들에 대한 질책이 담겨있는 반면 〈보기1〉의 '독야청청하리라'는 지조를 지키기 위한 화자의 굳은 의지가 담겨있다.

31 (가)에 나타난 시적 화자의 정서 및 태도가 유사한 것은?

① 묏버들 가려 꺾어 보내노라 님의 손에
　주무시는 창(窓)밖에 심어두고 보소서.
　밤비에 새잎이라도 나거든 나인 듯이 여기소서
② 짚 방석(方席) 내지 마라 낙엽엔들 못 앉으랴.
　솔 불 혀지 마라 어제 진 달 돋아 온다.
　아희야 박주산채(薄酒山菜)일 망정 없다 말고 내어라.
③ 국화(菊花)야 너는 어이 삼월동풍(三月東風) 다 지닉고
　낙목한천(落木寒天)에 네 홀로 피었는다
　아마도 오상고절(傲霜孤節)은 너 쑌인가 호노라.
④ 말 업슨 청산(靑山)이요, 태(態) 업슨 유수(流水)이로다.
　갑 업슨 청풍(淸風)이요, 님자 업슨 명월(明月)이라.
　이 중(中)에 병(病) 업슨 이 몸이 분별(分別) 업시 늙으리라.
⑤ 십년(十年)을 경영(經營)하여 초려삼간(草廬三間) 지여 내니
　나 한 간 달 한 간에 청풍(淸風) 한 간 맡겨 두고
　강산(江山)은 들일 딕 업스니 둘러 두고 보리라.

32 (라)와 〈보기〉를 이해한 내용으로 적절하지 <u>않은</u> 것은?

┤ 보기 ├

관(棺)이 내렸다
깊은 가슴 안에 밧줄로 달아 내리듯.
주여 / 용납하옵소서.
머리맡에 성경을 얹어 주고
나는 옷자락에 흙을 받아
좌르르 하직(下直)했다.

그 후로 / 그를 꿈에서 만났다.
턱이 긴 얼굴이 나를 돌아보고
형님! / 불렀다.
오오냐 나는 전신으로 대답했다.
그래도 그는 못 들었으리라.
이제 / 네 음성을
나만 듣는 여기는 눈과 비가 오는 세상.

너는 어디로 갔느냐.
그 어질고 안쓰럽고 다정한 눈짓을 하고
형님! / 부르는 목소리는 들리는데
내 목소리는 미치지 못하는
다면 여기는 / 열매가 떨어지면
툭 하는 소리가 들리는 세상.

– 박목월, 「하관」 –

① (라)와 달리 〈보기〉는 시적 대상과 재회하는 장면이 있다.
② 〈보기〉와 달리 (라)는 시적 대상이 요절했음을 알 수 있다.
③ (라)와 〈보기〉는 모두 시적 대상이 형제지간임을 알 수 있다.
④ (라)와 〈보기〉는 모두 이승과 저승의 단절감이 표현되어 있다.
⑤ (라)와 〈보기〉는 모두 이별의 슬픔을 종교적으로 극복하고자 한다.

(가) 눈 마즈 휘여진 뒤를 뉘라셔 굽다던고

　　 구블 절(節)이면 눈 속에 프를소냐

　　 아마도 세한 고절(歲寒孤節)은 너뿐인가 ᄒ노라

　　　　　　　　　　　　　　　　　　　　　　　　– 원천석 –

(나) 동지(冬至)ㅅᄃᆞᆯ 기나긴 밤을 한 허리를 버혀 내어

　　 춘풍(春風) 니불 아레 서리서리 너헛다가

　　 어론 님 오신 날 밤이여든 구뷔구뷔 펴리라

　　　　　　　　　　　　　　　　　　　　　　　　– 황진이 –

(다) ㉠두터비 ㉡파리를 물고 두험 우희 치다라 안자

　　 것넌산 바라보니 ㉢백송골(白松骨)이 떠 잇거늘 가슴이 금즉하여 풀덕 뛰여 내닷다가 ㉣두험 아래 쟛바지거고

　　 ㉤모쳐라 날낸 낼싀만졍 에헐질 번 하괘라

　　　　　　　　　　　　　　　　　　　　　　　　– 작자미상 –

33 (가)~(다)에 대한 설명으로 적절하지 <u>않은</u> 것은?

　① (가)는 자연물의 속성에 견주어 화자의 의지를 드러내고 있다.

　② (나)에는 상대적 의미를 지닌 시구가 짝을 이루고 있다.

　③ (다)는 대화 형식을 활용하여 해학적 분위기를 조성하고 있다.

　④ (가), (나)에는 계절적 배경이 드러나 있다.

　⑤ (가), (다)는 의인화를 통해 표현을 극대화하고 있다.

34 (가) 화자의 태도와 가장 유사한 것은?

① 오백 년 도읍지를 필마(匹馬)로 도라드니,
  산천(山川)은 의구(依舊)ㅎ되 인걸(人傑)은 간 듸 업다
  어즈버 태평연월(太平烟月)이 쑴이런가 ㅎ노라.

— 길재 —

② 가노라 삼각산(三角山)아 다시 보자 한강수(漢江水)야
  고국 산천(古國山川)을 떠나고쟈 하랴마는
  시절(時節)이 하 수상하니 올동 말동 ㅎ여라.

— 김상헌 —

③ 두류산(頭流山) 양단수(兩單水)를 녜 듯고 이제 보니
  도화(桃花) 뜬 묽은 물에 산영(山影)조츠 잠겻세라
  아희야, 무릉(武陵)이 어듸오 나는 옌가 ㅎ노라.

— 조식 —

④ 간밤의 부던 브람에 눈서리 치단 말가.
  낙락장송(落落長松)이 다 기우러 가노믹라
  ㅎ믈며 못다 핀 곳이야 닐러 므슴 ㅎ리오.

— 유응부 —

⑤ 이 몸이 주거 가셔 무어시 될고 하니,
  봉래산 제일봉에 낙락장송(落落長松) 되야이셔
  백설(白雪)이 만건곤(滿乾坤)홀 제 독야청청(獨也靑靑)ㅎ리라.

— 성삼문 —

35 (나)의 표현상의 특징에 대한 설명으로 적절한 것만을 〈보기〉에서 골라 바르게 묶은 것은?

┤ 보기 ├
ㄱ. 대조를 통해 화자의 상황을 강조하고 있다.
ㄴ. 인간과 자연을 대비시켜 시적 상황을 부각하고 있다.
ㄷ. 적절한 음성상징어를 사용하여 우리말의 묘미를 살렸다.
ㄹ. 추상적 개념을 구체적 사물로 형상화 시켜 화자의 소망을 드러내고 있다.

① ㄱ, ㄴ, ㄷ   ② ㄱ, ㄴ, ㄹ   ③ ㄱ, ㄷ, ㄹ   ④ ㄴ, ㄷ, ㄹ   ⑤ ㄱ, ㄴ, ㄷ, ㄹ

36 ㉠~㉤에 대한 설명으로 적절하지 않은 것은?

① ㉠ : 부패한 양반, 탐관오리를 상징하는 말이다.
② ㉡ : 힘없이 수탈당하는 백성을 상징하는 말이다.
③ ㉢ : 중앙에서 파견된 관리로 두터비의 우위에 선 존재이다.
④ ㉣ : 두터비의 모습을 희화화하고 있다.
⑤ ㉤ : 두터비의 목소리를 통해 현학적(衒學的) 태도를 비판하고 있다.

(가) 생사(生死) 길은
　　예 있으매 머뭇거리고,
　　㉠나는 간다는 말도
　　몯다 이르고 어찌 갑니까.
　　어느 가을 이른 바람에
　　이에 저에 떨어질 잎처럼,
　　한 가지에 나고
　　가는 곳 모르온저.
　　아아, 미타찰(彌陀刹)에서 만날 나
　　㉡도(道) 닦아 기다리겠노라.

　　　　　　　　　　　　　　　　　　　　　　　– 월명사, 「제망매가」 –

(나) 눈 마ᄌ 휘여진 ᄃᆡ를 뉘라서 굽다턴고
　　㉢구블 절(節)이면 눈 속의 프를소냐
　　아마도 세한 고절(歲寒孤節)은 너ᄲᅮᆫ인가 ᄒᆞ노라.

　　　　　　　　　　　　　　　　　　　　　　　– 원천석 –

(다) 동지(冬至)ㅅᄃᆞᆯ 기나긴 밤을 한 허리를 버혀 내어
　　춘풍(春風) 니불 아레 서리서리 너헛다가
　　㉣어론 님 오신 날 밤이여든 구븨구븨 펴리라.

　　　　　　　　　　　　　　　　　　　　　　　– 황진이 –

(라) 두터비 파리를 물고 두험 우희 치다라 안자
　　것넌산 바라보니 백송골(白松骨)이 떠 잇거늘 가슴이 금즉하여 풀덕 뛰여 내닷다가 두험 아래 쟛바지거고
　　㉤모쳐라 날낸 낼싀만졍 에헐질 번 하괘라.

　　　　　　　　　　　　　　　　　　　　　　　– 작자미상 –

---

37 (가)~(라)의 표현 방식에 대한 설명으로 적절하지 <u>않은</u> 것은?

① (가)는 고도의 비유와 중의적 표현으로 서정적 분위기를 강조하고 있다.
② (나)는 자연물에 상징적인 의미를 부여하여 화자의 정서를 드러내고 있다.
③ (다)는 적절한 의태어를 사용하여 우리말의 묘미를 잘 살리고 있다.
④ (라)는 우화적 기법으로 대상을 희화화하여 웃음을 유발하고 있다.
⑤ (나), (라)는 중심 소재를 의인화하는 표현 방식을 활용하여 주제를 드러내고 있다.

38 ㉠~㉤에 대한 이해로 적절하지 <u>않은</u> 것은?

① ㉠ : 아무 말도 하지 못하고 떠나게 된 화자의 처지를 비관하고 있다.
② ㉡ : 이별한 대상과의 재회를 소망하며 인간적인 고뇌와 슬픔을 종교적으로 승화하는 화자의 태도가 드러나 있다.
③ ㉢ : 설의적인 표현을 활용하여 시련 속에서도 굽히지 않는 꿋꿋한 절개를 형상화하고 있다.
④ ㉣ : 임과 더 오랜 시간을 함께 보내고 싶은 바람을 드러냄으로써 임에 대한 그리움을 나타내고 있다.
⑤ ㉤ : 화자를 바꾸어, 자기합리화를 통해 허세를 부리는 대상의 모습을 제시하고 있다.

39 (가)와 (나)의 형식상 특징에 대해 학생들이 탐구한 내용으로 적절하지 **않은** 것은?

주리 : 우리 수업 시간에 배웠던 (가)와 (나)에 대해 조금 더 같이 공부해 볼까?

경아 : 그래. 우선 (가)는 연의 구분은 없지만, 시상 전개에 따라 세 부분으로 나눌 수 있는 것 같아. 제1장 (1-4구)에서 시상을 일으키고, 제2장(5-8구)에서 시상을 전개한 후, 제3장(9-10구)에서 시상을 마무리하는 형식으로 말이야. ⑦

창수 : 맞아. 그런 점에서 (가)는 초장-중장-종장의 3장 구성으로 이루어진 (나)와 형식상 공통점이 있어. ⑭

자연 : 그리고 (가)의 제3장 낙구(落句)의 첫머리에는 반드시 감탄사가 쓰이는데, (나)에서 종장의 첫 음보가 3음절로 고정되는 형식적 특징과 유사하다고 할 수 있어. ⑮

화경 : 그것 말고도 (가)와 (나)모두 4음보의 율격을 지니고 있다는 공통점도 있지. ⑯

유리 : (가)는 신라 시대의 대표적인 노래이고 (나)는 조선 시대를 대표하는 운문 양식이라는 점을 고려해 본다면 (나)가 (가)의 형식적 전통을 계승했다고 볼 수 있겠네. ⑰

① ⑦　　　　② ⑭　　　　③ ⑮　　　　④ ⑯　　　　⑤ ⑰

40 (다)의 발상 및 표현 방식과 가장 유사한 것은?

① 어져 내 일이야 그릴 줄을 모로ᄃ냐.

　이시라 ᄒ더면 가랴마ᄂ 제 구ᄐ여

　보내고 그리ᄂ 정(情)은 나도 몰라 ᄒ노라.

② 봄이 왔다 ᄒ되 소식(消息)을 모로더니,

　냇ᄀ에 푸른 버들 네 몬져 아도괴야.

　어즈버 인간 이별(人間離別)을 ᄯ 엇지 ᄒᄂ다.

③ ᄒᆞᆫ 손에 막ᄃᆡ 잡고 ᄯᅩ ᄒᆞᆫ 손에 가싀 쥐고

　늙ᄂ 길 가싀로 막고 오ᄂ 백발(白髮) 막ᄃᆡ로 치려터니,

　백발(白髮)이 제 몬져 알고 즈럼길노 오더라.

④ 천만 리(千萬里) 머나먼 길에 고은 님 여흽고

　내 ᄆᆞᆷ 둘 ᄃᆡ 업셔 냇ᄀ에 안쟈시니

　져 믈도 내 안 ᄀᆞᆺ하여 우러 밤길 녜놋다.

⑤ 지당(池塘)에 비 ᄲᅳ리고 양류(楊柳)에 ᄂᆡ 씨인 제,

　사공(沙工)은 어듸 가고 븬 ᄇᆡ만 ᄆᆡ엿ᄂ고.

　석양(夕陽)에 ᄶᅡᆨ 일흔 ᄀᆞᆯ며기ᄂ 오락가락 ᄒ노매.

서술형 심화문제

01 〈보기〉를 감상하고, 시조가 10구체 향가의 형식적 전통을 이어받았다고 할 수 있는 요소를 <u>두 가지</u>로 서술하시오.

> ┤ 보기 ├
>
> 생사(生死) 길은
> 예 있으매 머뭇거리고,
> 나는 간다는 말도
> 묻다 이르고 어찌 갑니까.
> 어느 가을 이른 바람에
> 이에 제에 떨어질 잎처럼.
> 한 가지에 나고
> 가는 곳 모르온저.
> 아아, 미타찰(彌陀刹)에서 만날 나
> 도(道) 닦아 기다리겠노라.
>
> – 월명서, 「제망매가」 –

02 시조가 10구체 향가로부터 이어받은 형식적 특성 2가지를 쓰시오.

> ┤ 답안 작성 시 참고 사항 ├
>
> '10구체 향가의 ~ 와(과) ~ 이(가) 시조에 계승되었다,' 의 형식으로 쓰시오.

[03] 다음 글을 읽고 물음에 답하시오.

눈 마즈 휘여진 딕를 뉘라셔 굽다턴고
구블 졀(節)이면 눈 속에 프를소냐
아마도 세한고절(歲寒孤節)은 너뿐인가 ᄒ노라

---

03 윗글에서 화자가 <u>자신의 동일시하는 대상</u>을 찾아 적고, 그 대상을 통해 드러내고자 하는 <u>상징적 의미</u>를 작가가 살았던 시대 상황을 고려하여 간략히 쓰시오.

> ┤ 답안 작성 시 참고 사항 ├
>
> '자신과 동일시하는 대상은 ~(이)고, 상징적 의미는 ~ (이)다.'의 형식으로 서술할 것.

[04] 다음 글을 읽고 물음에 답하시오.

> ⑦두터비 ⑭파리를 물고 두험 우희 치다라 안자
> 것넌산 바라보니 백송골(白松骨)이 떠 잇거늘 가슴이 금즉하여 풀덕 뛰여 내닷다가 두험 아래 쟛바지거고
> 모쳐라 날낸 낼싀만졍 에헐질 번 하괘라.

04 함축적 의미의 대응 관계가 ⑦ : ⑭와 유사한 시어를 〈보기〉에서 찾아 쓰시오.

> ┤ 보기 ├
>
> 참새야 어디서 오가며 나느냐,
> 이 년 농사는 아랑곳하지 않고.
> 늙은 홀아비 홀로 갈고 맸는데,
> 밭의 벼며 기장을 다 없애다니.
>
> – 이제현, 「사리화」 –

[05~07] 다음 글을 읽고 물음에 답하시오.

> ㉠동지(冬至)ㅅ들 기나긴 밤을 한 허리를 버혀 내어
> 춘풍(春風) 니불 아레 서리서리 너헛다가
> 어론 님 오신 날 밤이여든 ㉡구뷔구뷔 펴리라

05 윗글과 〈보기〉에 공통적으로 나타나는 표현상의 특징을 쓰이오.

> ┤ 보기 ├
>
> 내 마음 버혀 내여 뎌 달을 만들고져,
> 구만 리 댱텬(長天)의 번듯이 걸려 이셔,
> 고온 님 겨신 곳에 가 비최여나 보리라.
>
> – 정철 –

06 〈보기〉는 윗글에 대해 탐구한 자료이다. 밑줄 친 ㉮, ㉯에 해당하는 내용을 조건에 맞게 서술하시오.

┤ 보기 ├

선생님 : 윗글은 조선 중기 황진이가 창작했다고 전해지는 시조로, 임을 그리워하는 화자의 정서를 표현하고 있습니다. 작가는 정서를 효과적으로 표현하기 위해 추상적인 것(관념)의 구체화라는 방법을 활용하고 있습니다. 윗글에서 이 표현 기법이 어떻게 적용되었을까요?

성환 : 윗글에서는 이 방법이 ＿＿＿＿＿＿㉮＿＿＿＿＿＿의 방식으로 적용되었습니다.

선생님 : 윗글과 동일한 시적 발상이 나타난 다음의 예시 작품에도 적용시켜 볼까요?

> ᄆᆞ음아 너는 어이 ᄆᆡ양에 져멋ᄂᆞ다
> 내 늘글 적이면 넨들 아니 늘글소냐
> 아마도 너 좃녀 ᄃᆞ니다가 ᄂᆞᆷ 우일가 ᄒᆞ노라

정혁 : 위 예시 작품에서는 이 방법이 ＿＿＿＿＿＿㉯＿＿＿＿＿＿의 방식으로 적용되었습니다.

┤ 조건 ├

1. 윗글에서 '관념'과 그 '구체화'에 해당하는 부분을 분명히 구분하여 서술할 것.
2. 예시 작품에서 '관념'과 그 '구체화'에 해당하는 부분을 분명히 구분하여 서술할 것.
3. 한글맞춤법에 맞는 완성된 문장의 형태로 서술할 것.

07 ㉠과 ㉡의 표현상 특징과 이를 통하여 드러내고자 하는 화자의 정서를 구체적으로 서술하시오.

[08~09] 다음 글을 읽고 물음에 답하시오.

(가) 눈 마ᄌ 휘여진 딕를 뉘라서 굽다턴고
　　구블 절(節)이면 눈 속에 프를소냐
　　아마도 세한 고절(歲寒孤節)은 너쑨인가 ᄒ노라.

(나) 동지(冬至)ㅅ돌 기나긴 밤을 한 허리를 버혀 내여
　　춘풍(春風) 니불 아레 서리서리 너헛다가
　　어론 님 오신 날 밤이여든 구뷔구뷔 펴리라

(다) 두터비 파리를 물고 두험 우희 치다라 안자
　　것넌산 바라보니 백송골(白松骨)이 떠 잇거늘 가슴이 금즉하여 풀덕 뛰여 내닷다가 두험 아래 잣바지거고
　　모쳐라 날낸 낼식만졍 에헬질 번 하괘라

08 (가)와 (다)의 (1)내용상 특징과 (2)형식상 특징을 각각 서술하시오.

09 (나)의 표현상의 특징을 <u>두 가지만</u> 구체적 구절을 근거로 들어 서술하시오.

(가) 두터비 파리를 물고 두험 우희 치다라 안자

것넌산 바라보니 백송골(白松骨)이 떠 잇거늘 가슴이 금즉하여 풀덕 뛰여 내닷다가 두험 아래 쟛바지거고

모쳐라 날낸 낼싀만졍 에헬질 번 하괘라.

– 작자미상 –

(나) 생사(生死) 길은

예 있으매 머뭇거리고,

나는 간다는 말도

몯다 이르고 어찌 갑니까.

어느 가을 이른 바람에

이에 저에 떨어질 잎처럼,

한 가지에 나고

가는 곳 모르온저.

아아, 미타찰(彌陀刹)에서 만날 나

도(道) 닦아 기다리겠노라.

– 월명사, 「제망매가」 –

10 (가)와 (나)를 바탕으로 시조에서 나타나는 향가의 형식적 전통에 대해 〈조건〉에 맞게 서술하시오.

┌─ 조건 ┐

• '(나)의 (ⓐ)은/는 (가)의 (ⓑ)(으)로 나타나며, 시상을 전환하는 (나)의 (ⓒ)은/는 (가)의 (ⓓ)와/과 기능이 유사하다.'의 문장으로 작성할 것.

• ⓐ, ⓑ는 시상 전개상의 특징을 작성할 것.

• ⓐ~ⓓ는 갈래의 특징이 드러나는 용어를 사용할 것.

• 맞춤법과 어법에 맞게 작성할 것.

11 다음에서 밑줄 친 중심 소재와 그 상징적 의미를 각각 서술하시오. (단, 중심 소재는 (가)에서 찾아 쓸 것.)

┌─────────────────────────────────────┐

(가)는 조선 후기 사회상을 풍자적으로 형상화하고 있는 작품이다. 이 작품에서 <u>중심 소재들</u>은 각각 조선 후기 권력 구조를 이루는 <u>세 계층을 상징하고 있다</u>는 것을 알 수 있다.

└─────────────────────────────────────┘

| 앞부분 줄거리 |

<u>명나라 때</u> *<u>이부 시랑(吏部侍郞)</u> 홍무는 나이 사십이 되도록 자녀가 없어 고민하였다. 그러던 어느 날, <u>부인 양 씨의 꿈에 선녀가 나타난</u>
시대적 배경   영웅의 일대기 구성 – ① 고귀한 혈통   ② 비정상적 출생

후 무남독녀 계월을 얻었는데, 그 아이가 <u>어려서부터 대단히 총명하였다.</u> <u>계월이 다섯 살 때, 장사랑의 반란이 일어나 난리 속에 부모와 헤</u>
                                         ③ 비범한 능력   ④ 어릴 적의 위기

<u>어진다.</u> 자리에 싸여 강에 던져진 계월은 <u>여공이라는 사람의 도움으로 목숨을 건진다. 여공은 계월의 이름을 평국이라 고친 후, 동갑인 아들</u>
                                                        ⑤ 조력자의 도움(구출과 양육)

<u>보국과 함께 곽 도사에게 보내 가르침을 받게 한다.</u> 이후 계월과 보국은 나란히 과거에 급제한다.

오랑캐가 <u>중원</u>을 침범하자 천자의 명에 따라 계월은 원수로, 보국은 부원수로 전쟁터에 나간다. 그러나 보국이 계월의 말을 듣지 않고,
          중국의 황허강 중류의 남부 지역, 흔히 한때 군웅이 할거했던 중국의 중심부나 중국 땅을 이름.

호기를 부리며 나가 싸우다가 크게 패한다. 계월은 이를 벌하려다 여러 장수의 만류로 용서하고, 자기가 직접 나가 적을 무찌른다. 이 과정

에서 계월은 헤어졌던 부모와 우연히 만난다.
「」: ⑥ 성장 후 위기(남장한 사실 발각, 보국과의 갈등)
「<u>계월이 전쟁에 다녀온 후로 병이 매우 깊어지자 천자는 <u>어의</u>를 보내는데, 어의의 <u>진맥</u>으로 계월이 여자임이 탄로 난다.</u> 계월은 상소를 올
                                        궁궐 내에서, 임금이나 왕족의 병을 치료하던 의원   병을 진찰하기 위하여 손목에 맥을 짚어 보는 일

려 천자를 속인 죄를 청하나, 천자는 이를 너그럽게 용서하며 계월의 벼슬을 그대로 둔 채 보국과의 혼인을 중매한다. 계월은 앞으로 *<u>규중</u>

에 갇혀 살아야 한다는 생각에 남자로 태어나지 못한 것을 한스러워하고, <u>보국은 자기를 군령으로 다스려 조롱한 계월에게 불만을 품으며</u>
                                                              계월이 자신의 관직을 이용하여 보국을 무릎 꿇게 하고 그의 행실을 비꼼. – 남성의 권위 실추

두 사람은 갈등을 겪게 된다.」천자의 명에 따라 계월과 보국이 혼례를 치른 다음 날 <u>보국의 애첩인 영춘이 계월의 행차를 보고도 예를 갖추</u>
                                                                        계월과 보국의 갈등이 고조된 계기

<u>지 않자 계월은 군법을 적용하여 그의 목을 베게 한다.</u>

이때 보국은 <u>계월이 영춘을 죽였다는 말을 듣고 분함을 이기지 못해 부모에게 아뢰었다.</u>
영춘이 보국의 총애를 믿고 교만하게 행동하자 계월이 군법을 적용하여 목을 베도록 지시함.

"계월이 전날은 *<u>대원수</u> 되어 소자를 중군장으로 부렸으니 <u>군대에 있을 때에는 소자가 계월을 업신여기지 못했사</u>
                                                        계월이 보국보다 계급이 높기 때문

<u>옵니다.</u> 하지만 <u>지금은 계월이 소자의 아내이오니 어찌 소자의 사랑하는 영춘을 죽여 제 마음을 편안하지 않게 할 수</u>
                    남편의 권위를 내세워 계월의 처사를 비난함.

<u>가 있단 말이옵니까?</u>"

여공이 이 말을 듣고 만류했다.

"계월이 비록 네 아내는 되었으나 <u>벼슬을 놓지 않았고 기개가 당당하니 족히 너를 부릴 만한 사람이다.</u> 그러나 예
                            보국을 만류하는 이유 ① – 천자가 여자임이 탄로 난 뒤에도 계월의 벼슬을 거두지 않았고, 계월의 능력이 보국보다 우월함.

로써 너를 섬기고 있으니 어찌 마음씀을 그르다고 하겠느냐?

*이부 시랑: 중국에서, 이부의 버금 벼슬
*규중 : 부녀자가 거처하는 곳.

*대원수: 국가의 전군을 통솔하는 최고 계급인 원수를 더 높여 이르는 말.

영춘은 네 첩이다. <u>자기가 거만하다가 죽임을 당했으니 누구를 한하겠느냐?</u> 또한 계월이 잘못해 궁노(宮奴)나 궁
<small>이유 ② – 영춘의 행동이 잘못됨.</small>

비(宮婢)를 죽인다 해도 누가 계월을 그르다고 <u>책망</u>할 수 있겠느냐? 너는 조금도 염려하지 말고 마음을 변치 마라.
<small>잘못을 꾸짖거나 나무라며 못마땅하게 여김.</small>

만일 계월이 영춘을 죽였다 하고 계월을 꺼린다면 <u>부부 사이의 의리도 변할 것이다.</u> 또한 <u>계월은 천자께서 중매하신</u>
<small>이유 ③ – 부부 사이의 의리가 변할 수 있음.</small>

<u>여자라 계월을 싫어한다면 네게 해로움이 있을 것이니</u> 부디 조심하라."
<small>이유 ④ – 천자의 명을 어긴 것처럼 보여 후환이 있을 수 있음.</small>

『<u>장부가 되어 계집에게 괄시를 당할 수 있겠나이까?</u>』 「」: 보국이 계월에게 불만을 갖는 근본적인 이유
<small>업신여겨 하찮게 대함.　　　　　　　　　　　　　　　　　　　　　　　 – 가부장적 가치관과 남존여비 의식이 있음.</small>

보국이 이렇게 말하고 그 후부터는 계월의 방에 들지 않았다. 이에 계월이,

'<u>영춘이 때문에 나를 꺼려 오지 않는구나.</u>'
<small>영춘의 죽음을 이유로 보국이 계월을 피함.</small>

라고 생각했다.

"<u>누가 보국을 남자라 하겠는가? 여자에게도 비할 수 없구나.</u>"
<small>보국의 속 좁음을 탓함.</small>

이렇게 말하며 <u>자신이 남자가 되지 못한 것이 분해 눈물을 흘리며 세월을 보냈다.</u>
<small>여자임을 거부하고 세상을 지배하는 남자로 살고 싶어 함.</small>

<u>각설.</u> 이때 남관(南關)의 수장이 *장계를 올렸다. 천자께서 급히 뜯어보시니 다음과 같은 내용이었다.
<small>(주로 고전 소설에서) 화제를 돌려 이야기를 꺼낼 때, 앞서 이야기하던 내용을 그만둔다는 뜻으로 다음 이야기의 첫머리에 쓰는 말</small>

> 오왕과 초왕이 반란을 일으켜 지금 황성을 범하고자 하옵니다. 오왕은 구덕지를 얻어 대원수로 삼고 초왕은 장맹길을 얻
> <small>황제가 있는 나라의 서울</small>
>
> 어 선봉으로 삼았사온데, 이들이 장수 천여 명과 군사 십만을 거느려 호주 북쪽 고을 칠십여 성을 무너뜨려 항복을 받고 형주
> <small>무리의 앞자리, 또는 그 자리에 선 사람</small>
>
> 자사 이왕태를 베고 짓쳐 왔사옵니다. 소장의 힘으로는 능히 방비할 길이 없어 감히 아뢰오니 엎드려 바라건대, 황상께서는
> <small>함부로 마구 쳐　　　　　　　　　　　적의 침입이나 피해를 막기 위하여 미리 지키고 대비함.　　　　　　　현재 살아서 나라를 다스리고 있는 황제를 이르는 말</small>
>
> 어진 명장을 보내셔서 적을 방비하옵소서.

천자께서 보시고 크게 놀라 조정의 관리들과 의논하니 우승상 정영태가 아뢰었다.

　　　　　　<small>계월</small>
"<u>이 도적은 좌승상 평국을 보내야 막을 수 있을 것이오니 급히 평국을 부르소서.</u>"
<small>계월의 뛰어난 능력을 인정함. → 여성의 영웅적 활약을 기대함.</small>

천자께서 들으시고 오래 있다가 말씀하셨다.

"평국이 전날에는 <u>세상에 나왔으므로</u> 불렀지만 지금은 <u>규중에 있는 여자니</u> 차마 어찌 불러서 전장에 보내겠는가?"
<small>사회생활을 했으므로　　　　　　　　　　　　　　평국을 불러들이기를 망설이는 이유</small>

이에 신하들이 아뢰었다.

---

*장계 : 왕명을 받고 지방에 나가 있는 신하가 자기 관하의 중요한 일을 왕에게 보고하던 일. 또는 그런 문서

"평국이 지금 규중에 있으나 <u>이름이 *조야에 있고 또한 *작록을 거두지 않았사오니</u> 어찌 규중에 있다 하여 꺼리겠
<small>신하들이 반란 진압에 계월을 부르도록 천자를 설득하는 근거</small>

나이까?"

천자께서 마지못하여 급히 평국을 부르셨다.

이때 <u>평국은 규중에 홀로 있으며 매일 시녀를 데리고 장기와 바둑으로 세월을 보내고 있었다.</u> 그런데 <u>사관(使官)</u>이
<small>계월이 영춘 문제로 보국과 갈등하여 홀로 지냄.</small>　　　　　　　　　　　　　　　　　　　　　　<small>임금의 명령을 전달하는 일을 맡아보던 벼슬아치</small>

와서 천자께서 부르신다는 명령을 전했다. 평국이 크게 놀라 급히 <u>여자 옷을 *조복(朝服)으로 갈아입고</u> 사관을 따라
<small>부녀자 신분에서 관원의 신분으로 바뀜.</small>

가 임금 앞에 엎드리니 천자께서 크게 기뻐하며 말씀하셨다.

"<u>경이 규중에 처한 후로 오랫동안 보지 못해 밤낮으로 사모하더니 <u>이제 경을 보니 기쁨이 한량없도다.</u> 그런데 짐이
<small>천자가 계월을 신하의 예로 대함.</small>　　　　　　　　　　　　　　　　　　　<small>계월에 대한 천자의 신뢰가 두터움.</small>

덕이 없어 지금 <u>오와 초 두 나라가 반란을 일으켜 호주의 북쪽 땅을 쳐 항복을 받고, 남관을 헤쳐 황성을 범하고자 한
<small>나라가 위기에 처함.</small>

다고 하는도다.</u> 그러니 <u>경은 스스로 마땅히 일을 잘 처리하여 사직을 보호하도록 하라.</u>"
<small>　　　　　　　　　　　　여성인 계월에게 국난을 극복하는 중대한 일을 맡김. → 계월의 능력을 인정함.</small>

이렇게 말씀하시니 평국이 엎드려 아뢰었다.
<small>　　　　　　　남장을 하고 신분을 속인 일</small>

"<u>신첩</u>이 외람되게 폐하를 속이고 공후의 작록을 받아 영화로이 지낸 것도 황공했사온데 폐하께서는 죄를 용서해
<small>여자가 임금을 상대하여 자기를 낮추어 이르는 일인칭 대명사. 계월 자신을 뜻함.</small>

주시고 신첩을 매우 사랑하셨사옵니다. 신첩이 비록 어리석으나 힘을 다해 성은을 만분의 일이나 갚으려 하오니 폐

하께서는 근심하지 마옵소서."

천자께서 이에 크게 기뻐하시고 즉시 수많은 군사와 말을 *징발해 주셨다. 그리고 벼슬을 높여 평국을 대원수로

삼으시니 원수가 *사은숙배하고 *위의를 갖추어 친히 붓을 잡아 보국에게 전령(傳令)을 내렸다.

적병의 형세가 급하니 <u>중군장</u>은 급히 대령하여 군령을 어기지 마라. <small>보국</small>

보국이 전령을 보고 분함을 이기지 못해 부모에게 말했다.

"<u>계월이 또 소자를 중군장으로 부리려 하오니 이런 일이 어디에 있사옵니까?</u>"
<small>　　　　아내인 계월의 지시를 받은 것에 대해 불만을 가짐. – 보국의 가부장적인 면모</small>

여공이 말했다.

---

*조야: 조정과 민간을 통틀어 이르는 말.
*작록: 관작과 봉록을 아울러 이르는 말.
*조복: 관원이 조정에 나아가 하례할 때에 입던 예복.
*사직: 나라 또는 조정을 이르는 말.
*징발해: 국가에서 특별한 일에 필요한 사람이나 물자를 강제로

모으거나 거두어.
*사은숙배하고: 임금의 은혜에 감사하며 공손하고 경건하게 절을
올리고.
*위의: 예법에 맞는 몸가짐.

"전날 내가 너에게 무엇이라 일렀더냐? 계월이를 괄시하다가 이런 일을 당했으니 어찌 계월이가 그르다고 하겠느냐? 나랏일이 더할 수 없이 중요하니 어찌할 수 없구나."
<small>개인사나 가정사보다 나라의 일이 더 중요함.</small>

이렇게 말하고 어서 가기를 재촉했다. 보국이 할 수 없이 갑옷과 투구를 갖추고 *진중(陳中)에 나아가 원수 앞에
<small>계월</small>

엎드리니 원수가 분부했다.

"만일 명령을 거역하는 자가 있다면 군법으로 시행할 것이다."
<small>남편 앞에서도 공과 사를 명확히 구분하는 태도를 보임.</small>

보국이 겁을 내어 중군장 처소로 돌아와 명령이 내려지기를 기다렸다.

원수가 장수에게 임무를 각각 정해 주고 추구월 갑자일에 행군하여 십일월 초하루에 남관에 당도했다. 삼 일을 머
<small>음력 9월의 가을철 ↲   ↳육십갑자의 첫째</small>

무르고 즉시 떠나 오 일째에 천축산을 지나 영경루에 다다르니 적병이 드넓은 평원에 진을 쳤는데 그 단단함이 철통
<small>상대하기가 쉽지 않음.</small>

과도 같았다. 원수가 적진을 마주 보고 진을 친 후 명령을 하달했다.
<small>상부나 윗사람의 명령, 지시, 결정 및 의사 따위를 하부나 아랫사람에게 내리거나 전달함.</small>

"장수의 명령을 어기는 자는 곧바로 벨 것이다."

이러한 호령이 *추상같으므로 장수와 군졸들이 겁을 내어 어찌할 줄을 모르고 보국은 또 매우 조심했다.
<small>계월의 위엄 있는 모습</small>

이튿날 원수가 중군장에게 분부했다.

"며칠은 중군장이 나가 싸우라."

중군장이 명령을 듣고 말에 올라 삼 척 장검을 들고 적진을 가리켜 소리 질렀다.

"나는 명나라 중군 대장 보국이다. 대원수의 명령을 받아 너희 머리를 베려 하니 너희는 어서 나와 칼을 받으라."
<small>「 」: 전쟁에서 공을 세운 보국   칼이나 창으로 싸울 때, 칼이나 창이 서로 마주치는 횟수를 세는 단위</small>

「적장 운평이 이 소리를 듣고 크게 성을 내어 말을 몰아 나와서 싸웠다. 삼 합이 못 하여 보국의 칼이 빛나며 운평의
<small>보국이 적장 운경을 죽임.</small>

머리가 말 아래에 떨어졌다. 적장 운경이 운평이 죽는 것을 보고 매우 화를 내어 말을 몰아 달려들었다. 보국이 기세
<small>기세가 매우 높고 힘찬 모양</small>

등등하여 창을 높이 들고 서로 싸웠다. 몇 합이 못 되어 보국이 칼을 날려 운경이 칼 든 팔을 치니 운경이 미처 손을
<small>보국이 적장 운경을 죽임.</small>

놀리지 못하고 칼을 든 채 말 아래에 떨어졌다.」

*진중: 군대나 부대의 안
*추상같으므로: 부하를 지휘하여 명령하는 것이 위엄이 있고 서슬이 푸르므로

「보국이 운경의 머리를 베어 들고 본진으로 돌아가려는 즈음에, 적장 구덕지가 <u>대로해</u> 긴 칼을 높이 들고 말을 몰아
「」: 위기에 처한 보국   크게 화를 내어

크게 고함을 치고 달려들었다. 난데없는 적병이 또 사방에서 달려드니 보국이 겁이 나고 두려워 피하려고 했으나 순

<u>식간에 적들이 함성을 지르고 보국을 천여 겹으로 에워쌌다.</u>」 형세가 위급하므로 보국이 하늘을 우러러 탄식했다.
          사면초가(四面楚歌)의 상황

「이때 원수가 *장대에서 북을 치다가 보국의 위급함을 보고 급히 말을 몰아 긴 칼을 높이 들고 좌충우돌해 적진을
「」: 비범한 능력으로 적을 물리치고 보국을 구한 계월 – 고전 소설의 비현실성

헤치고 구덕지의 머리를 베어 들고 보국을 구했다. 몸을 날려 적진에서 충돌하니 동에 번쩍 서쪽의 장수를 베고, 남

으로 가는 듯하다가 북쪽의 장수를 베었다. 이처럼 좌충우돌하여 적장 오십여 명과 군사 천여 명을 한칼로 소멸하고

본진으로 돌아왔다.」

「<u>보국이 원수 보기를 부끄러워하니 원수가 보국을 꾸짖어 말했다.</u>
          남성과 여성의 보편적 위계가 역전됨.

“<u>저러고서도 평소에 남자라고 칭하리오? 나를 업신여기더니 이제도 그렇게 할까?</u>”
          계월이 여자라는 이유로 그의 능력을 인정하지 않으려 했던 보국의 가부장적 태도를 조롱하고 비판함.

이렇게 말하며 보국을 무수히 조롱했다.」 「」: 여성 영웅 소설로서 이 작품의 특징
          · 계월이 결혼 후에도 관직을 유지하며 전쟁에 나가 영웅적 면모를 보임.
          · 계월이 남편을 조롱하고 비판하는 등 당대 사회의 가부장적인 관습에서 벗어나는 행동을 보임.

이때 원수가 장대에 자리를 잡고 앉아 구덕지의 머리를 함에 봉해 황성으로 보냈다.

한편, 오와 초의 양 왕은 서로 의논하며 말했다.

“평국의 용맹을 보니 옛날 *조자룡이라도 당하지 못할 것이니 어찌 대적할 것이며, 평국이 명장 구덕지를 죽였으

니 이제는 누구와 함께 <u>큰일</u>을 도모하겠는가? 이제는 우리 양국이 평국의 손에 망할 것이로다.”
          황성을 범하는 일

이렇게 말하며 눈물을 흘리니 맹길이 아뢰었다.

“대왕은 염려하지 마옵소서. 소장에게 한 <u>묘책</u>이 있으니 평국이 아무리 영웅이라도 이 계교는 알지 못할 것이옵니
          매우 교묘한 꾀

다. 이 계교로 <u>천자를 사로잡을 것</u>이니 근심하지 마옵소서.「지금 황성에는 *시신(侍臣)만 있을 것이니 평국이 모르게
          계교의 목적

군사를 거느려 오와 초의 동쪽을 넘어 양자강을 지나 황성을 치옵소서. <u>천자는 반드시 황성을 버리고 도망해 살기를</u>
          계교를 실행했을 때의 상대편의 심리와 행위를 예측하고 있음.

<u>바라고 *항서(降書)를 올릴 것이니 그렇게 하옵소서.</u>」「」: 맹길의 계교 – 천자가 있는 황성을 급습하는 것

이렇게 말하고 즉시 관평을 불러 말했다.

---

*장대: 장수가 올라가서 명령, 지휘하던 대.   *시신: 근신. 임금을 가까이에서 모시던 신하.

*조자룡: 「삼국지」에 나오는 장수의 이름.   *항서: 항복을 인정하는 문서.

"그대는 본진을 지켜 평국이 아무리 싸우자 해도 나가지 말고 내가 돌아오기만을 기다리라."

그러고서 이날 밤 *삼경에 장수 백여 명과 군사 천 명을 거느리고 황성을 향해 갔다.

이때 천자께서는 구덕지의 머리를 받아 보시고 크게 기뻐하시며 신하들을 모아 <u>평국 부부를</u> 칭찬하시고 <u>태평으로</u>
계월과 보국

<u>지내고 계셨다.</u> 그런데 이때 오초(吳楚) 동쪽 관문의 수장(首將)이 장계를 올렸다.
승전 소식에 방심함.

> 양자강의 드넓은 모래사장에 수많은 군사와 말들이 몰려오며 황성을 범하고자 하나이다.

「 」: 맹길의 급습에 속수무책으로 당함.

천자께서 매우 놀라시고 조정 관료를 모아 의논하셨다. 그러나 「적장 맹길이 동쪽 관문을 깨치고 들어와 백성을 무

수히 죽이고 대궐에 불을 질러 불빛이 하늘에 닿을 정도였다. 이에 장안의 백성들이 <u>물 끓듯</u> 하며 도망했다.」
여러 사람이 몹시 술렁거리며

천자께서 매우 놀라시고 *용상을 두드리다 기절하셨다. 우승상 천희가 천자를 등에 업고 북쪽 문을 열고 도망하니

시신 백여 명이 따라가 천태령을 넘어갔다. 적장 맹길이 천자께서 도망하시는 것을 보고 크게 소리를 질렀다.

"<u>명나라 황제</u>는 도망치지 말고 항복하라."
천자

이렇게 소리치며 쫓아오니 모시는 신하도 넋을 잃고 죽기 살기로 나아가니 앞에 큰 강이 가로막고 있었다. 이에 천

자께서 하늘을 우러러 탄식하셨다.

"<u>이제는 죽겠구나. 앞에는 큰 강이요, 뒤에는 적병이 있어 형세가 급하니 이 일을 어찌하겠는가?</u>"
천자의 처지를 나타내는 한자 성어 – 사면초가(四面楚歌), 진퇴양난(進退兩難), 풍전등화(風前燈火), 누란지위(累卵之危)

이렇게 말씀하시며 자결하려고 하시니 맹길이 벌써 달려들어 천자 앞에서 창을 휘두르며,
맹길의 목적은 천자를 사로잡는 것이므로 천자가 자결하는 것을 막고 항서를 요구함.

"<u>죽는 것이 아깝거든 항서를 어서 올리라.</u>"

하니 이에 모시는 신하 등이 애걸했다.
소원을 들어 달라고 애처롭게 빌었다.

"종이와 붓이 없어 성안에 들어가 항서를 쓸 것이니 장군은 우리 황상을 살려 주소서."

맹길이 눈을 부릅뜨고 꾸짖었다.

"네 왕이 목숨을 아끼거든 손가락을 깨물고 옷자락을 찢어 항서를 써서 올리라."

천자께서 *혼비백산(魂飛魄散)하여 용포(龍袍)의 소매를 뜯어 손가락을 입에 물고 깨물려고 하나 차마 못 하고 하

늘을 우러러 통곡하며 말씀하셨다.

"사백 년 사직이 내게 와서 망할 줄을 어찌 알았겠는가?"

이렇게 말씀하시며 대성통곡하시니 햇빛도 빛을 잃었다.

---

*삼경: 밤 열한 시에서 새벽 한 시 사이.

*용상: 용평상. 임금이 정무를 볼 때 앉던 평상.

*혼비백산하여: 몹시 놀라 넋을 잃어. 혼백이 어지러이 흩어진다는 뜻에서 나온 말이다.

「이때 원수는 진중에 있으며 적을 무찌를 묘책을 생각하고 있었다. 그런데 자연히 마음이 어지러워 장막 밖에 나가

「」: 천기를 볼 줄 아는 계월의 능력   불길한 느낌이 듦. - 고전 소설의 비현실성

천기를 살펴보았다. *자미성이 자리를 떠나고 모든 별이 살기등등하여 은하수에 비치고 있었다.」원수가 크게 놀라

            천자가 위험에 처한 것을 암시함(불길한 징조)

중군장을 불러 말했다.

보국

"내가 천기를 보니 천자의 위태함이 *경각(頃刻)에 있도다. 내가 홀로 가려 하니 장군은 장수와 군졸을 거느려 진

                                        계월의 영웅적 면모를 부각함.

문을 굳게 닫고 내가 돌아오기를 기다리라."

이렇게 말하고 칼 한 자루를 쥐고 말에 올라 황성으로 향했다. 동방이 밝아 오므로 바라보니 하룻밤 사이에 황성에

                                        고전 소설의 비현실성

다다른 것이었다. 성안에 들어가서 보니 장안이 비어 있고 궁궐은 불에 타 빈터만 남아 있었다. 원수가 통곡하며 두

            누군가의 공격으로 이미 백성과 천자가 도망치고 궁궐은 불에 탐.   여공. 계월의 시아버지

루 다녔으나 한 사람도 없었다. 천자께서 가신 곳을 알지 못하고 망극해하고 있었는데, 문득 수챗구멍에서 한 노인이

                            지극히 슬퍼하고   집 안에서 버린 허드렛물이 빠져 나가는 구멍

나오다가 원수를 보고 매우 놀라 급히 들어갔다. 원수가 급히 쫓아가며,

            계월을 도적으로 오해함.

"나는 도적이 아니다. 대국 대원수 평국이니 놀라지 말고 나와 천자께서 가신 곳을 일러 달라."

하니 노인이 그제야 도로 기어 나와 대성통곡했다. 원수가 자세히 보니 이 사람은 기주후 여공이었다. 급히 말에서

                                        고전 소설의 우연성

내려 땅에 엎드려 통곡하며 말했다.

"시아버님은 무슨 연유로 이 수챗구멍에 몸을 감추고 있사오며 소부의 부모와 시모님은 어디로 피난했는지 아시나

                                결혼한 여자가 자기를 낮추어 이르는 일인칭 대명사. 계월 자신을 뜻함.

이까?"

여공이 원수의 옷을 붙들고 울며 말했다.

"뜻밖에도 도적이 들어와 대궐에 불을 지르고 *노략하더구나. 그래서 장안의 백성들이 도망하여 갔는데 나는 갈

길을 몰라 이 구멍에 들어와 피난했으니 사돈 두 분과 네 시모가 간 곳은 알지 못하겠구나."

        계월의 부모

이렇게 말하고 통곡하니, 원수가 위로했다.

"설마 만나 뵈올 날이 없겠나이까?"

    다시 만날 것을 암시함.

또 물었다.

"황상께서는 어디에 가 계시나이까?"

여공이 대답했다.

*자미성: 북두칠성의 동북쪽에 있는 열다섯 개의 별 가운데 하나   *노략하더구나: 떼를 지어 돌아다니며 사람을 해치거나 재물을 강
　　　　　로, 중국 천자의 운명과 관련된다고 한다.　　　　　　　　　　　　　　　제로 빼앗더구나.
*경각: 눈 깜빡할 사이. 또는 아주 짧은 시간.

"여기에 숨어서 보니 한 신하가 천자를 업고 북문으로 도망해 천태령을 넘어갔는데 그 뒤에 도적이 따라갔으니 천
(맹길)
자께서 반드시 위급하실 것이다."

원수가 크게 놀라 말했다.

"천자를 구하러 가오니 아버님은 제가 돌아오기를 기다리소서."

그러고서 말에 올라 천태령을 넘어갔다. 순식간에 한수 북쪽에 다다라서 보니 십 리 모래사장에 적병이 가득하고
(고전 소설의 비현실성)   (긴박한 분위기를 조성함. → 극적 긴장감이 고조됨.)
항복하라고 하는 소리가 산천에 진동하고 있었다. 「원수가 이 소리를 듣자 투구를 고쳐 쓰고 우레같이 소리치며 말을
                                                                              (비유법)
*채쳐 달려들어 크게 호령했다.

"적장은 나의 황상을 해치지 말라. 평국이 여기 왔노라."

이에 맹길이 두려워해 말을 돌려 도망하니 원수가 크게 호령하며 말했다.

"네가 가면 어디로 가겠느냐? 도망가지 말고 내 칼을 받으라."

이와 같이 말하며 철통같이 달려가니 원수의 준총마가 주홍 같은 입을 벌리고 순식간에 맹길의 말꼬리를 물고 늘
(준비나 대책이 튼튼하고 치밀하여 조금도 허점이 없이)
어졌다. 맹길이 매우 놀라 몸을 돌려 긴 창을 높이 들고 원수를 찌르려고 하자 원수가 크게 성을 내 칼을 들어 맹길을
치니 맹길의 두 팔이 땅에 떨어졌다. 원수가 또 좌충우돌해 적졸을 모조리 죽이니 피가 흘러 내를 이루고 적졸의 주
                                                              (과장법, 비유법)
검이 산처럼 쌓였다.」 「 」: 계월의 영웅적 활약상

이때 천자와 신하들이 넋을 잃고 어찌할 줄을 모르고 천자께서는 손가락을 깨물려 하고 있었다. 원수가 급히 말에
                                                    (나라가 망했다고 생각하여 항서를 쓰려고)
서 내려 엎드려 통곡하며 여쭈었다.

"폐하께서는 옥체를 보중하옵소서. 평국이 왔나이다."
              (임금의 몸)
천자께서 혼미한 가운데 평국이라는 말을 듣고 한편으로는 반기며 한편으로는 슬퍼하며 원수의 손을 잡고 눈물을
          (의식이 흐린)
흘리며 말씀을 못 하셨다. 원수가 옥체를 구호하니 이윽고 천자께서 정신을 차리고 원수에게 치하하셨다.
                                    (간호하거나 치료하니)   (고마움이나 칭찬의 뜻을 표시하셨다.)
"짐이 모래사장의 외로운 넋이 될 것을 원수의 덕으로 사직을 *안보(安保)하게 되었도다. 원수의 은혜를 무엇으로
갚으리오?"

이렇게 말씀하시고,

"원수는 만 리 변방에서 어찌 알고 와 짐을 구했는고?"
            (중심지에서 멀리 떨어진 가장자리 지역)   (임금이 자기를 가리키는 일인칭 대명사)
하시니, 원수가 엎드려 아뢰었다.

*채쳐: 채찍등으로 휘둘러 세게 쳐.   *안보하게: 편안히 보전하게.

『천기를 살펴보고 군사를 중군장에게 부탁하고 즉시 황성에 왔사옵니다. 장안이 비어 있고 폐하의 거처를 모르고
「 」: 계월이 천자를 구하러 오기까지의 경위를 요약적으로 제시함.
주저하던 차에 시아버지 여공이 수챗구멍에서 나오므로 물어서 급히 와 적장 맹길을 사로잡은 것이옵니다."」

말씀을 대강 아뢰고 나와서 살아남은 적들을 낱낱이 *결박해 앞세우고 황성으로 향했다.『원수의 말은 천자를 모시

고 맹길이 탔던 말은 원수가 탔으며 행군 북은 맹길의 등에 지우고, 모시는 신하를 시켜 북을 울리게 하며 궁으로 돌

아갔다.』천자께서 말 위에서 용포 소매를 들어 춤을 추며 즐거워하시니 신하들과 원수도 모두 팔을 들어 춤추며 즐거
「 」: 승자인 계월 일행이 위세를 보임.
워했다.

┃ 뒷부분 줄거리 ┃

계월이 천자를 구한 사이 보국이 오왕과 초왕의 항복을 받아 돌아오는데, 계월이 적장 맹길인 체하며 보국을 속여 조롱한다. 보국은 모든

면에서 자기보다 우월한 계월의 능력을 인정하고 둘의 갈등은 해소된다.『두 차례에 걸친 국가의 위기를 구한 계월은 대사마 대장군의 작위

를 받는다. 또한 천자는 보국을 승상에 봉하고 여공을 오왕에, 홍무를 초왕에 봉한다. 이후 계월은 보국을 예로써 섬기며 행복하게 살고 그

들의 자손은 대대로 부귀영화를 누린다.』「 」: 영웅 일대기 구성 - ⑦ 위기 극복과 행복한 결말

*결박해: 몸이나 손 등을 움직이지 못하도록 동이어 묶어.

⊙ **핵심정리**

갈래	군담 소설, 여성 영웅 소설	성격	전기적, 우연적, 영웅적, 일대기적
배경	• 공간 - 중국 명나라 • 시간 - 성화 연간(15세기 후반)	제재	홍계월의 영웅적 활약
주제	홍계월의 영웅적인 행적과 활약, 남성 중심 사회에 대한 비판		
특징	• 주인공의 일대기적 구성 방식을 취함. • 신분을 감추기 위한 남장 모티프가 사용됨. • 여성이 남성보다 우월한 능력을 가진 존재로 그려짐. • 여성의 봉건적 역할을 거부하는 근대적 가치관이 드러남.		

영웅의 일대기 구성		'계월'의 일생
고귀한 혈통에서 태어남.		이부 시랑 '홍무'의 딸로 태어남.
비정상적인 출생 과정을 거침.		자녀가 없던 양 씨가 선녀가 나오는 꿈을 꾸고 계월을 낳음.
비범한 능력을 지님.		어려서부터 대단히 총명함
어릴적에 위기를 겪음.		장사랑의 반란으로 부모와 헤어지고, 죽을 위기에 처함.
조력자의 도움을 받음.	▶	여공을 만나 목숨을 건지고 보국과 함께 양육됨.
성장하여 다시 위기를 겪음.		• 국란이 잦음. / • 여자임이 탄로 남. • 첩 영춘을 죽인 일로 남편인 보국과 갈등함.
위기를 극복하고 행복한 결말을 맞이함.		• 천자가 남장을 했던 계월을 용서하고 벼슬을 그대로 둠. • 계월이 출정하여 적을 물리침. • 보국이 계월의 우위를 인정함으로써 갈등이 해소됨.

01 『홍계월전』은 전쟁을 소재로 한 군담 소설에 속한다. ○☐ ×☐

02 『홍계월전』은 여성 영웅 소설의 면모를 보이고 있다. ○☐ ×☐

03 홍계월전』은 남장이 사건 전개에 중요한 구실을 한다. ○☐ ×☐

04 『홍계월전』은 서사의 갈등이 주로 등장인물 사이에서 나타난다. ○☐ ×☐

05 『홍계월전』의 주인공의 활약은 우리 민족의 자존심을 회복시켜 준다. ○☐ ×☐

06 보국은 자신을 부하로 대하는 홍계월에게 분노하고 있다. ○☐ ×☐

07 홍계월은 보국이 군령을 지키지 않은 이유를 알 수 없어 더욱 호령했다. ○☐ ×☐

08 홍계월이 보국을 꾸짖는 모습에서 여성 영웅으로서의 우월성을 파악할 수 있다. ○☐ ×☐

09 보국의 부모는 홍계월이 보국을 희롱하는 이유를 알기에 보국에게 홍계월을 미워하지 말라고 했다. ○☐ ×☐

10 천자는 홍계월이 보국을 희롱했다는 말을 듣고도 도리어 상을 내릴 만큼 홍계월에게 긍정적인 태도를 보이고 있다.
○☐ ×☐

11 『홍계월전』은 인물이 처한 상황을 꿈을 통해 보여 주고 있다. ○☐ ×☐

12 『홍계월전』은 배경 묘사를 통해 시대적 상황을 드러내고 있다. ○☐ ×☐

13 『홍계월전』은 서술자의 직접적 서술로 인물의 심리를 표현하고 있다. ○☐ ×☐

14 『홍계월전』은 전기적 요소를 활용해 우연성을 강조하고 있다. ○☐ ×☐

15 인물 간의 대화를 통해 주인공이 처한 상황과 내면을 드러내고 있다. ○☐ ×☐

16 홍계월은 신분을 감추기 위해 남장을 하고 남성들과의 경쟁에서도 위축되지 않고 능력을 발휘하는 여성 영웅이다.
○☐ ×☐

17 보국은 남존여비 사상을 가진 권위적이고 봉건적인 인물이다. ○☐ ×☐

18 중국 명나라 때 형주, 벽파도, 황성 등을 배경으로 조선 후기의 봉건적 가치관에 맞서는 여성 의식을 보여준다.
○☐ ×☐

19 홍계월은 사회적 지위와 능력이 남성을 능가하지만 여성이라는 이유로 영춘과 갈등을 겪는다. ○☐ ×☐

20 『홍계월전』은 남성의 전유물로 여겨지던 권위를 여성에게 부여하여 새로운 여성상을 제시하고 여성들에게 통쾌한 해
방감과 신분 상승에 대한 희망을 심어주었다. ○☐ ×☐

객관식 기본문제

[01~10] 다음 글을 읽고 물음에 답하시오.

〈앞부분 줄거리〉

명나라 때 이부시랑(吏部侍郎) 홍무는 나이 사십이 되도록 자녀가 없어 고민하였다. 그러던 어느 날, 부인 양 씨의 꿈에 선녀가 나타난 후 무남독녀 계월을 얻었는데, 그 아이가 어려서부터 대단히 총명하였다. 곽 도사로부터 계월의 고난을 예언 받은 부모는 ㉠여자인 계월에게 남장을 시켜 키운다. 계월이 다섯 살 때, 장사랑의 반란이 일어나 난리 속에 부모와 헤어진다. 자리에 싸여 강에 던져진 계월은 여공이라는 사람의 도움으로 목숨을 건진다. 여공은 계월의 이름을 평국이라고 고친 후, 동갑인 아들 보국과 함께 곽 도사에게 보내 가르침을 받게 한다. 이후 계월과 보국은 나란히 과거에 급제한다.

오랑캐가 중원을 침범하자 천자의 명에 따라 계월은 원수로, 보국은 부원수로 전쟁터에 나간다. 그러나 보국이 계월의 말을 듣지 않고, 호기를 부리며 나가 싸우다가 크게 패한다. 계월은 이를 벌하려다 여러 장수의 만류로 용서하고, 자기가 직접 나가 적을 무찌른다. 이 과정에서 계월은 헤어졌던 부모와 우연히 만난다.

계월이 전쟁터에 다녀온 후로 병이 매우 깊어지자 천자는 어의를 보내는데, 어의의 진맥으로 계월이 여자임이 탄로 난다. 계월은 상소를 올려 천자를 속인 죄를 청하나, 천자는 이를 너그럽게 용서하며 계월의 벼슬을 그대로 둔 채 보국과의 혼인을 중매한다. 계월은 앞으로 ⓐ규중에 갇혀 살아야 한다는 생각에 남자로 태어나지 못한 것을 한스러워하고, 보국은 자기를 군령으로 다스려 조롱한 계월에게 불만을 품으며 두 사람은 갈등을 겪게 된다. 천자의 명에 따라 계월과 보국이 혼례를 치른 다음 날 보국의 애첩인 영춘이 계월의 행차를 보고도 예를 갖추지 않자 계월은 군법을 적용하여 그의 목을 베게 한다.

(가) 이때 보국은 계월이 영춘을 죽였다는 말을 듣고 분함을 이기지 못해 부모에게 아뢰었다.

"계월이 전날은 대원수 되어 소자를 중군장으로 부렸으니 군대에 있을 때에는 소자가 계월을 업신여기지 못했사옵니다. 하지만 지금은 계월이 소자의 아내이오니 어찌 소자의 사랑하는 영춘을 죽여 제 마음을 편안하지 않게 할 수가 있단 말이옵니까?"

여공이 이 말을 듣고 만류했다.

"계월이 비록 네 아내는 되었으나 벼슬을 놓지 않았고 기개가 당당하니 족히 너를 부릴 만한 사람이다. 그러나 예로써 너를 섬기고 있으니 어찌 마음씀을 그르다고 하겠느냐? 영춘은 네 첩이다. 자기가 거만하다가 죽임을 당했으니 누구를 한하겠느냐? 또한 계월이 잘못해 ⓑ궁노(宮奴)나 궁비(宮婢)를 죽인다 해도 누가 계월을 그르다고 책망할 수 있겠느냐? 너는 조금도 염려하지 말고 마음을 변치 말라. 만일 계월이 영춘을 죽였다 하고 계월을 꺼린다면 부부 사이의 의리도 변할 것이다. 또한 계월은 천자께서 중매하신 여자라 계월을 싫어한다면 네게 해로움이 있을 것이니 부디 조심하라."

"장부가 되어 계집에게 괄시를 당할 수 있겠나이까?"

보국이 이렇게 말하고 그 후부터는 계월의 방에 들지 않았다. 이에 계월이,

'영춘이 때문에 나를 꺼려 오지 않는구나.'

라고 생각했다.

"누가 보국을 남자라 하겠는가? 여자에게도 비할 수 없구나."

이렇게 말하며 자신이 남자가 되지 못한 것이 분해 눈물을 흘리며 세월을 보냈다.

〈중간 줄거리〉

자신을 찾지 않는 남편 보국으로 인해 외로운 나날을 보내던 계월은 어느날 천자의 명령으로 오왕과 초왕이 일으킨 난을 평정하기 위해 원수가 되어 대군을 이끌고 출정한다. 원수(계월)는 남편 보국을 중군장으로 임명하여 적과 싸우게 한다.

(나) 보국이 운경의 머리를 베어 들고 본진으로 돌아가려는 즈음에, 적장 구덕지가 대로해 긴 칼을 높이 들고 말을 몰아 크게 고함을 치고 달려들었다. 난데없는 적병이 또 사방에서 달려드니 보국이 겁이 나고 두려워 피하려고 했으나 ㉡순식간에 적들이 함성을 지르고 보국을 천여 겹으로 에워쌌다. 형세가 위급하므로 보국이 하늘을 우러러 탄식했다.

이때 원수가 장대에서 북을 치다가 보국의 위급함을 보고 급히 말을 몰아 긴 칼을 높이 들고 좌충우돌해 적진을 헤치고 구덕지의 머리를 베어 들고 보국을 구했다. 몸을 날려 적진에서 충돌하니 동에 번쩍 서쪽의 장수를 베고, 남으로 가는 듯하다가 북쪽의 장수를 베었다. 이처럼 좌충우돌하여 적장 오십여 명과 군사 천여 명을 한칼로 소멸하고 본진으로 돌아왔다.

보국이 원수 보기를 부끄러워하니 원수가 보국을 꾸짖어 말했다.

"저러고서도 평소에 남자라고 칭하리오? 나를 업신여기더니 이제도 그렇게 할까?"

이렇게 말하며 보국을 무수히 조롱했다.

〈중간 줄거리〉

오왕과 초왕의 부하장수인 맹길이 군사들을 이끌고 전장을 우회하여 황성을 기습 공격하고, 이에 황제는 성밖으로 도망을 가다가 결국 맹길에게 사로잡혀 절체절명의 위기에 처하게 된다.

(다) 이때 원수는 진중에 있으며 적을 무찌를 묘책을 생각하고 있었다. 그런데 자연히 마음이 어지러워 장막 밖에 나가 천기를 살펴보았다. ⓒ자미성이 자리를 떠나고 모든 별이 살기등등하여 은하수에 비치고 있었다. 원수가 크게 놀라 중군장을 불러 말했다.

"내가 천기를 보니 천자의 위태함이 ⓓ경각(頃刻)에 있도다. 내가 홀로 가려 하니 장군은 장수와 군졸을 거느려 진문을 굳게 닫고 내가 돌아오기를 기다리라."

이렇게 말하고 칼 한 자루를 쥐고 말에 올라 ⓔ황성으로 향했다. 동방이 밝아 오므로 바라보니 하룻밤 사이에 황성에 다다른 것이었다. 성안에 들어가서 보니 장안이 비어 있고 궁궐은 불에 타 빈터만 남아 있었다. 원수가 통곡하며 두루 다녔으나 한 사람도 없었다. 천자께서 가신 곳을 알지 못하고 망극해하고 있었는데, 문득 수챗구멍에서 한 노인이 나오다가 원수를 보고 매우 놀라 급히 들어갔다. 원수가 급히 쫓아가며,

"나는 도적이 아니다, 대국 대원수 평국이니 놀라지 말고 나와 천자께서 가신 곳을 일러 달라."

하니 노인이 그제야 도로 기어 나와 대성통곡했다. 원수가 자세히 보니 이 사람은 기주후 여공이었다. 내려 땅에 엎드려 통곡하며 말했다.

"시아버님은 무슨 연유로 이 수챗구멍에 몸을 감추고 있사오며 소부의 부모와 시모님은 어디로 피난했는지 아시나이까?"

〈뒷부분 줄거리〉

계월은 여공을 통해 천자가 간 곳을 확인하고 순식간에 천자가 있는 곳으로 가서 뛰어난 무력을 발휘하여 천자를 구한다. 이에 보국은 모든 면에서 자기보다 우월한 계월의 능력을 인정하고 둘의 갈등은 해소된다. 두 차례에 걸친 국가의 위기를 구한 계월은 대사마 대장군의 작위를 받는다. 또한 천자는 보국을 승상에 봉하고 여공을 오왕에, 홍무를 초왕에 봉한다. 이후 계월은 보국을 예로써 섬기며 행복하게 살고 그들의 자손은 대대로 부귀영화를 누린다.

---

01 윗글과 같은 여성 영웅 소설이 조선 후기에 등장한 배경으로 보기 어려운 것은?

① 여성의 사회적 자아현실에 대한 욕구가 상승하였다.

② 남존여비 사상에 대한 여성들의 불만이 고조되었다.

③ 임진왜란과 병자호란 이후에 신분 질서가 동요하였다.

④ 동학, 천주교 등의 영향으로 인해 평등사상이 유입되었다.

⑤ 한문 소설이 성행하여 독자층이 다양한 계층으로 확대되었다.

02 '앞부분 줄거리'의 ㉠에 대한 설명으로 옳지 <u>않은</u> 것은?

① '남장 화소', 혹은 '남장 모티프'와 관련이 있다.
② 계월이 남성 중심 사회에 진출하기 위한 도구로 활용된다.
③ 계월이 남장을 하는 순간에는 남성과 동등하게 경쟁할 수 있다.
④ 계월이 남장을 하는 순간에는 여성의 지위와 한계에서 벗어날 수 있다.
⑤ 계월이 남장에서 벗어나면 여성의 지위로 다시 돌아오므로 여성의 지위를 근본적으로 변화시킬 수 있다.

03 (가)에 나타난 보국의 말하기 방식으로 가장 적절한 것은?

① 남편의 권위를 내세워서 계월의 처사를 비난하고 있다.
② 계월의 장점을 언급함으로써 균형 있는 발언을 하고 있다.
③ 영춘이 죄가 없다는 이유를 들어 계월의 책임을 묻고 있다.
④ 여공에게 예를 다함으로써 여공의 호감을 사려고 하고 있다.
⑤ 계월보다 높은 자신의 벼슬을 근거로 하여 여공을 설득하고 있다.

04 (가)에서 여공이 보국의 항의를 말리는 이유로 언급한 내용이 <u>아닌</u> 것은?

① 계월은 여전히 높은 벼슬을 하고 있다.
② 여공은 계월을 보국보다 기특하게 여긴다.
③ 영춘은 거만한 행동으로 스스로 화를 자초했다.
④ 아내를 꺼려 부부의 의리가 변하게 되면 안 된다.
⑤ 보국이 계월을 꺼리면 천자의 후환이 있을 수 있다.

05 (가)에 드러난 소설적 한계를 바르게 지적한 것을 고르면?

① 초현실적 사건의 급작스러운 발생으로 설득력이 떨어진다.
② 계월 중심의 서술로 서술자가 객관적이지 않은 태도를 보인다.
③ 여성 주인공의 태도에 남존여비(男尊女卑) 사상이 전제되어 있다.
④ 유교적 덕목을 강요하는 교훈성이 지나쳐 사건의 흥미를 떨어뜨리고 있다.
⑤ 편집자적 논평이 과도하게 사용됨으로써 독자의 주체적 감상을 방해하고 있다.

06 (나)의 계월의 태도와 〈보기〉의 '사씨'의 태도를 비교한 것으로 가장 적절한 것은?

┤ 보기 ├

사씨가 말했다.
"고어(古語)에 이르기를 '부부의 도는 오륜(五倫)을 고루 겸한다.'라고 하였습니다. 아비에게는 간언하는 아들이 있고, 임금에게는 간쟁하는 신하가 있습니다. 형제는 서로 정도(正道)로 권면하고, 붕우는 서로 선행을 권유합니다. 부부의 경우라 하여 어찌 유독 그렇게 않겠습니까? 하지만 자고로 장부가 부인의 말을 들으면 이익은 적고 폐해가 많았습니다. 암탉이 새벽에 울고 철부(哲婦)가 나라를 기울게 하는 것은 경계하지 않을 수 없을 것입니다."

– 김만중, 「사씨남정기」 –

*철부(哲婦): 어질고 슬기로우며 사리에 밝은 여자

① 계월이 차별적이라면, 사씨는 평등적이다.
② 계월이 소극적이라면, 사씨는 적극적이다.
③ 계월이 진취적이라면, 사씨는 보수적이다.
④ 계월이 귀족적이라면, 사씨는 서민적이다.
⑤ 계월이 이상적이라면, 사씨는 합리적이다.

07 (나)의 ⓒ과 연관된 사자성어로 볼 수 없는 것은?

① 허장성세(虛張聲勢)　　② 사면초가(四面楚歌)　　③ 진퇴유곡(進退維谷)
④ 고립무원(孤立無援)　　⑤ 진퇴양난(進退兩難)

08 (다)에 나타나 있는 소설적 특성을 모두 고르면?

① 불길한 징조를 통한 위험한 사건의 암시
② 주인공이 둔갑술을 부리는 기이한 전기성
③ 인과관계가 부족한 사건이 발생하는 우연성
④ 현실계와 비현실계가 공존하는 특이한 이중 공간
⑤ 꿈에서의 경험이 현실에 그대로 나타나는 기이함

09 윗글의 밑줄 친 ⓐ~ⓔ의 사전적 의미로 바르지 않은 것은?

① ⓐ : 부녀자가 거처하는 곳
② ⓑ : 궁방에 딸려 있는 계집종
③ ⓒ : 중국 천자의 운명과 관련된 별
④ ⓓ : 아주 짧은 시간
⑤ ⓔ : 황제가 있는 나라의 서울

10 〈보기〉는 윗글이 널리 읽히던 시대에 있었던 '전기수'에 대한 설명이다. 그 내용이 바르지 않은 것은?

┤ 보기 ├

　①전기수란 조선 후기에 보수를 받지 않고 소설을 읽어주던 직업적인 낭독가를 말한다. ②전기수는 소설을 낭독하는 가운데 청중의 반응에 따라 이야기를 재창작할 수 있었고, ③상황에 따라 장면을 극대화하거나 축소할 수도 있었다. 또한 ④낭독을 통해 작품을 들려줌으로써 문자를 모르는 사람들도 문학을 접할 수 있게 하였다. 결국 ⑤전기수는 조선 후기 소설의 보급과 향유층 확대에 기여하였다.

객관식 심화문제

[01~05] 다음 글을 읽고 물음에 답하시오.

(가) ⟨앞부분 줄거리⟩

명나라 때 이부 시랑(吏部侍郎) 홍무는 나이 사십이 되도록 자녀가 없어 고민하였다. 그러던 어느 날, 부인 양 씨의 꿈에 선녀가 나타난 후 무남독녀 계월을 얻었는데, 그 아이가 어려서부터 대단히 총명하였다. 계월이 다섯 살 때, 장사랑의 반란이 일어나 난리 속에 부모와 헤어진다. 자리에 싸여 강에 던져진 계월은 여공이라는 사람의 도움으로 목숨을 건진다. 여공은 계월의 이름을 평국이라고 고친 후, 동갑인 아들 보국과 함께 곽도사에게 보내 가르침을 받게 한다. 이후 계월과 보국은 나란히 과거에 급제한다.

오랑캐가 중원을 침범하자 천자의 명에 따라 계월은 원수로, 보국은 부원수로 전쟁터에 나간다. 그러나 보국이 계월의 말을 듣지 않고, 호기를 부리며 나가 싸우다가 크게 패한다. 계월은 이를 벌하려다 여러 장수의 만류로 용서하고, 자기가 직접 나가 적을 무찌른다. 이 과정에서 계월은 헤어졌던 부모와 우연히 만난다.

계월이 전쟁에 다녀온 후로 병이 매우 깊어지자 천자는 어의를 보내는데, 어의의 진맥으로 계월이 여자임이 탄로 난다. 계월은 상소를 올려 천자를 속인 죄를 청하나, 천자는 이를 너그럽게 용서하며 계월의 벼슬을 그대로 둔 채 보국과의 혼인을 중매한다. 계월은 앞으로 규중에 갇혀 살아야 한다는 생각에 남자로 태어나지 못한 것을 한스러워하고, 보국은 자기를 군령으로 다스려 조롱한 계월에게 불만을 품으며 두 사람은 갈등을 겪게 된다. 천자의 명에 따라 계월과 보국이 혼례를 치른 다음 날 보국의 애첩인 영춘이 계월의 행차를 보고도 예를 갖추지 않자 계월은 군법을 적용하여 그의 목을 베게 한다.

(나) 이때 보국은 계월이 영춘을 죽였다는 말을 듣고 분함을 이기지 못해 부모에게 아뢰었다.

"계월이 전날은 대원수 되어 소자를 중군장으로 부렸으니 군대에 있을 때에는 소자가 계월을 업신여기지 못했사옵니다. 하지만 지금은 계월이 소자의 아내이오니 어찌 소자의 사랑하는 영춘을 죽여 제 마음을 편안하지 않게 할 수가 있단 말이옵니까?" 여공이 이 말을 듣고 만류했다.

"계월이 비록 네 아내는 되었으나 벼슬을 놓지 않았고 기개가 당당하니 족히 너를 부릴 만한 사람이다. 그러나 예로써 너를 섬기고 있으니 어찌 마음 씀을 그르다고 하겠느냐? 영춘은 네 첩이다. 자기가 거만하다가 죽임을 당했으니 누구를 한하겠느냐? 또한 계월이 잘못해 궁노(宮奴)나 궁비(宮婢)를 죽인다 해도 누가 계월을 그르다고 책망할 수 있겠느냐? 너는 조금도 염려하지 말고 마음을 변치 말라. 만일 계월이 영춘을 죽였다 하고 계월을 꺼린다면 부부 사이의 의리도 변할 것이다. 또한 계월은 천자께서 중매하신 여자라 계월을 싫어한다면 네게 해로움이 있을 것이니 부디 조심하라."

"장부가 되어 계집에게 괄시를 당할 수 있겠나이까?"

보국이 이렇게 말하고 그 후부터는 계월의 방에 들지 않았다. 이에 계월이,

'영춘이 때문에 나를 꺼려 오지 않는구나.' 라고 생각했다.

"누가 보국을 남자라 하겠는가? 여자에게도 비할 수 없구나."

이렇게 말하며 자신이 남자가 되지 못한 것이 분해 눈물을 흘리며 세월을 보냈다.

(다) 보국이 운경의 머리를 베어 들고 본진으로 돌아가려는 즈음에, 적장 구덕지가 대로해 긴 칼을 높이 들고 말을 몰아 크게 고함을 치고 달려들었다. 난데없는 적병이 또 사방에서 달려드니 보국이 겁이 나고 두려워 피하려고 했으나 순식간에 적들이 함성을 지르고 보국을 천여 겹으로 에워쌌다. 형세가 위급하므로 보국이 하늘을 우러러 탄식했다.

이때 원수가 장대에서 북을 치다가 보국의 위급함을 보고 급히 말을 몰아 긴 칼을 높이 들고 좌충우돌해 적진을 헤치고 구덕지의 머리를 베어 들고 보국을 구했다. 몸을 날려 적진에서 충돌하니 동에 번쩍 서쪽의 장수를 베고, 남으로 가는 듯하다가 북쪽의 장수를 베었다. 이처럼 좌충우돌하여 적장 오십여 명과 군사 천여 명을 한칼로 소멸하고 본진으로 돌아왔다.

보국이 원수 보기를 부끄러워하니 원수가 보국을 꾸짖어 말했다.

"저러고서도 평소에 남자라고 칭하리오? 나를 업신여기더니 이제도 그렇게 할까?" 이렇게 말하며 보국을 무수히 조롱했다.

이때 원수가 장대에 자리를 잡고 앉아 구덕지의 머리를 함에 봉해 황성으로 보냈다.

한편 오와 초의 양 왕은 서로 의논하며 말했다.

"평국의 용맹을 보니 옛날 조자룡이라도 당하지 못할 것이니 어찌 대적할 것이며, 평국이 명장 구덕지를 죽였으니 이제

는 누구와 함께 큰일을 도모하겠는가? 이제는 우리 양국이 평국의 손에 망할 것이로다." 이렇게 말하며 눈물을 흘리니 맹길이 아뢰었다.

"대왕은 염려하지 마옵소서. 소장에게 한 묘책이 있으니 평국이 아무리 영웅이라도 이 계교는 알지 못할 것이옵니다. 이 계교로 천자를 사로잡을 것이니 근심하지 마옵소서. 지금 황성에는 시신(侍臣)만 있을 것이니 평국이 모르게 군사를 거느려 오와 초의 동쪽을 넘어 양자강을 지나 황성을 치옵소서. 천자는 반드시 황성을 버리고 도망해 살기를 바라고 항서 (降書)를 올릴 것이니 그렇게 하옵소서."

(라) 이때 원수는 진중에 있으며 적을 무찌를 묘책을 생각하고 있었다. 그런데 자연히 마음이 어지러워 장막 밖에 나가 천기를 살펴보았다. 자미성이 자리를 떠나고 모든 별이 살기등등하여 은하수에 비치고 있었다. 원수가 크게 놀라 중군장 을 불러 말했다.

"내가 천기를 보니 천자의 위태함이 경각(頃刻)에 있도다. 내가 홀로 가려 하니 장군은 장수와 군졸을 거느려 진문을 굳 게 닫고 내가 돌아오기를 기다리라."

이렇게 말하고 칼 한 자루를 쥐고 말에 올라 황성으로 향했다. 동방이 밝아 오므로 바라보니 하룻밤 사이에 황성에 다 다른 것이었다. 성안에 들어가서 보니 장안이 비어 있고 궁궐은 불에 타 빈터만 남아 있었다. 원수가 통곡하며 두루 다녔 으나 한 사람도 없었다. 천자께서 가신 곳을 알지 못하고 망극해하고 있었는데, 문득 수챗구멍에서 한 노인이 나오다가 원수를 보고 매우 놀라 급히 들어갔다. 원수가 급히 쫓아가며,

"나는 도적이 아니다, 대국 대원수 평국이니 놀라지 말고 나와 천자께서 가신 곳을 일러 달라."

하니 노인이 그제야 도로 기어 나와 대성통곡했다. 원수가 자세히 보니 이 사람은 기주후 여공이었다. 내려 땅에 엎드 려 통곡하며 말했다.

"시아버님은 무슨 연유로 이 수챗구멍에 몸을 감추고 있사오며 소부의 부모와 시모님은 어디로 피난했는지 아시나이 까?"

여공이 원수의 옷을 붙들고 울며 말했다.

"뜻밖에도 도적이 들어와 대궐에 불을 지르고 노략하더구나. 그래서 장안의 백성들이 도망하여 갔는데 나는 갈 길을 몰라 이 구멍에 들어와 피난했으니 사돈 두 분과 네 시모가 간 곳은 알지 못하겠구나."

이렇게 말하고 통곡하니, 원수가 위로했다.

"설마 만나 뵈올 날이 없겠나이까?" 또 물었다.

"황상께서는 어디에 가 계시나이까?" 여공이 대답했다.

"여기에 숨어서 보니 한 신하가 천자를 업고 북문으로 도망해 천태령을 넘어갔는데 그 뒤에 도적이 따라갔으니 천자께 서 반드시 위급하실 것이다."

– 작자 미상, 「홍계월전」 –

01 윗글에 대한 설명으로 적절한 것은?

① 시간의 순차적 흐름에 따라 사건이 전개되고 있다.

② 인물들의 대결 의식을 통해 사건 전개가 이완되고 있다.

③ 각 장면의 이질성이 사건 전개에 있어서 중요한 역할을 한다.

④ 주인공이 성차별을 극복하고 혼사에 성공하는 과정이 사건 전개의 주된 내용이다.

⑤ 인물 간의 갈등을 여러 시점에서 조명하여 사건 전개의 양상을 다각화하고 있다.

02 윗글의 인물에 대한 설명으로 적절하지 <u>않은</u> 것은?

① 보국은 공과 사를 구분하지 못하고 있다.

② 계월은 누란지위(累卵之危)의 상황에 있는 보국을 구하였다.

③ 맹길은 전쟁에서 패하자 술책을 통해 위기를 모면하고자 한다.

④ 여공이 계월을 비난하는 보국을 만류하는 이유에는 보국의 안위에 대한 걱정도 있다.

⑤ 천자는 계월이 여자인 것에 대해 실망했으나 국가의 위기에 대처하기 위해 직책을 유지하도록 하였다.

03 〈보기〉와 윗글을 비교하여 감상한 내용으로 적절하지 <u>않은</u> 것은?

┤ 보기 ├

　이때 원수 금산성에서 적군 십만 명을 한칼에 무찌른 후, 곧바로 호산대에 진을 치고 있는 적의 청병을 씨 없이 함몰하려고 달려갔다. 그런데 뜻밖에 월색이 희미해지더니 난데없는 빗방울이 원수 면상에 떨어졌다. 원수 괴이해 말을 잠깐 멈추고 천기를 살펴보니, 도성에 살기 가득하고 천자의 자미성이 떨어져 변수 가에 비쳐 있었다. 원수 대경해 발을 구르며 왈,

　"이게 웬 변이냐."

　하고 산호편을 높이 들어 채찍질을 하면서 천사마에게 정색하고 이르기를,

　"천사마야, 네 용맹 두었다가 이런 때에 아니 쓰고 어디 쓰리오. 지금 천자께서 도적에게 잡혀 명재경각이라. 순식간에 득달해 천자를 구원하라."

　하니, 천사마는 본래 천상에서 내려온 비룡이라. 채찍질을 아니 하고 제 가는 대로 두어도 비룡의 조화를 부려 순식간에 몇 천 리를 갈 줄 모르는데, 하물며 제 임자가 정색을 하고 말하고 또 산호채로 채찍질하니 어찌 아니 급히 갈까. 눈 한 번 꿈쩍하는 사이에 황성 밖을 얼른 지나 변수 가에 다다랐다.

－ 작자 미상, 「유충렬전」 －

① 윗글의 원수는 천자를 구하는 과정에서 조력자를 뜻하지 않게 만났고, 〈보기〉의 원수는 소유하고 있는 것에 도움을 받았다.

② 〈보기〉는 지상의 존재만 등장하므로 현실적으로 전개되지만 윗글은 천상의 존재를 등장시켜 사건이 비현실적이다.

③ 윗글과 〈보기〉는 모두 갑자기 하늘의 천기를 살펴 천자의 위험을 알아채는 것은 우연적인 요소라 할 수 있다.

④ 〈보기〉의 원수는 천자가 있는 곳을 스스로 알았지만 윗글의 원수는 천자가 있는 곳을 스스로 찾지 못했다.

⑤ 윗글과 〈보기〉는 모두 자미성의 위태함이 천자의 위험을 알리고 있다.

04 〈보기〉를 참고하여 윗글을 이해한 것으로 적절한 것은?

┤ 보기 ├

　　조선 후기의 사회·문화적 변화로 눈에 띄는 점은 국문 소설이 성행하며 독자층이 사대부가 여성을 비롯하여 평민층으로까지 확대되었다는 점과 가부장제 사회에서 남성에게 굴종을 강요당하던 여성의 의식이 변화하기 시작했다는 점이다. 여성 주인공의 영웅적 활약에 초점을 맞춘 여성 영웅 소설은 이러한 흐름에서 성행하였다. 물론 충군(忠君) 사상이나 남존여비(男尊女卑)와 같은 당대 유교적 이념의 벽은 여전히 견고했다. 하지만 소설에서 남성보다 뛰어난 여성 주인공을 내세워 기존의 가부장적 질서를 비판했다는 점을 통해 조선 후기 여성의 의식이 성장하고 있었다는 것을 알 수 있다.

① 보국은 당시 시대에 맞지 않는 사상을 가지고 있다고 할 수 있다.

② 계월과 보국의 대립은 신분 상승을 염원하는 평민층의 바람이 드러나 있다.

③ 계월이 조력자의 도움을 받는다는 점에서 여성으로서의 한계가 드러나고 있다.

④ 계월이 천자에게 충성을 다하는 모습에서 유교적 이념을 버리지 못하고 있음을 알 수 있다.

⑤ 계월은 성별 구분 없이 능력에 따라 인정받고자 하는 당대여성 의식을 대변하고, 보국은 억압 받을까봐 두려워하는 당대 남성들의 의식을 대변하고 있다.

05 다음은 윗글을 읽고 정리한 학생 노트의 일부이다. ⓐ～ⓔ에 대한 설명으로 적절한 것은?

구성 단계	세부 내용
ⓐ	이부 시랑 '홍무'의 딸로 태어남.
기이한 출생	ⓑ
비범한 능력	어려서부터 대단히 총명함.
어릴 적 위기	ⓒ
ⓓ	여공을 만나 구출되고 보국과 함께 양육됨.
성장 후 위기	ⓔ
행복한 결말	계월이 출정하여 적을 물리치고 보국이 계월의 우위를 인정함으로써 갈등 해소됨.

① ⓐ는 '비정상적인 혈통에서 태어남'이라 할 수 있다.

② ⓑ는 자녀가 없던 양 씨가 신선 꿈을 꾸고 계월을 낳은 것이라 할 수 있다.

③ ⓒ는 부모와 이별하고 다른 사람들로부터 온갖 핍박을 받은 것이라 할 수 있다.

④ ⓓ는 '배우자에 의한 도움'이라 할 수 있다.

⑤ ⓔ는 계월이 여자임이 탄로 난 것이라 할 수 있다.

〈앞부분 줄거리〉

명나라 때 이부 시랑(吏部侍郎) 홍무는 나이 사십이 되도록 자녀가 없어 고민하였다. 그러던 어느 날, 부인 양 씨의 꿈에 선녀가 나타난 후 무남독녀 계월을 얻었는데, 그 아이가 어려서부터 대단히 총명하였다. 계월이 다섯 살 때, 장사랑의 반란이 일어나 난리 속에 부모와 헤어진다. 자리에 싸여 강에 던져진 계월은 여공이라는 사람의 도움으로 목숨을 건진다. 여공은 계월의 이름을 평국이라고 고친 후, 동갑인 아들 보국과 함께 곽 도사에게 보내 가르침을 받게 한다. 이후 계월과 보국은 나란히 과거에 급제한다.

오랑캐가 중원을 침범하자 천자의 명에 따라 계월은 원수로, 보국은 부원수로 전쟁터에 나간다. 그러나 보국이 계월의 말을 듣지 않고, 호기를 부리며 나가 싸우다가 크게 패한다. 계월은 이를 벌하려다 여러 장수의 만류로 용서하고, 자기가 직접 나가 적을 무찌른다. 이 과정에서 계월은 헤어졌던 부모와 우연히 만난다.

계월이 전쟁에 다녀온 후로 병이 매우 깊어지자 천자는 어의를 보내는데, 어의의 진맥으로 계월이 여자임이 탄로 난다. 계월은 상소를 올려 천자를 속인 죄를 청하나, 천자는 이를 너그럽게 용서하며 계월의 벼슬을 그대로 둔 채 보국과의 혼인을 중매한다. 계월은 앞으로 규중에 갇혀 살아야 한다는 생각에 남자로 태어나지 못한 것을 한스러워하고, 보국은 자기를 군령으로 다스려 조롱한 계월에게 불만을 품으며 두 사람은 갈등을 겪게 된다. 천자의 명에 따라 계월과 보국이 혼례를 치른 다음 날 보국의 애첩인 영춘이 계월의 행차를 보고도 예를 갖추지 않자 계월은 군법을 적용하여 그의 목을 베게 한다.

여공이 이 말을 듣고 만류했다.

"계월이 비록 네 아내는 되었으나 벼슬을 놓지 않았고 기개가 당당하니 족히 너를 부릴 만한 사람이다. 그러나 예로써 너를 섬기고 있으니 어찌 마음 씀을 그르다고 하겠느냐? 영춘은 네 첩이다. 자기가 거만하다가 죽임을 당했으니 누구를 한하겠느냐? 또한 계월이 잘못해 궁노(宮奴)나 궁비(宮婢)를 죽인다 해도 누가 계월을 그르다고 책망할 수 있겠느냐? 너는 조금도 염려하지 말고 마음을 변치 말라. 만일 계월이 영춘을 죽였다 하고 계월을 꺼린다면 부부 사이의 의리도 변할 것이다. 또한 계월은 천자께서 중매하신 여자라 계월을 싫어한다면 네게 해로움이 있을 것이니 부디 조심하라."

"장부가 되어 계집에게 괄시를 당할 수 있겠나이까?"

보국이 이렇게 말하고 그 후부터는 계월의 방에 들지 않았다. 이에 계월이,

'영춘이 때문에 나를 꺼려 오지 않는구나.'

라고 생각했다.

"누가 보국을 남자라 하겠는가? 여자에게도 비할 수 없구나."

이렇게 말하며 자신이 남자가 되지 못한 것이 분해 눈물을 흘리며 세월을 보냈다.

〈중략〉

각설, 이때 남관(南關)의 수장이 장계를 올렸다. 천자께서 급히 뜯어보시니 다음과 같은 내용이었다.

오왕과 초왕이 반란을 일으켜 지금 황성을 범하고자 하옵니다. 오왕은 구덕지를 얻어 대원수로 삼고 초왕은 장맹길을 얻어 선봉으로 삼았사온데, 이들이 장수 천여 명과 군사 십만을 거느려 호주 북쪽 고을 칠십여 성을 무너뜨려 항복을 받고 형주 자사 이왕태를 베고 짓쳐왔습니다. 소장의 힘으로는 능히 방비할 길이 없어 감히 아뢰오니 엎드려 바라건대, 황상께서는 어진 명장을 보내셔서 적을 방비하옵소서.

〈중략〉

"신첩이 외람되게 폐하를 속이고 공후 작록을 받아 영화로 이 지낸 것도 황공했사온데 폐하께서는 죄를 용서해 주시고 신첩을 매우 사랑하셨사옵니다. 신첩이 비록 어리석으나 힘을 다해 성은을 만분의 일이나 갚으려 하오니 폐하께서는 근심하지 마옵소서."

천자께서 이에 크게 기뻐하시고 즉시 수많은 군사와 말을 징발해 주셨다. 그리고 벼슬을 높여 평국을 대원수로 삼으시니 원수가 사은숙배하고 위의를 갖추어 친히 붓을 잡아 보국에게 전령(傳令)을 내렸다.

"적병의 형세가 급하니 중군장은 급히 대령하여 군령을 어기지 마라."

보국이 전령을 보고 분함을 이기지 못해 부모에게 말했다.

"계월이 또 소자를 중군장으로 부리려 하오니 이런 일이 어디 있사옵니까?"

여공이 말했다.

"전날 내가 너에게 무엇이라 일렀더냐? 계월이를 괄시하다가 이런 일을 당했으니 어찌 계월이가 그르다고 하겠느냐? 나랏일이 더할 수 없이 중요하니 어찌할 수 없구나."

이렇게 말하고 어서 가기를 재촉했다. 보국이 할 수 없이 갑옷과 투구를 갖추고 진중(陣中)에 나아가 원수 앞에 엎드리니 원수 분부했다.

"만일 명령을 거역하는 자가 있다면 군법으로 시행할 것이다."

보국이 겁을 내어 중군장 처소로 돌아와 명령이 내려지기를 기다렸다.

〈중략〉

이튿날 원수가 중군장에게 분부했다.

"며칠은 중군장이 나가 싸우라."

중군장이 명령을 듣고 말에 올라 삼 척 장검을 들고 적진을 가리켜 소리 질렀다.

"나는 명나라 중군 대장 보국이다. 대원수의 명령을 받아 너희 머리를 베려 하니 너희는 어서 나와 칼을 받으라."

적장 운평이 이 소리를 듣고 크게 성을 내어 말을 몰아 나와서 싸웠다. 삼 합이 못 하여 보국의 칼이 빛나며 운평의 머리가 말 아래에 떨어졌다. 적장 운경이 운평이 죽는 것을 보고 매우 화를 내어 말을 몰아 달려들었다. 보국이 기세등등하여 창을 높이 들고 서로 싸웠다. 몇 합이 못 되어 보국이 칼을 날려 운경이 칼 든 팔을 치니 운경이 미처 손을 놀리지 못하고 칼을 든 채 말 아래에 떨어졌다.

보국이 운경의 머리를 베어 들고 본진으로 돌아가려는 즈음에, 적장 구덕지가 대로해 긴 칼을 높이 들고 말을 몰아 크게 고함을 치고 달려들었다.

[A] ┌ 난데없는 적병이 또 사방에서 달려드니 보국이 겁이 나고 두려워 피하려고 했으나 순식간에 적들이 함성을 지르
    └ 고 보국을 천여 겹으로 에워쌌다. 형세가 위급하므로 보국이 하늘을 우러러 탄식했다.

– 작자 미상, 「홍계월전」 –

---

06 윗글의 인물에 대한 이해로 적절하지 <u>않은</u> 것은?

① 보국은 원수의 말에 두려움을 느끼고 있다.

② 운경은 보국의 손에 아군인 운평이 죽자 분기탱천하고 있다.

③ 여공은 계월이 예로써 보국을 섬기고 있음을 말하여 보국을 설득하고 있다.

④ 계월은 자신의 과오에도 불구하고 다시 기용된 것에 대해 천자께 감사하고 있다.

⑤ 여공은 계월의 행동에 숨겨진 동기와 배경을 거론하며 인물에 대한 이해를 돕고 있다.

07 다음 중 [A]에서 보국의 처지를 나타내는 한자 성어로 가장 적절한 것은?

① 괄목상대(刮目相對)　　　② 백척간두(百尺竿頭)　　　③ 부화뇌동(附和雷同)

④ 절차탁마(切磋琢磨)　　　⑤ 견문발검(見蚊拔劍)

[08~11] 다음 글을 읽고 물음에 답하시오.

(가) 〈앞부분 줄거리〉

　명나라 때 이부 시랑(吏部侍郎) 홍무는 나이 사십이 되도록 자녀가 없어 고민하였다. 그러던 어느 날, 부인 양 씨의 꿈에 선녀가 나타난 후 무남독녀 계월을 얻었는데, 그 아이가 어려서부터 대단히 총명하였다. 계월이 다섯 살 때, 장사랑의 반란이 일어나 난리 속에 부모와 헤어진다. 자리에 싸여 강에 던져진 계월은 여공이라는 사람의 도움으로 목숨을 건진다. 여공은 계월의 이름을 평국이라고 고친 후, 동갑인 아들 보국과 함께 곽도사에게 보내 가르침을 받게 한다. 이후 계월과 보국은 나란히 과거에 급제한다.

　오랑캐가 중원을 침범하자 천자의 명에 따라 계월은 원수로, 보국은 부원수로 전쟁터에 나간다. 그러나 보국이 계월의 말을 듣지 않고, 호기를 부리며 나가 싸우다가 크게 패한다. 계월은 이를 벌하려다 여러 장수의 만류로 용서하고, 자기가 직접 나가 적을 무찌른다. 이 과정에서 계월은 헤어졌던 부모와 우연히 만난다.

　계월이 전쟁에 다녀온 후로 병이 매우 깊어지자 천자는 어의를 보내는데, 어의의 진맥으로 계월이 여자임이 탄로 난다. 계월은 상소를 올려 천자를 속인 죄를 청하나, 천자는 이를 너그럽게 용서하며 계월의 벼슬을 그대로 둔 채 보국과의 혼인을 중매한다. 계월은 앞으로 규중에 갇혀 살아야 한다는 생각에 남자로 태어나지 못한 것을 한스러워하고, 보국은 자기를 군령으로 다스려 조롱한 계월에게 불만을 품으며 두 사람은 갈등을 겪게 된다. 천자의 명에 따라 계월과 보국이 혼례를 치른 다음 날 보국의 애첩인 영춘이 계월의 행차를 보고도 예를 갖추지 않자 계월은 군법을 적용하여 그의 목을 베게 한다.

(나) 여공이 이 말을 듣고 만류했다.

　"㉠계월이 비록 네 아내는 되었으나 벼슬을 놓지 않았고 기개가 당당하니 족히 너를 부릴 만한 사람이다. 그러나 예로써 너를 섬기고 있으니 어찌 마음 씀을 그르다고 하겠느냐? 영춘은 네 첩이다. 자기가 거만하다가 죽임을 당했으니 누구를 한하겠느냐? 또한 계월이 잘못해 궁노(宮奴)나 궁비(宮婢)를 죽인다 해도 누가 계월을 그르다고 책망할 수 있겠느냐? 너는 조금도 염려하지 말고 마음을 변치 말라. 만일 계월이 영춘을 죽였다 하고 계월을 꺼린다면 부부 사이의 의리도 변할 것이다. 또한 계월은 천자께서 중매하신 여자라 계월을 싫어한다면 네게 해로움이 있을 것이니 부디 조심하라."

　"장부가 되어 ㉡계집에게 괄시를 당할 수 있겠나이까?"

　보국이 이렇게 말하고 그 후부터는 계월의 방에 들지 않았다. 이에 계월이,

　'영춘이 때문에 나를 꺼려 오지 않는구나.'

　라고 생각했다.

　"누가 보국을 남자라 하겠는가? 여자에게도 비할 수 없구나."

　이렇게 말하며 자신이 남자가 되지 못한 것이 분해 눈물을 흘리며 세월을 보냈다.

(다) 이때 ㉢원수가 장대에서 북을 치다가 보국의 위급함을 보고 급히 말을 몰아 긴 칼을 높이 들고 좌충우돌해 적진을 헤치고 구덕지의 머리를 베어 들고 보국을 구했다. 몸을 날려 적진에서 충돌하니 동에 번쩍 서쪽의 장수를 베고, 남으로 가는 듯하다가 북쪽의 장수를 베었다. 이처럼 좌충우돌하여 적장 오십여 명과 군사 천여 명을 한칼로 소멸하고 본진으로 돌아왔다.

　보국이 원수 보기를 부끄러워하니 원수가 보국을 꾸짖어 말했다.

　"저러고서도 평소에 남자라고 칭하리오? 나를 업신여기더니 이제도 그렇게 할까?"

　이렇게 말하며 보국을 무수히 조롱했다.

(라) "명나라 황제는 도망치지 말고 항복하라."

　이렇게 소리치며 쫓아오니 모시는 신하도 넋을 잃고 죽기 살기로 나아가니 앞에 큰 강이 가로막고 있었다. 이에 천자께서 하늘을 우러러 탄식하셨다.

　"이제는 죽겠구나. 앞에는 큰 강이요, 뒤에는 적병이 있어 형세가 급하니 이 일을 어찌하겠는가?"

　이렇게 말씀하시며 자결하려고 하시니 맹길이 벌써 달려들어 천자 앞에서 창을 휘두르며,

　"죽는 것이 아깝거든 항서를 어서 올리라." 하니 이에 모시는 신하 등이 애걸했다.

(마) 이때 원수는 진중에 있으며 적을 무찌를 묘책을 생각하고 있었다. 그런데 자연히 마음이 어지러워 장막 밖에 나가 천기를 살펴보았다. 자미성이 자리를 떠나고 모든 별이 살기등등하여 은하수에 비치고 있었다. 원수가 크게 놀라 ㉣중군장을 불러 말했다.

"내가 천기를 보니 천자의 위태함이 경각에 있도다. 내가 홀로 가려 하니 장군은 장수와 군졸을 거느려 진문을 굳게 닫고 내가 돌아오기를 기다리라."

이렇게 말하고 칼 한 자루를 쥐고 말에 올라 황성으로 향했다. 동방이 밝아 오므로 바라보니 하룻밤 사이에 황성에 다다른 것이었다. 성안에 들어가서 보니 장안이 비어 있고 궁궐은 불에 타 빈터만 남아 있었다. 원수가 통곡하며 두루 다녔으나 한 사람도 없었다. 천자께서 가신 곳을 알지 못하고 망극해하고 있었는데, 문득 수챗구멍에서 한 노인이 나오다가 원수를 보고 매우 놀라 급히 들어갔다.

(바) 이때 천자와 신하들이 넋을 잃고 어찌할 줄을 모르고 천자께서는 손가락을 깨물려 하고 있었다. 원수가 급히 말에서 내려 엎드려 통곡하며 여쭈었다.

"폐하께서는 옥체를 보중하옵소서. ㉤평국이 왔나이다."

천자께서 혼미한 가운데 평국이라는 말을 듣고 한편으로는 반기며 한편으로는 슬퍼하며 원수의 손을 잡고 눈물을 흘리며 말씀을 못 하셨다. 원수가 옥체를 구호하니 이윽고 천자께서 정신을 차리고 원수에게 치하하셨다.

08 이 글에 대한 설명으로 바른 것은?

① 유교 및 불교 사상을 바탕에 깔고 있다.
② 비현실적, 전기적(傳奇的) 성격이 드러난다.
③ 작품에 편집자적 논평이 빈번하게 등장한다.
④ 운명에 순응하는 인물의 삶을 부각시켰다.
⑤ 작품 속 인물이 서술자가 되어 사건을 관찰한다.

09 ㉠~㉤ 중, 가리키는 대상이 다른 것은?

① ㉠   ② ㉡   ③ ㉢   ④ ㉣   ⑤ ㉤

10 〈보기〉는 이 작품이 창작될 당시의 사회상에 대한 설명이다. 〈보기〉를 바탕으로 이 글을 감상한 내용 중, 가장 적절한 것은?

┤ 보기 ├

　이 소설은 소설적 배경이 중국 명나라로 설정되어 있지만 실제로는 우리나라가 겪은 병자호란과 밀접한 관련이 있다. 청나라의 기습 공격을 받은 후 왕은 남한산성에서 농성하였으나, 청군이 강화를 함락하고 빈궁과 대군 이하 20여 명이 포로가 되어 남한산성으로 호송되자, 인조 임금은 삼전도에서 청태종에게 항복하는 의식을 행했다.

① 역사적 사실을 냉정하고 사실적인 필치로 기록하였군.
② 병자호란 중에 겪은 일을 섬세하게 표현하고 있군.
③ 임금이 무능했던 모습의 역사를 소설 속에 반영하였군.
④ 여성 영웅을 통해 남성 중심의 가부장적 사회를 비판하는군.
⑤ 한자가 아닌 한글로 기록하여 민족적 자존심을 회복하려 하였군.

11 윗글의 내용과 일치하는 것은?

① 천자는 적의 침입에 놀라 자결을 하려고 하였다.
② 계월은 여성으로서의 자신의 정체성에 만족을 느낀다.
③ 계월은 천기를 살펴보다가 보국이 위험에 처한 것을 알아챘다.
④ 계월이 보국을 조롱하는 모습을 통해 계월의 권위적인 모습을 드러난다.
⑤ 여공은 겉으로는 계월의 행동을 옹호하고 있으나 속으로는 계월이 보국을 해할까 염려하고 있다.

[12~15] 다음 글을 읽고 물음에 답하시오.

〈앞부분 줄거리〉

명나라 때 이부 시랑(吏部侍郞) 홍무는 나이 사십이 되도록 자녀가 없어 고민하였다. 그러던 어느 날, 부인 양 씨의 꿈에 선녀가 나타난 후 무남독녀 계월을 얻었는데, 그 아이가 어려서부터 대단히 총명하였다. 계월이 다섯 살 때, 장사랑의 반란이 일어나 난리 속에 부모와 헤어진다. 자리에 싸여 강에 던져진 계월은 여공이라는 사람의 도움으로 목숨을 건진다. 여공은 계월의 이름을 평국이라고 고친 후, 동갑인 아들 보국과 함께 곽도사에게 보내 가르침을 받게 한다. 이후 계월과 보국은 나란히 과거에 급제한다.

오랑캐가 중원을 침범하자 천자의 명에 따라 계월은 원수로, 보국은 부원수로 전쟁터에 나간다. 그러나 보국이 계월의 말을 듣지 않고, 호기를 부리며 나가 싸우다가 크게 패한다. 계월은 이를 벌하려다 여러 장수의 만류로 용서하고, 자기가 직접 나가 적을 무찌른다. 이 과정에서 계월은 헤어졌던 부모와 우연히 만난다.

계월이 전쟁에 다녀온 후로 병이 매우 깊어지자 천자는 어의를 보내는데, 어의의 진맥으로 계월이 여자임이 탄로 난다. 계월은 상소를 올려 천자를 속인 죄를 청하나, 천자는 이를 너그럽게 용서하며 계월의 벼슬을 그대로 둔 채 보국과의 혼인을 중매한다. 계월은 앞으로 규중에 갇혀 살아야 한다는 생각에 남자로 태어나지 못한 것을 한스러워하고, 보국은 자기를 군령으로 다스려 조롱한 계월에게 불만을 품으며 두 사람은 갈등을 겪게 된다. 천자의 명에 따라 계월과 보국이 혼례를 치른 다음 날 보국의 애첩인 영춘이 계월의 행차를 보고도 예를 갖추지 않자 계월은 군법을 적용하여 그의 목을 베게 한다.

〈중략〉

여공이 이 말을 듣고 만류했다.

"계월이 비록 네 아내는 되었으나 벼슬을 놓지 않았고 기개가 당당하니 족히 너를 부릴 만한 사람이다. 그러나 예로써 너를 섬기고 있으니 어찌 마음 씀을 그르다고 하겠느냐? 영춘은 네 첩이다. 자기가 거만하다가 죽임을 당했으니 누구를 한하겠느냐? 또한 계월이 잘못해 궁노(宮奴)나 궁비(宮婢)를 죽인다 해도 누가 계월을 그르다고 책망할 수 있겠느냐? 너는 조금도 염려하지 말고 마음을 변치 말라. 만일 계월이 영춘을 죽였다 하고 계월을 꺼린다면 부부 사이의 의리도 변할 것이다. 또한 계월은 천자께서 중매하신 여자라 계월을 싫어한다면 네게 해로움이 있을 것이니 부디 조심하라."

㉠"장부가 되어 계집에게 괄시를 당할 수 있겠나이까?"

보국이 이렇게 말하고 그 후부터는 계월의 방에 들지 않았다. 이에 계월이,

㉡'영춘이 때문에 나를 꺼려 오지 않는구나.'

라고 생각했다.

"누가 보국을 남자라 하겠는가? 여자에게도 비할 수 없구나."

이렇게 말하며 자신이 남자가 되지 못한 것이 분해 눈물을 흘리며 세월을 보냈다. 〈중략〉

천자께서 보시고 크게 놀라 조정의 관리들과 의논하니 우승상 정영태가 아뢰었다.

"이 도적은 좌승상 평국을 보내야 막을 수 있을 것이오니 급히 평국을 부르소서."

천자께서 들으시고 오래 있다가 말씀하셨다.

"평국이 전날에는 세상에 나왔으므로 불렀지만 지금은 규중에 있는 여자니 차마 어찌 불러서 전장에 보내겠는가?"

이에 신하들이 아뢰었다.

"평국이 지금 규중에 있으나 이름이 조야에 있고 또한 작록을 거두지 않았사오니 어찌 규중에 있다 하여 꺼리겠나이까?"

천자께서 마지못하여 급히 평국을 부르셨다.

"신첩이 외람되게 폐하를 속이고 공후 작록을 받아 영화로 이 지낸 것도 황공했사온데 폐하께서는 죄를 용서해 주시고 신첩을 매우 사랑하셨사옵니다. 신첩이 비록 어리석으나 힘을 다해 성은을 만분의 일이나 갚으려 하오니 폐하께서는 근심하지 마옵소서."

천자께서 이에 크게 기뻐하시고 즉시 수많은 군사와 말을 징발해 주셨다. 그리고 벼슬을 높여 평국을 대원수로 삼으시니 원수가 사은숙배하고 위의를 갖추어 친히 붓을 잡아 보국에게 전령(傳令)을 내렸다. 〈중략〉

[A] 이때 원수가 장대에서 북을 치다가 보국의 위급함을 보고 급히 말을 몰아 긴 칼을 높이 들고 좌충우돌해 적진을 헤치고 구덕지의 머리를 베어 들고 보국을 구했다. 몸을 날려 적진에서 충돌하니 동에 번쩍 서쪽의 장수를 베고, 남으로 가는 듯하다가 북쪽의 장수를 베었다. 이처럼 좌충우돌하여 적장 오십여 명과 군사 천여 명을 한칼로 소멸하고 본진으로 돌아왔다.

보국이 원수 보기를 부끄러워하니 원수가 보국을 꾸짖어 말했다.

ⓒ"저러고서도 평소에 남자라고 칭하리오? 나를 업신여기더니 이제도 그렇게 할까?"

이렇게 말하며 보국을 무수히 조롱했다. 〈중략〉

천자께서 매우 놀라시고 용상을 두드리다 기절하셨다. 우승상 천희가 천자를 등에 업고 북쪽 문을 열고 도망하니 시신 백여 명이 따라가 천태령을 넘어갔다. 적장 맹길이 천자께서 도망하시는 것을 보고 크게 소리를 질렀다.

"명나라 황제는 도망치지 말고 항복하라."

이렇게 소리치며 쫓아오니 모시는 신하도 넋을 잃고 죽기 살기로 나아가니 앞에 큰 강이 가로막고 있었다. 이에 천자께서 하늘을 우러러 탄식하셨다.

"이제는 죽겠구나. 앞에는 큰 강이요, 뒤에는 적병이 있어 형세가 급하니 이 일을 어찌하겠는가?" 〈중략〉

이때 원수는 진중에 있으며 적을 무찌를 묘책을 생각하고 있었다. 그런데 자연히 마음이 어지러워 장막 밖에 나가 천기를 살펴보았다. 자미성이 자리를 떠나고 모든 별이 살기등등하여 은하수에 비치고 있었다. 원수가 크게 놀라 중군장을 불러 말했다.

"내가 천기를 보니 천자의 위태함이 경각(頃刻)에 있도다. 내가 홀로 가려 하니 장군은 장수와 군졸을 거느려 진문을 굳게 닫고 내가 돌아오기를 기다리라."

[B]
　　이렇게 말하고 칼 한 자루를 쥐고 말에 올라 황성으로 향했다. 동방이 밝아 오므로 바라보니 하룻밤 사이에 황성에 다다른 것이었다. 성안에 들어가서 보니 장안이 비어 있고 궁궐은 불에 타 빈터만 남아 있었다. 원수가 통곡하며 두루 다녔으나 한 사람도 없었다. 천자께서 가신 곳을 알지 못하고 망극해하고 있었는데, 문득 수챗구멍에서 한 노인이 나오다가 원수를 보고 매우 놀라 급히 들어갔다. 원수가 급히 쫓아가며,

　　"나는 도적이 아니다, 대국 대원수 평국이니 놀라지 말고 나와 천자께서 가신 곳을 일러 달라."

　　하니 노인이 그제야 도로 기어 나와 대성통곡했다. 원수가 자세히 보니 이 사람은 기주후 여공이었다. 내려 땅에 엎드려 통곡하며 말했다.

　　"시아버님은 무슨 연유로 이 수챗구멍에 몸을 감추고 있사오며 소부의 부모와 시모님은 어디로 피난했는지 아시나이까?"

　　여공이 원수의 옷을 붙들고 울며 말했다.

　　"뜻밖에도 도적이 들어와 대궐에 불을 지르고 노략하더구나. 그래서 장안의 백성들이 도망하여 갔는데 나는 갈 길을 몰라 이 구멍에 들어와 피난했으니 사돈 두 분과 네 시모가 간 곳은 알지 못하겠구나." 〈중략〉

"천자를 구하러 가오니 아버님은 제가 돌아오기를 기다리소서."

그러고서 말에 올라 천태령을 넘어갔다. 순식간에 한수 북쪽에 다다라서 보니 ⓔ십 리 모래사장에 적병이 가득하고 항복하라고 하는 소리가 산천에 진동하고 있었다. 원수가 이 소리를 듣자 투구를 고쳐 쓰고 우레같이 소리치며 말을 채쳐 달려들어 크게 호령했다.

"적장은 나의 황상을 해치지 말라. 평국이 여기 왔노라."

이에 맹길이 두려워해 말을 돌려 도망하니 원수가 크게 호령하며 말했다.

"네가 가면 어디로 가겠느냐? 도망가지 말고 내 칼을 받으라."

이와 같이 말하며 철통같이 달려가니 원수의 준총마가 주홍 같은 입을 벌리고 순식간에 맹길의 말꼬리를 물고 늘어졌다. 맹길이 매우 놀라 몸을 돌려 긴 창을 높이 들고 원수를 찌르려고 하자 원수가 크게 성을 내 칼을 들어 맹길을 치니 맹길의 두 팔이 땅에 떨어졌다. ⓜ원수가 또 좌충우돌해 적졸을 모조리 죽이니 피가 흘러 내를 이루고 적졸의 주검이 산처럼 쌓였다.

이때 천자와 신하들이 넋을 잃고 어찌할 줄을 모르고 천자께서는 손가락을 깨물려 하고 있었다. 원수가 급히 말에서 내려 엎드려 통곡하며 여쭈었다.

"폐하께서는 옥체를 보중하옵소서. 평국이 왔나이다."

천자께서 혼미한 가운데 평국이라는 말을 듣고 한편으로는 반기며 한편으로는 슬퍼하며 원수의 손을 잡고 눈물을 흘리며 말씀을 못 하셨다. 원수가 옥체를 구호하니 이윽고 천자께서 정신을 차리고 원수에게 치하하셨다.

"짐이 모래사장의 외로운 넋이 될 것을 원수의 덕으로 사직을 안보 (安保)하게 되었도다. 원수의 은혜를 무엇으로 갚으리오?"

이렇게 말씀하시고,

"원수는 만 리 변방에서 어찌 알고 와 짐을 구했는고?"

하시니, 원수가 엎드려 아뢰었다.

"천기를 살펴보고 군사를 중군장에게 부탁하고 즉시 황성에 왔사옵니다. 장안이 비어 있고 폐하의 거처를 모르고 주저하던 차에 시아버지 여공이 수챗구멍에서 나오므로 물어서 급히 와 적장 맹길을 사로잡은 것이옵니다."

말씀을 대강 아뢰고 나와서 살아남은 적들을 낱낱이 결박해 앞세우고 황성으로 향했다. 원수의 말은 천자를 모시고 맹길이 탔던 말은 원수가 탔으며 행군 북은 맹길의 등에 지우고, 모시는 신하를 시켜 북을 울리게 하며 궁으로 돌아갔다 . 천자께서 말 위에서 용포 소매를 들어 춤을 추며 즐거워하시니 신하들과 원수도 모두 팔을 들어 춤추며 즐거워했다.

〈뒷부분 줄거리〉

계월이 천자를 구한 사이 보국이 오왕과 초왕의 항복을 받아 돌아오는데, 계월이 적장 맹길인 체하며 보국을 속여 조롱한다. 보국은 모든 면에서 자기보다 우월한 계월의 능력을 인정하고 둘의 갈등은 해소된다. 두 차례에 걸친 국가의 위기를 구한 계월은 대사마 대장군의 작위를 받는다. 또한 천자는 보국을 승상에 봉하고 여공을 오왕에, 홍무를 초왕에 봉한다. 이후 계월은 보국을 예로써 섬기며 행복하게 살고 그들의 자손은 대대로 부귀영화를 누린다.

– 작자 미상, 「홍계월전」 –

12 윗글에 대한 설명으로 적절한 것만을 〈보기〉에서 있는 대로 고른 것은?

┌─── 보기 ───┐

ㄱ. 사건 전개에 있어 우연성이 두드러진다.
ㄴ. 작품 안의 서술자가 사건에 대해 객관적으로 서술하고 있다.
ㄷ. 인물 간의 관계와 갈등 양상이 주로 대화를 통해 드러난다.
ㄹ. 유사한 장면을 나열하여 상황을 구체적으로 제시하고 있다.
ㅁ. 공간적 배경에 따라 서술자를 달리하여 상황을 드러내고 있다.

① ㄱ, ㄴ　　　② ㄱ, ㄷ　　　③ ㄱ, ㄴ, ㄷ　　　④ ㄴ, ㄷ, ㄹ　　　⑤ ㄷ, ㄹ, ㅁ

13 ㉠~㉤에 대한 설명으로 적절하지 않은 것은?

① ㉠ : 보국이 계월에게 불만을 갖는 근본적인 이유가 드러나고 있다.
② ㉡ : 영춘을 죽인 일이 계월과 보국 사이의 갈등의 원인이 됨을 알 수 있다.
③ ㉢ : 계월이 여자라는 이유로 능력을 인정하지 않으려 했던 보국의 태도를 비판하고 있다.
④ ㉣ : 계월이 앞으로 위험에 처하게 될 것임을 암시하며 극적 긴장감이 고조되고 있다.
⑤ ㉤ : 과장된 표현을 사용하여 인물의 활약상을 부각하고 있다.

14 윗글을 영웅의 일대기 구성에 따라 정리한 것으로 적절하지 <u>않은</u> 것은?

영웅의 일대기 구성	계월의 일생
고귀한 혈통에서 태어남.	이부 시랑 '홍무'의 딸로 태어남.
비정상적인 출생 과정을 거침.	자녀가 없던 양 씨가 선녀가 나오는 태몽을 꿈. ⋯⋯⋯⋯⋯ ⓐ
비범한 능력을 지님.	어려서부터 대단히 총명함.
어릴 적에 위기를 겪음.	장사랑의 반란으로 부모와 헤어지고, 죽을 위기에 처함. ⋯⋯ ⓑ
조력자의 도움을 받음.	천자가 계월을 용서하고 벼슬을 그대로 둠. ⋯⋯⋯⋯⋯⋯ ⓒ
성장하여 당시 위기를 겪음.	오왕 초왕이 반란을 일으킴. ⋯⋯⋯⋯⋯⋯⋯⋯⋯⋯⋯ ⓓ
위기를 극복하고 행복한 결말을 맞이함.	계월이 출정하여 적을 물리침. ⋯⋯⋯⋯⋯⋯⋯⋯⋯ ⓔ

① ⓐ   ② ⓑ   ③ ⓒ   ④ ⓓ   ⑤ ⓔ

15 〈보기〉를 참고하여 윗글을 감상한 내용으로 적절하지 <u>않은</u> 것은?

┤ 보기 ├

　　조선 후기의 사회·문화적 변화로 눈에 띄는 점은 국문 소설이 성행하며 독자층이 사대부가 여성을 비롯하여 평민층으로까지 확대되었다는 점과 가부장제 사회에서 남성에게 굴종을 강요당하던 여성의 의식이 변화하기 시작했다는 점이다. 여성 주인공의 영웅적 활약에 초점을 맞춘 여성 영웅 소설은 이러한 흐름에서 성행하였다. 물론 충군(忠君) 사상이나 남존여비(男尊女卑)와 같은 당대 유교적 이념의 벽은 여전히 견고했다. 하지만 소설에서 남성보다 뛰어난 여성 주인공을 내세워 기존의 가부장적 질서를 비판했다는 점을 통해 조선 후기 여성의 의식이 성장하고 있었다는 것을 알 수 있다.

① 여성이 주인공으로 등장했다는 점을 통해 소설의 독자층이 여성으로 확대되었음을 알 수 있어.

② 계월이 나라와 천자에 충성을 다하는 장면을 통해 충군 사상과 같은 유교적 이념을 엿볼 수 있어.

③ 여성이 남성보다 뛰어난 능력을 발휘하는 장면을 통해 당대 여성의 의식이 성장했음을 엿볼 수 있어.

④ 계월이 자신의 능력으로 시련을 극복하는 것을 통해 남성의 권위에서 벗어나려는 여성 영웅의 모습을 확인할 수 있어.

⑤ 계월이 남장을 벗는 순간 여성의 지위로 돌아오는 모습을 통해 당대 여성들이 신분 차별로 인해 사회적 활동에 제약을 받았음을 알 수 있어.

[16~20] 다음 글을 읽고 물음에 답하시오.

〈앞부분 줄거리〉

명나라 때 이부 시랑(吏部侍郎) 홍무는 나이 사십이 되도록 자녀가 없어 고민하였다. 그러던 어느 날, 부인 양 씨의 꿈에 선녀가 나타난 후 무남독녀 계월을 얻었는데, 그 아이가 어려서부터 대단히 총명하였다. 계월이 다섯 살 때, 장사랑의 반란이 일어나 난리 속에 부모와 헤어진다. 자리에 싸여 강에 던져진 계월은 여공이라는 사람의 도움으로 목숨을 건진다. 여공은 계월의 이름을 평국이라고 고친 후, 동갑인 아들 보국과 함께 곽도사에게 보내 가르침을 받게 한다. 이후 계월과 보국은 나란히 과거에 급제한다.

오랑캐가 중원을 침범하자 천자의 명에 따라 계월은 원수로, 보국은 부원수로 전쟁터에 나간다. 그러나 보국이 계월의 말을 듣지 않고, 호기를 부리며 나가 싸우다가 크게 패한다. 계월은 이를 벌하려다 여러 장수의 만류로 용서하고, 자기가 직접 나가 적을 무찌른다. 이 과정에서 계월은 헤어졌던 부모와 우연히 만난다.

계월이 전쟁에 다녀온 후로 병이 매우 깊어지자 천자는 어의를 보내는데, 어의의 진맥으로 계월이 여자임이 탄로 난다. 계월은 상소를 올려 천자를 속인 죄를 청하나, 천자는 이를 너그럽게 용서하며 계월의 벼슬을 그대로 둔 채 보국과의 혼인을 중매한다. 계월은 앞으로 규중에 갇혀 살아야 한다는 생각에 남자로 태어나지 못한 것을 한스러워하고, 보국은 자기를 군령으로 다스려 조롱한 계월에게 불만을 품으며 두 사람은 갈등을 겪게 된다. 천자의 명에 따라 계월과 보국이 혼례를 치른 다음 날 보국의 애첩인 영춘이 계월의 행차를 보고도 예를 갖추지 않자 계월은 군법을 적용하여 그의 목을 베게 한다.

이때 보국은 계월이 영춘을 죽였다는 말을 듣고 분함을 이기지 못해 부모에게 아뢰었다.

"계월이 전날은 대원수 되어 소자를 중군장으로 부렸으니 군대에 있을 때에는 소자가 계월을 업신여기지 못했사옵니다. 하지만 지금은 계월이 소자의 아내이오니 어찌 소자의 사랑하는 영춘을 죽여 제 마음을 편안하지 않게 할 수가 있단 말이옵니까?"

여공이 이 말을 듣고 만류했다.

[A] ㉠"계월이 비록 네 아내는 되었으나 벼슬을 놓지 않고 기개가 당당하니 족히 너를 부릴 만한 사람이다. 그러나 예로써 너를 섬기고 있으니 어찌 마음 씀을 그르다고 하겠느냐? 영춘은 네 첩이다. 자기가 거만하다가 죽임을 당했으니 누구를 한하겠느냐? 또한 계월이 잘못해 궁노(宮奴)나 궁비(宮婢)를 죽인다 해도 누가 계월을 그르다고 책망할 수 있겠느냐? 너는 조금도 염려하지 말고 마음을 변치 말라. 만일 계월이 영춘을 죽였다 하고 계월을 꺼린다면 부부 사이의 의리도 변할 것이다. 또한 계월은 천자께서 중매하신 여자라 계월을 싫어한다면 네게 해로움이 있을 것이니 부디 조심하라."

㉡"장부가 되어 계집에게 괄시를 당할 수 있겠나이까?"

보국이 이렇게 말하고 그 후부터는 계월의 방에 들지 않았다.

㉢이에 계월이, '영춘이 때문에 나를 꺼려 오지 않는구나.'라고 생각했다.

"누가 보국을 남자라 하겠는가? 여자에게도 비할 수 없구나."

이렇게 말하며 자신이 남자가 되지 못한 것이 분해 눈물을 흘리며 세월을 보냈다. 〈중략〉

천자께서 매우 놀라시고 용상을 두드리다 기절하셨다. 우승상 천희가 천자를 등에 업고 북쪽 문을 열고 도망하니 시신 백여 명이 따라가 천태령을 넘어갔다. 적장 맹길이 천자께서 도망하시는 것을 보고 크게 소리를 질렀다.

"명나라 황제는 도망치지 말고 항복하라."

이렇게 소리치며 쫓아오니 모시는 신하도 넋을 잃고 죽기 살기로 나아가니 앞에 큰 강이 가로막고 있었다. 이에 천자께서 하늘을 우러러 탄식하셨다.

ⓐ"이제는 죽겠구나. 앞에는 큰 강이요, 뒤에는 적병이 있어 형세가 급하니 이 일을 어찌하겠는가?"

이렇게 말씀하시며 자결하려고 하시니 맹길이 벌써 달려들어 천자 앞에서 창을 휘두르며,

"죽는 것이 아깝거든 항서를 어서 올리라."

하니 이에 모시는 신하 등이 애걸했다. 〈중략〉

이때 원수는 진중에 있으며 적을 무찌를 묘책을 생각하고 있었다. ㉣그런데 자연히 마음이 어지러워 장막 밖에 나가 천기를 살펴보았다. 자미성이 자리를 떠나고 모든 별이 살기등등하여 은하수에 비치고 있었다. 원수가 크게 놀라 중군장을 불러 말했다.

"내가 천기를 보니 천자의 위태함이 경각(頃刻)에 있도다. 내가 홀로 가려 하니 장군은 장수와 군졸을 거느려 진문을 굳게 닫고 내가 돌아오기를 기다리라."

이렇게 말하고 칼 한 자루를 쥐고 말에 올라 황성으로 향했다. 동방이 밝아 오므로 바라보니 하룻밤 사이에 황성에 다

다른 것이었다. 성안에 들어가서 보니 장안이 비어 있고 궁궐은 불에 타 빈터만 남아 있었다. 〈중략〉

그러고서 말에 올라 천태령을 넘어갔다. 순식간에 한수 북쪽에 다다라서 보니 십 리 모래사장에 적병이 가득하고 항복하라고 하는 소리가 산천에 진동하고 있었다. 원수가 이 소리를 듣자 투구를 고쳐 쓰고 우레같이 소리치며 말을 채쳐 달려들어 크게 호령했다.

ⓜ"적장은 나의 황상을 해치지 말라. 평국이 여기 왔노라."

이에 맹길이 두려워해 말을 돌려 도망하니 원수가 크게 호령하며 말했다.

"네가 가면 어디로 가겠느냐? 도망가지 말고 내 칼을 받으라."

이와 같이 말하며 철통같이 달려가니 원수의 준총마가 주홍 같은 입을 벌리고 순식간에 맹길의 말꼬리를 물고 늘어졌다. 맹길이 매우 놀라 몸을 돌려 긴 창을 높이 들고 원수를 찌르려고 하자 원수가 크게 성을 내 칼을 들어 맹길을 치니 맹길의 두 팔이 땅에 떨어졌다. 원수가 또 좌충우돌해 적졸을 모조리 죽이니 피가 흘러 내를 이루고 적졸의 주검이 산처럼 쌓였다.

이때 천자와 신하들이 넋을 잃고 어찌할 줄을 모르고 천자께서는 손가락을 깨물려 하고 있었다. 원수가 급히 말에서 내려 엎드려 통곡하며 여쭈었다.

"폐하께서는 옥체를 보중하옵소서. 평국이 왔나이다."

천자께서 혼미한 가운데 평국이라는 말을 듣고 한편으로는 반기며 한편으로는 슬퍼하며 원수의 손을 잡고 눈물을 흘리며 말씀을 못 하셨다. 원수가 옥체를 구호하니 이윽고 천자께서 정신을 차리고 원수에게 치하하셨다.

"짐이 모래사장의 외로운 넋이 될 것을 원수의 덕으로 사직을 안보(安保)하게 되었도다. 원수의 은혜를 무엇으로 갚으리오?"

이렇게 말씀하시고,

"원수는 만 리 변방에서 어찌 알고 와 짐을 구했는고?"

하시니, 원수가 엎드려 아뢰었다.

"천기를 살펴보고 군사를 중군장에게 부탁하고 즉시 황성에 왔사옵니다. 장안이 비어 있고 폐하의 거처를 모르고 주저하던 차에 시아버지 여공이 수챗구멍에서 나오므로 물어서 급히 와 적장 맹길을 사로잡은 것이옵니다."

말씀을 대강 아뢰고 나와서 살아남은 적들을 낱낱이 결박해 앞세우고 황성으로 향했다. 원수의 말은 천자를 모시고 맹길이 탔던 말은 원수가 탔으며 행군 북은 맹길의 등에 지우고, 모시는 신하를 시켜 북을 울리게 하며 궁으로 돌아갔다. 천자께서 말 위에서 용포 소매를 들어 춤을 추며 즐거워하시니 신하들과 원수도 모두 팔을 들어 춤추며 즐거워했다.

– 작자 미상, 「홍계월전」 –

16 위 글에 대한 설명으로 적절하지 <u>않은</u> 것은?

① 대화를 통하여 사건을 요약적으로 제시하고 있다.
② 순행적 구성으로 시간의 흐름에 따라 전개되고 있다.
③ 편집자적 논평을 통하여 특정 인물을 옹호하고 있다.
④ 비유적 표현을 사용하여 장면을 생생하게 표현하고 있다.
⑤ 비현실적 전개를 통하여 인물의 영웅성을 부각시키고 있다.

17 ㉠~㉤에 대한 설명으로 적절하지 <u>않은</u> 것은?

① ㉠ : 여공은 여성의 우위를 인정할 수 있는 근대적 가치관을 지닌 인물이다.
② ㉡ : 근본적인 갈등의 원인은 보국의 가부장적 가치관 때문이다.
③ ㉢ : 계월은 보국의 사랑을 받는 영춘에 대한 시기심으로 분노하고 있다.
④ ㉣ : 천기를 보고 천자의 위기를 예측하는 인물의 비범한 능력이 드러난다.
⑤ ㉤ : 계월의 천자를 향한 충성심을 통해서 당대 유교적 사상을 엿볼 수 있다.

18 [A]에서 여공이 지킨 담화 관습으로 가장 적절한 것은?

① 도리에 맞지 않거나 남을 헐뜯는 말은 가려듣는다.
② 직접적으로 표현하기 어려운 내용을 완곡하게 돌려 말한다.
③ 상대방을 존중하고 예의를 갖추면서 자기를 낮추어 말한다.
④ 말을 중요하게 여겨 꼭 필요한 말만 하고 불필요한 말을 삼간다.
⑤ 상대방이 하는 말이 관심을 끌지 않더라도 귀 기울여 끝까지 잘 듣는다.

19 〈보기〉의 관점에서 보일 수 있는 반응으로 가장 적절한 것은?

┤ 보기 ├

　　계월이 남자와 여자라는 '차이'가 '차별'로 연결되지 않도록 갖은 애를 다 썼지만, 강고한 세계의 질서는 자그마한 한 여자의 소망대로 돌아가지는 않았다. 계월은 결국 보국을 '섬겨야'하는 여자로 돌아가야만 했다. 남자를 쥐락펴락한 것은 한바탕 꿈과 같았다. 그러나 우리가 주목할 점은 한바탕 꿈을 꾼 것이 비록 남성 중심적인 세계에 대한 선망을 중심으로 한 결과이지만, 그 이면에는 무능한 남자에 대한 비판과 아울러 능력 있는 여자가 자아를 펼치지 못하는 시대적 한계에 대한 아쉬움이 스며들어 있다는 점이다.
　　계월은 자신이 남자가 되지 못한 것에 깊은 실망을 하고 남자를 이기려고 한다. 그러나 그것은 자신이 여자임을 철저히 인식하는 데에서 온 결과는 아니다. 이는 여자를 거부하고 세상을 지배하는 남자를 향해 가려는 데에서 나온 행위이다. 이러한 면에서 계월이 여자로서의 자기 정체성을 뚜렷이 지닌 인물은 아니라는 한계를 보인다. 그렇지만 당대에 여자로서 남자보다 능력이 있는데 왜 남자에게 복종해야 하는가를 어렴풋이나마 고민하는 모습이 드러난다는 점은 의의가 있다.

－ 장시광, 「남자가 될 수 없는 여자」 －

① **하연** : 여성의 사회적 자아실현에 대한 가능성을 충실히 보여주고 있군.
② **보미** : 당대 상류층 여성의 요구를 반영하여 여성 영웅을 주인공으로 하였군.
③ **미성** : 당대 남존여비와 같은 유교적 이념의 벽이 허물어지고 있음을 알 수 있군.
④ **주은** : 무능력한 남성을 비판하고 여성을 중심으로 한 시대 개혁을 모색하고 있군.
⑤ **현진** : 계월이 남장을 통해서만 여성의 지위와 한계를 탈피하고 주체적인 삶을 살 수 있었군.

20 ⓐ와 관련된 한자성어로 적절하지 않은 것은?

① 누란지위(累卵之危)　　　② 명재경각(命在頃刻)　　　③ 사면초가(四面楚歌)
④ 진퇴유곡(進退維谷)　　　⑤ 풍수지탄(風樹之嘆)

〈앞부분 줄거리〉

명나라 때 이부 시랑(吏部侍郎) 홍무는 나이 사십이 되도록 자녀가 없어 고민하였다. 그러던 어느 날, 부인 양 씨의 꿈에 ㉠선녀가 나타난 후 무남독녀 계월을 얻었는데, 그 아이가 어려서부터 대단히 총명하였다. 계월이 다섯 살 때, ㉡장사랑의 반란이 일어나 난리 속에 부모와 헤어진다. 자리에 싸여 강에 던져진 계월은 ㉢여공이라는 사람의 도움으로 목숨을 건진다. 여공은 계월의 이름을 평국이라고 고친 후, 동갑인 아들 보국과 함께 곽 도사에게 보내 가르침을 받게 한다. 이후 계월과 보국은 나란히 과거에 급제한다.

㉣오랑캐가 중원을 침범하자 천자의 명에 따라 계월은 원수로, 보국은 부원수로 전쟁터에 나간다. 그러나 보국이 계월의 말을 듣지 않고, 호기를 부리며 나가 싸우다가 크게 패한다. 계월은 이를 벌하려다 여러 장수의 만류로 용서하고, 자기가 직접 나가 적을 무찌른다. 이 과정에서 계월은 헤어졌던 부모와 우연히 만난다.

계월이 전쟁에 다녀온 후로 병이 매우 깊어지자 천자는 어의를 보내는데, ㉤어의의 진맥으로 계월이 여자임이 탄로 난다. 계월은 상소를 올려 천자를 속인 죄를 청하나, 천자는 이를 너그럽게 용서하며 계월의 벼슬을 그대로 둔 채 보국과의 혼인을 중매한다. 계월은 앞으로 규중에 갇혀 살아야 한다는 생각에 남자로 태어나지 못한 것을 한스러워하고, 보국은 자기를 군령으로 다스려 조롱한 계월에게 불만을 품으며 두 사람은 갈등을 겪게 된다. 천자의 명에 따라 계월과 보국이 ⓑ혼례를 치른 다음 날 보국의 애첩인 영춘이 계월의 행차를 보고도 예를 갖추지 않자 계월은 군법을 적용하여 그의 목을 베게 한다.

(가) 이때 보국은 계월이 영춘을 죽였다는 말을 듣고 분함을 이기지 못해 부모에게 아뢰었다.

"계월이 전날은 대원수 되어 소자를 중군장으로 부렸으니 군대에 있을 때에는 소자가 계월을 업신여기지 못했사옵니다. 하지만 지금은 계월이 소자의 아내이오니 어찌 소자의 사랑하는 영춘을 죽여 제 마음을 편안하지 않게 할 수가 있단 말이옵니까?"

여공이 이 말을 듣고 만류했다.

"계월이 비록 네 아내는 되었으나 벼슬을 놓지 않았고 ⓐ기개가 당당하니 족히 너를 부릴 만한 사람이다. 그러나 예로써 너를 섬기고 있으니 어찌 마음 씀을 그르다고 하겠느냐? 영춘은 네 첩이다. 자기가 거만하다가 죽임을 당했으니 누구를 한하겠느냐? 또한 계월이 잘못해 궁노(宮奴)나 궁비(宮婢)를 죽인다 해도 누가 계월을 그르다고 책망할 수 있겠느냐? 너는 조금도 염려하지 말고 마음을 변치 말라. 만일 계월이 영춘을 죽였다 하고 계월을 꺼린다면 부부 사이의 의리도 변할 것이다. 또한 계월은 천자께서 중매하신 여자라 계월을 싫어한다면 네게 해로움이 있을 것이니 부디 조심하라."

"장부가 되어 계집에게 ⓑ괄시를 당할 수 있겠나이까?"

보국이 이렇게 말하고 그 후부터는 계월의 방에 들지 않았다. 이에 계월이,

'영춘이 때문에 나를 꺼려 오지 않는구나.'

라고 생각했다.

"누가 보국을 남자라 하겠는가? 여자에게도 비할 수 없구나."

이렇게 말하며 자신이 남자가 되지 못한 것이 분해 눈물을 흘리며 세월을 보냈다.

각설, 이때 남관(南關)의 수장이 장계를 올렸다. 천자께서 급히 뜯어보시니 다음과 같은 내용이었다.

> 오왕과 초왕이 반란을 일으켜 지금 황성을 범하고자 하옵니다. 오왕은 구덕지를 얻어 대원수로 삼고 초왕은 장맹길을 얻어 선봉으로 삼았사온데, 이들이 장수 천여 명과 군사 십만을 거느려 호주 북쪽 고을 칠십여 성을 무너뜨려 항복을 받고 형주 자사 이왕태를 베고 짓쳐왔사옵니다. 소장의 힘으로는 능히 방비할 길이 없어 감히 아뢰오니 엎드려 바라건대, 황상께서는 어진 명장을 보내셔서 적을 방비하옵소서.

천자께서 보시고 크게 놀라 조정의 관리들과 의논하니 우승상 정영태가 아뢰었다.

"이 도적은 좌승상 평국을 보내야 막을 수 있을 것이오니 급히 평국을 부르소서."

천자께서 들으시고 오래 있다가 말씀하셨다.

"평국이 전날에는 세상에 나왔으므로 불렀지만 지금은 규중에 있는 여자니 차마 어찌 불러서 전장에 보내겠는가?"

이에 신하들이 아뢰었다.

"평국이 지금 규중에 있으나 이름이 ⓒ조야에 있고 또한 작록을 거두지 않았사오니 어찌 규중에 있다 하여 꺼리겠나이

까?"

천자께서 마지못하여 급히 평국을 부르셨다.

이때 평국은 규중에 홀로 있으며 매일 시녀를 데리고 장기와 바둑으로 세월을 보내고 있었다. 그런데 사관(使官)이 와서 천자께서 부르신다는 명령을 전했다. 평국이 크게 놀라 급히 여자 옷을 조복(朝服)으로 갈아입고 사관을 따라가 임금 앞에 엎드리니 천자께서 크게 기뻐하며 말씀하셨다.

"경이 ⓓ규중에 처한 후로 오랫동안 보지 못해 밤낮으로 사모하더니 이제 경을 보니 기쁨이 한량없도다. 그런데 짐이 덕이 없어 지금 오와 초 두 나라가 반란을 일으켜 호주의 북쪽 땅을 쳐 항복을 받고, 남관을 헤쳐 황성을 범하고자 한다고 하는도다. 그러니 경은 스스로 마땅히 일을 잘 처리하여 사직을 보호하도록 하라."

이렇게 말씀하시니 평국이 엎드려 아뢰었다.

"신첩이 ⓔ외람되게 폐하를 속이고 공후 작록을 받아 영화로 이 지낸 것도 황공했사온데 폐하께서는 죄를 용서해 주시고 신첩을 매우 사랑하셨사옵니다. 신첩이 비록 어리석으나 힘을 다해 성은을 만분의 일이나 갚으려 하오니 폐하께서는 근심하지 마옵소서."

(나) 원수가 장수에게 임무를 각각 정해 주고 추구월 갑자일에 행군하여 십일월 초하루에 남관에 당도했다. 삼 일을 머무르고 즉시 떠나 오 일째에 천촉산을 지나 영경루에 다다르니 적병이 드넓은 평원에 진을 쳤는데 그 단단함이 철통과도 같았다. 원수가 적진을 마주 보고 진을 친 후 명령을 하달했다.

"장수의 명령을 어기는 자는 곧바로 벨 것이다."

이러한 호령이 추상같으므로 장수와 군졸들이 겁을 내어 어찌할 줄을 모르고 보국은 또 매우 조심했다.

이튿날 원수가 중군장에게 분부했다.

"며칠은 중군장이 나가 싸워라."

중군장이 명령을 듣고 말에 올라 삼 척 장검을 들고 적진을 가리켜 소리 질렀다.

"나는 명나라 중군 대장 보국이다. 대원수의 명령을 받아 너희 머리를 베려 하니 너희는 어서 나와 칼을 받으라."

적장 운평이 이 소리를 듣고 크게 성을 내어 말을 몰아 나와서 싸웠다. 삼 합이 못 하여 보국의 칼이 빛나며 운평의 머리가 말 아래에 떨어졌다. 적장 운경이 운평이 죽는 것을 보고 매우 화를 내어 말을 몰아 달려들었다. 보국이 기세등등하여 창을 높이 들고 서로 싸웠다. 몇 합이 못 되어 보국이 칼을 날려 운경이 칼 든 팔을 치니 운경이 미처 손을 놀리지 못하고 칼을 든 채 말 아래에 떨어졌다.

[A] ┌ 보국이 운경의 머리를 베어 들고 본진으로 돌아가려는 즈음에, 적장 구덕지가 대로해 긴 칼을 높이 들고 말을 몰아 크게 고함을 치고 달려들었다. 난데없는 적병이 또 사방에서 달려드니 보국이 겁이 나고 두려워 피하려고 했으나 └ 순식간에 적들이 함성을 지르고 보국을 천여 겹으로 에워쌌다. 형세가 위급하므로 보국이 하늘을 우러러 탄식했다.

[B] ┌ 이때 원수가 장대에서 북을 치다가 보국의 위급함을 보고 급히 말을 몰아 긴 칼을 높이 들고 좌충우돌해 적진을 헤치고 구덕지의 머리를 베어 들고 보국을 구했다. 몸을 날려 적진에서 충돌하니 동에 번쩍 서쪽의 장수를 베고, 남으로 가는 듯하다가 북쪽의 장수를 베었다. 이처럼 좌충우돌하여 적장 오십여 명과 군사 천여 명을 한칼로 소멸하고 └ 본진으로 돌아왔다.

보국이 원수 보기를 부끄러워하니 원수가 보국을 꾸짖어 말했다.

"저러고서도 평소에 남자라고 칭하리오? 나를 업신여기더니 이제도 그렇게 할까?"

이렇게 말하며 보국을 무수히 조롱했다.

이때 원수가 장대에 자리를 잡고 앉아 구덕지의 머리를 함에 봉해 황성으로 보냈다.

– 작자 미상, 「홍계월전」 –

21 다음은 '영웅소설'의 구조이다. 이를 바탕으로 ㉠~㉥을 이해한 것으로 적절하지 않은 것은?

	〈영웅 소설의 구조〉		〈작품의 내용〉
ⓐ	고귀한 혈통과 비범한 출생 능력	→	㉠은 주인공의 비범한 출생을 암시한다.
ⓑ	어린 시절의 시련	→	㉡으로 인해 주인공은 시련을 겪는다.
ⓒ	조력자의 도움 및 극복	→	㉢은 주인공이 시련을 극복하도록 돕는다.
ⓓ	성장 후 위기를 겪음	→	㉣, ㉤은 성장 후 겪는 위기 상황으로 볼 수 있다.
ⓔ	위기 극복 후 영화를 누리며 행복하게 살게 됨	→	㉥의 사건으로 주인공은 행복한 삶을 살게 된다.

① ⓐ ② ⓑ ③ ⓒ ④ ⓓ ⑤ ⓔ

22 (가)의 등장인물에 대한 이해로 가장 적절한 것은?

① 영춘은 계월이 여성이라는 이유로 업신여기다가 오히려 계월에게 죽임을 당하였다.
② 보국은 공사(公私)가 분명한 사람으로, 계월이 상황에 맞게 자신을 대하기를 바라고 있다.
③ 여공은 공적인 역할이 중요하다고 생각하나, 가부장적인 가치관이 더 중요하다고 생각한다.
④ 신하들은 계월이 여성으로 밝혀진 후에도 이전과 같은 시각으로 계월의 능력을 평가하고 있다.
⑤ 천자는 계월이 혼례를 치른 후에는 그녀의 능력을 의심하여 전쟁터에 부르는 것을 꺼리고 있다.

23 ⓐ~ⓔ의 의미로 적절하지 않은 것은?

① ⓐ : 씩씩한 기상과 굳은 절개
② ⓑ : 업신여겨 하찮게 대함
③ ⓒ : 조정의 관직을 받은 사람
④ ⓓ : 부녀자가 거처하는 곳
⑤ ⓔ : 하는 행동이나 생각이 분수에 넘침

24 (나)에 나타난 서술상의 특징으로 가장 적절한 것은?

① 가치관이 대립되는 두 인물을 배치하여 인물 간의 갈등이 심화되는 양상을 구체화하고 있다.

② 주인공의 능력을 비현실적으로 서술하여 영웅적인 면모를 부각시키고 있다.

③ 장면을 빈번하게 전환하여 사건의 긴장감과 속도감을 높이고 있다.

④ 인물의 내면을 묘사하여 혼란스러운 심리 상태를 드러내고 있다.

⑤ 서술자가 개입하여 앞으로의 사건 전개 방향을 암시하고 있다.

25 [A]의 상황과 가장 거리가 먼 한자성어는?

① 고립무원(孤立無援)　　② 누란지위(累卵之危)　　③ 백척간두(百尺竿頭)

④ 사상누각(沙上樓閣)　　⑤ 진퇴유곡(進退維谷)

26 다음 중 [B]에서 '원수'가 불렀음직한 노래로 가장 적절한 것은?

① 가노라 삼각산(三角山)아 다시 보자 한강수야

　　고국 산천을 떠나고자 하랴마는

　　시절이 하 수상하니 올동 말동 ᄒ여라

② 가마귀 싸호ᄂ 골에 白鷺(백로)야 가지 마라.

　　셩낸 가마귀 흰비츨 새오나니.

　　淸江(청강)에 좋이 시슨 몸을 더러일까 ᄒ노라.

③ 삭풍(朔風)은 나모 긋희 불고 명월(明月)은 눈 속에 찬ᄃᆡ

　　만리(萬里邊城)에 일장검(一長劍) 집고 셔셔,

　　긴 푸롬 큰 ᄒ 소ᄅᆡ에 거틸 거시 업셰라.

④ 수양산(首陽山) 바라보며 이제(夷齊)를 한ᄒ노라

　　주려 주글진들 채미(採薇)도 하ᄂ 것가.

　　비록애 푸새엣 거신들 싸헤 낫ᄃᆞ니.

⑤ 오백년 도읍지(都邑地)를 필마(匹馬)로 도라드니,

　　산천(山川)은 의구(依舊)ᄒ되 인걸(人傑)은 간 ᄃᆡ 업다.

　　어즈버, 태평연월(太平烟月)이 꿈이런가 ᄒ노라.

〈앞부분 줄거리〉

[A]
명나라 때 이부 시랑(吏部侍郎) 홍무는 나이 사십이 되도록 자녀가 없어 고민하였다. 그러던 어느 날, 부인 양 씨의 꿈에 선녀가 나타난 후 무남독녀 계월을 얻었는데, 그 아이가 어려서부터 대단히 총명하였다. 계월이 다섯 살 때, 장사랑의 반란이 일어나 난리 속에 부모와 헤어진다. 자리에 싸여 강에 던져진 계월은 여공이라는 사람의 도움으로 목숨을 건진다. 여공은 계월의 이름을 평국이라고 고친 후, 동갑인 아들 보국과 함께 곽 도사에게 보내 가르침을 받게 한다. 이후 계월과 보국은 나란히 과거에 급제한다.

오랑캐가 중원을 침범하자 천자의 명에 따라 계월은 원수로, 보국은 부원수로 전쟁터에 나간다. 그러나 보국이 계월의 말을 듣지 않고, 호기를 부리며 나가 싸우다가 크게 패한다. 계월은 이를 벌하려다 여러 장수의 만류로 용서하고, 자기가 직접 나가 적을 무찌른다. 이 과정에서 계월은 헤어졌던 부모와 우연히 만난다.

계월이 전쟁터에 다녀온 후로 병이 매우 깊어지자 천자는 어의를 보내는데, 어의의 진맥으로 계월이 여자임이 탄로 난다. 계월은 상소를 올려 천자를 속인 죄를 청하나, 천자는 이를 너그럽게 용서하며 계월의 벼슬을 그대로 둔 채 보국과의 혼인을 중매한다. 계월은 앞으로 규중에 갇혀 살아야 한다는 생각에 남자로 태어나지 못한 것을 한스러워하고, 보국은 자기를 군령으로 다스려 조롱한 계월에게 불만을 품으며 두 사람은 갈등을 겪게 된다. 천자의 명에 따라 계월과 보국이 혼례를 치른 다음 날 보국의 애첩인 영춘이 계월의 행차를 보고도 예를 갖추지 않자 계월은 군법을 적용하여 그의 목을 베게 한다.

이때 보국은 계월이 영춘을 죽였다는 말을 듣고 분함을 이기지 못해 부모에게 아뢰었다.

"계월이 전날은 대원수 되어 소자를 중군장으로 부렸으니 군대에 있을 때에는 소자가 계월을 업신여기지 못했사옵니다. 하지만 지금은 계월이 소자의 아내이오니 어찌 소자의 사랑하는 영춘을 죽여 제 마음을 편안하지 않게 할 수가 있단 말이옵니까?"

여공이 이 말을 듣고 만류했다.

[B]
"계월이 비록 네 아내는 되었으나 벼슬을 놓지 않았고 기개가 당당하니 족히 너를 부릴 만한 사람이다. 그러나 예로써 너를 섬기고 있으니 어찌 마음씀을 그르다고 하겠느냐? 영춘은 네 첩이다. 자기가 거만하다가 죽임을 당했으니 누구를 한하겠느냐? 또한 계월이 잘못해 궁노(宮奴)나 궁비(宮婢)를 죽인다 해도 누가 계월을 그르다고 책망할 수 있겠느냐? 너는 조금도 염려하지 말고 마음을 변치 말라. 만일 계월이 영춘을 죽였다 하고 계월을 꺼린다면 부부 사이의 의리도 변할 것이다. 또한 계월은 천자께서 중매하신 여자라 계월을 싫어한다면 네게 해로움이 있을 것이니 부디 조심하라."

"㉠장부가 되어 계집에게 괄시를 당할 수 있겠나이까?"

보국이 이렇게 말하고 그 후부터는 계월의 방에 들지 않았다.

이에 계월이,

'영춘이 때문에 나를 꺼려 오지 않는구나.'

라고 생각했다.

"누가 보국을 남자라 하겠는가? 여자에게도 비할 수 없구나."

이렇게 말하며 자신이 남자가 되지 못한 것이 분해 눈물을 흘리며 세월을 보냈다.

각설, 이때 남관(南關)의 수장이 장계를 올렸다. 천자께서 급히 뜯어보시니 다음과 같은 내용이었다.

> 오왕과 초왕이 반란을 일으켜 지금 황성을 범하고자 하옵니다. 오왕은 구덕지를 얻어 대원수로 삼고 초왕은 장맹길을 얻어 선봉으로 삼았사온데, 이들이 장수 천여 명과 군사 십만을 거느려 호주 북쪽 고을 칠십여 성을 무너뜨려 항복을 받고 형주 자사 이왕태를 베고 짓쳐왔사옵니다. 소장의 힘으로는 능히 방비할 길이 없어 감히 아뢰오니 엎드려 바라건대, 황상께서는 어진 명장을 보내셔서 적을 방비하옵소서.

천자께서 보시고 크게 놀라 조정의 관리들과 의논하니 우승상 정영태가 아뢰었다.

"이 도적은 좌승상 평국을 보내야 막을 수 있을 것이오니 급히 평국을 부르소서."

천자께서 들으시고 오래 있다가 말씀하셨다.

"평국이 전날에는 세상에 나왔으므로 불렀지만 ⓛ지금은 규중에 있는 여자니 차마 어찌 불러서 전장에 보내겠는가?"

이에 신하들이 아뢰었다.

"평국이 지금 규중에 있으나 이름이 조야에 있고 또한 작록을 거두지 않았사오니 어찌 규중에 있다 하여 꺼리겠나이까?"

천자께서 마지못하여 급히 평국을 부르셨다.

이때 평국은 규중에 홀로 있으며 매일 시녀를 데리고 장기와 바둑으로 세월을 보내고 있었다. 그런데 사관(使官)이 와서 천자께서 부르신다는 명령을 전했다. 평국이 크게 놀라 급히 여자 옷을 조복(朝服)으로 갈아입고 사관을 따라가 임금 앞에 엎드리니 천자께서 크게 기뻐하며 말씀하셨다.

"경이 규중에 처한 후로 오랫동안 보지 못해 밤낮으로 사모하더니 이제 경을 보니 기쁨이 한량없도다. 그런데 짐이 덕이 없어 지금 오와 초 두 나라가 반란을 일으켜 호주의 북쪽 땅을 쳐 항복을 받고, 남관을 헤쳐 황성을 범하고자 한다고 하는도다. 그러니 ⓒ경은 스스로 마땅히 일을 잘 처리하여 사직을 보호하도록 하라."

이렇게 말씀하시니 평국이 엎드려 아뢰었다.

"신첩 외람되게 폐하를 속이고 공후 작록을 받아 영화로 이 지낸 것도 황공했사온데 폐하께서는 죄를 용서해 주시고 신첩을 매우 사랑하셨사옵니다. 신첩이 비록 어리석으나 힘을 다해 성은을 만분의 일이나 갚으려 하오니 폐하께서는 근심하지 마옵소서."

천자께서 이에 크게 기뻐하시고 즉시 수많은 군사와 말을 징발해 주셨다. 그리고 벼슬을 높여 평국을 대원수로 삼으시니 원수가 사은숙배하고 위의를 갖추어 친히 붓을 잡아 보국에게 전령(傳令)을 내렸다.

> 적병의 형세가 급하니 중군장은 급히 대령하여 군령을 어기지 마라.

보국이 전령을 보고 분함을 이기지 못해 부모에게 말했다.

"ⓔ계월이 또 소자를 중군장으로 부리려 하오니 이런 일이 어디 있사옵니까?"

여공이 말했다.

"전날 내가 너에게 무엇이라 일렀더냐? 계월이를 괄시하다가 이런 일을 당했으니 어찌 계월이가 그르다고 하겠느냐? 나랏일이 더할 수 없이 중요하니 어찌할 수 없구나."

이렇게 말하고 어서 가기를 재촉했다. 보국이 할 수 없이 갑옷과 투구를 갖추고 진중(陣中)에 나아가 원수 앞에 엎드리니 원수 분부했다.

"만일 명령을 거역하는 자가 있다면 군법으로 시행할 것이다."

보국이 겁을 내어 중군장 처소로 돌아와 명령이 내려지기를 기다렸다.

원수가 장수에게 임부를 각각 정해 주고 추구월 갑자일에 행군하여 십일월 초하루에 남관에 당도했다. 삼 일을 머무르고 즉시 떠나 오 일째에 천촉산을 지나 영경루에 다다르니 적병이 드넓은 평원에 진을 쳤는데 그 단단함이 철통과도 같았다. 원수가 적진을 마주 보고 진을 친 후 명령을 하달했다.

"장수의 명령을 어기는 자는 곧바로 벨 것이다."

이러한 호령이 추상같으므로 장수와 군졸들이 겁을 내어 어찌할 줄을 모르고 보국은 또 매우 조심했다.

이튿날 원수가 중군장에게 분부했다.

"며칠은 중군장이 나가 싸우라."

중군장이 명령을 듣고 말에 올라 삼 척 장검을 들고 적진을 가리켜 소리 질렀다.

"나는 명나라 중군 대장 보국이다. 대원수의 명령을 받아 너희 머리를 베려 하니 너희는 어서 나와 칼을 받으라."

적장 운평이 이 소리를 듣고 크게 성을 내어 말을 몰아 나와서 싸웠다. 삼 합이 못 하여 보국의 칼이 빛나며 운평의 머리가 말 아래에 떨어졌다. 적장 운경이 운평이 죽는 것을 보고 매우 화를 내어 말을 몰아 달려들었다. 보국이 기세등등하여 창을 높이 들고 서로 싸웠다. 몇 합이 못 되어 보국이 칼을 날려 운경이 칼 든 팔을 치니 운경이 미처 손을 놀리지 못하고 칼을 든 채 말 아래에 떨어졌다.

보국이 운경의 머리를 베어 들고 본진으로 돌아가려는 즈음에, 적장 구덕지가 대로해 긴 칼을 높이 들고 말을 몰아 크게 고함을 치고 달려들었다. 난데없는 적병이 또 사방에서 달려드니 보국이 겁이 나고 두려워 피하려고 했으나 순식간에 적들이 함성을 지르고 보국을 천여 겹으로 에워쌌다. 형세가 위급하므로 보국이 하늘을 우러러 탄식했다.

이때 원수가 장대에서 북을 치다가 보국의 위급함을 보고 급히 말을 몰아 긴 칼을 높이 들고 좌충우돌해 적진을 헤치고 구덕지의 머리를 베어 들고 보국을 구했다. 몸을 날려 적진에서 충돌하니 동에 번쩍 서쪽의 장수를 베고, 남으로 가는 듯하다가 북쪽의 장수를 베었다. 이처럼 좌충우돌하여 적장 오십여 명과 군사 천여 명을 한칼로 소멸하고 본진으로 돌아왔다.

보국이 원수 보기를 부끄러워하니 원수가 보국을 꾸짖어 말했다.

"ⓜ저러고서도 평소에 남자라고 칭하리오? 나를 업신여기더니 이제도 그렇게 할까?"

이렇게 말하며 보국을 무수히 조롱했다.

이때 원수가 장대에 자리를 잡고 앉아 구덕지의 머리를 함에 봉해 황성으로 보냈다.

〈중략 부분 줄거리〉

이때, 오와 초의 왕이 평국에 의해 나라가 멸망당할 것을 두려워하자 맹길이라는 장수가 천자를 사로 잡기 위한 계책을 세우고, 이 계책에 따라 황성을 습격한다.

천자께서 매우 놀라시고 용상을 두드리다 기절하셨다. 우승상 천희가 천자를 등에 업고 북쪽 문을 열고 도망하니 시신 백여 명이 따라가 천태령을 넘어갔다. 적장 맹길이 천자께서 도망하시는 것을 보고 크게 소리를 질렀다.

"명나라 황제는 도망치지 말고 항복하라."

이렇게 소리치며 쫓아오니 모시는 신하도 넋을 잃고 죽기 살기로 나아가니 앞에 큰 강이 가로막고 있었다. 이에 천자께서 하늘을 우러러 탄식하셨다.

"㉠이제는 죽겠구나, 앞에는 큰 강이요, 뒤에는 적병이 있어 형세가 급하니 이 일을 어찌하겠는가?"

– 작자 미상, 「홍계월전」 –

27 〈보기〉를 참고하여 ㉠~ⓜ을 해석한 것으로 적절하지 <u>않은</u> 것은?

┤ 보기 ├

조선 후기의 사회·문화적 변화로 눈에 띄는 점은 한글 소설이 성행하며 독자층이 사대부가 여성을 비롯하여 평민층으로까지 확대되었다는 점과 가부장제 사회에서 남성에게 굴종을 강요당하던 여성의 의식이 변화하기 시작했다는 점이다. 여성 주인공의 영웅적 활약에 초점을 맞춘 여성 영웅 소설은 이러한 흐름에서 성행하였다. 물론 충군(忠君) 사상이나 남존여비(男尊女卑)와 같은 당대 유교적 이념의 벽은 여전히 견고했다. 하지만 소설에서 남성보다 뛰어난 여성 주인공을 내세워 기존의 가부장적 질서를 비판했다는 점을 통해 조선 후기 여성의 의식이 성장하고 있었다는 것을 알 수 있다.

① ㉠ : 계월이 자신을 하찮게 대하고 있다고 투덜대는 것으로 보국의 남존여비 의식이 드러난다.

② ㉡ : 규중의 여성이 사회생활을 하는 것을 꺼리는 태도로 당시 여성을 대하는 사회적 인식을 짐작할 수 있다.

③ ㉢ : 계월에게 국난을 극복하는 중대한 일을 맡기는 것으로 여성이 남성에게 굴종을 당하는 모습을 보여준다.

④ ㉣ : 아내인 계월의 지시를 받은 것에 대하여 불만을 표출하는 것으로 보국의 가부장적인 면모를 엿볼 수 있다.

⑤ ⓜ : 계월이 여자라는 이유로 그의 능력을 인정하지 않으려했던 보국의 태도를 조롱하고 비판하는 것으로 조선 후기 여성의 의식이 성장하고 있음을 알 수 있다.

28 '여공'이 '보국'을 만류하는 이유 중, [B]에서 언급된 내용이 <u>아닌</u> 것은?

    ① 영춘의 행동이 잘못됨.
    ② 계월의 능력이 보국보다 우월함.
    ③ 부부 사이의 의리가 변할 수 있음.
    ④ 그릇된 행동을 책망하지 않는 것이 부부의 도리임.
    ⑤ 천자의 명을 어긴 것처럼 보여 후환이 있을 수 있음.

29 ㉠에 나타난 천자의 처지를 가리키는 말로 가장 적절한 것은?

    ① 기고만장(氣高萬丈)   ② 명재경각(命在頃刻)   ③ 전무후무(前無後無)
    ④ 파죽지세(破竹之勢)   ⑤ 환호작약(歡呼雀躍)

[30~35] 다음 글을 읽고 물음에 답하시오.

  이때 보국은 계월이 영춘을 죽였다는 말을 듣고 분함을 이기지 못해 부모에게 아뢰었다.

  "계월이 전날은 ⓐ대원수 되어 소자를 중군장으로 부렸으니 군대에 있을 때에는 소자가 계월을 업신여기지 못했사옵니다. 하지만 지금은 계월이 소자의 아내이오니 어찌 소자의 사랑하는 영춘을 죽여 제 마음을 편안하지 않게 할 수가 있단 말이옵니까?"

  여공이 이 말을 듣고 만류했다.

  "계월이 비록 네 아내는 되었으나 벼슬을 놓지 않았고 기개가 당당하니 족히 너를 부릴 만한 사람이다. 그러나 예로써 너를 섬기고 있으니 어찌 마음씀을 그르다고 하겠느냐? 영춘은 네 첩이다. 자기가 거만하다가 죽임을 당했으니 누구를 한하겠느냐? 또한 계월이 잘못해 궁노(宮奴)나 궁비(宮婢)를 죽인다 해도 누가 계월을 그르다고 책망할 수 있겠느냐? 너는 조금도 염려하지 말고 마음을 변치 말라. 만일 계월이 영춘을 죽였다 하고 계월을 꺼린다면 부부 사이의 의리도 변할 것이다. 또한 계월은 천자께서 중매하신 여자라 계월을 싫어한다면 네게 해로움이 있을 것이니 부디 조심하라."

  "장부가 되어 ⓑ계집에게 괄시를 당할 수 있겠나이까?"

  보국이 이렇게 말하고 그 후부터는 계월의 방에 들지 않았다. 이에 계월이,

  ㉠'영춘이 때문에 나를 꺼려 오지 않는구나.'

  라고 생각했다.

"누가 보국을 남자라 하겠는가? 여자에게도 비할 수 없구나."

이렇게 말하며 자신이 남자가 되지 못한 것이 분해 눈물을 흘리며 세월을 보냈다.

각설, 이때 남관(南關)의 수장이 장계를 올렸다. 천자께서 급히 뜯어보시니 다음과 같은 내용이었다.

> 오왕과 초왕이 반란을 일으켜 지금 황성을 범하고자 하옵니다. 오왕은 구덕지를 얻어 대원수로 삼고 초왕은 장맹길을 얻어 선봉으로 삼았사온데, 이들이 장수 천여 명과 군사 십만을 거느려 호주 북쪽 고을 칠십여 성을 무너뜨려 항복을 받고 형주 자사 이왕태를 베고 짓쳐왔옵니다. 소장의 힘으로는 능히 방비할 길이 없어 감히 아뢰오니 엎드려 바라건대, 황상께서는 어진 명장을 보내셔서 적을 방비하옵소서.

천자께서 보시고 크게 놀라 조정의 관리들과 의논하니 우승상 정영태가 아뢰었다.

ⓛ"이 도적은 좌승상 평국을 보내야 막을 수 있을 것이오니 급히 평국을 부르소서."

천자께서 들으시고 오래 있다가 말씀하셨다.

"ⓒ평국이 전날에는 세상에 나왔으므로 불렀지만 지금은 규중에 있는 여자니 차마 어찌 불러서 전장에 보내겠는가?"

이에 신하들이 아뢰었다.

"평국이 지금 규중에 있으나 ⓒ이름이 조야에 있고 또한 작록을 거두지 않았사오니 어찌 규중에 있다 하여 꺼리겠나이까?"

천자께서 마지못하여 급히 평국을 부르셨다.

이때 평국은 규중에 홀로 있으며 매일 시녀를 데리고 장기와 바둑으로 세월을 보내고 있었다. 그런데 사관(使官)이 와서 천자께서 부르신다는 명령을 전했다. 평국이 크게 놀라 급히 여자 옷을 조복(朝服)으로 갈아입고 사관을 따라가 임금 앞에 엎드리니 천자께서 크게 기뻐하며 말씀하셨다.

"경이 규중에 처한 후로 오랫동안 보지 못해 밤낮으로 사모하더니 이제 경을 보니 기쁨이 한량없도다. 그런데 짐이 덕이 없어 지금 오와 초 두 나라가 반란을 일으켜 호주의 북쪽 땅을 쳐 항복을 받고, 남관을 헤쳐 황성을 범하고자 한다고 하는도다. 그러니 경은 스스로 마땅히 일을 잘 처리하여 사직을 보호하도록 하라."

이렇게 말씀하시니 평국이 엎드려 아뢰었다.

"ⓓ신첩이 외람되게 폐하를 속이고 공후 작록을 받아 영화로 이 지낸 것도 황공했사온데 폐하께서는 죄를 용서해 주시고 신첩을 매우 사랑하셨사옵니다. 신첩이 비록 어리석으나 힘을 다해 성은을 만분의 일이나 갚으려 하오니 폐하께서는 근심하지 마옵소서."

천자께서 이에 크게 기뻐하시고 즉시 수많은 군사와 말을 징발해 주셨다. 그리고 벼슬을 높여 평국을 대원수로 삼으시니 원수가 사은숙배하고 위의를 갖추어 친히 붓을 잡아 보국에게 전령(傳令)을 내렸다.

> 적병의 형세가 급하니 ⓔ중군장은 급히 대령하여 군령을 어기지 마라.

보국이 전령을 보고 분함을 이기지 못해 부모에게 말했다.

"ⓐ계월이 또 소자를 중군장으로 부리려 하오니 이런 일이 어디 있사옵니까?"

여공이 말했다.

"전날 내가 너에게 무엇이라 일렀더냐? 계월이를 괄시하다가 이런 일을 당했으니 어찌 계월이가 그르다고 하겠느냐? 나랏일이 더할 수 없이 중요하니 어찌할 수 없구나."

이렇게 말하고 어서 가기를 재촉했다. 보국이 할 수 없이 갑옷과 투구를 갖추고 진중(陣中)에 나아가 원수 앞에 엎드리니 원수 분부했다.

ⓜ"만일 명령을 거역하는 자가 있다면 군법으로 시행할 것이다."

보국이 겁을 내어 중군장 처소로 돌아와 명령이 내려지기를 기다렸다.

30 위 소설 전체를 영웅의 일대기 구성에 따라 정리한 내용으로 적절하지 않은 것은?

영웅의 일대기 구성	'계월'의 일생
고귀한 혈통에서 태어남	(가)
비정상적인 출생 과정을 거침	자녀가 없던 양 씨가 선녀가 나오는 꿈을 꾸고 계월을 낳음
비범한 능력을 지님	(나)
어릴 적에 위기를 겪음	(다)
조력자의 도움을 받음	(라)
성장하여 다시 위기를 겪음	여자임이 탄로가 나고 남편 보국과 갈등을 겪음
위기를 극복하고 행복한 결말을 맞이함	(마)

① (가) 이부 시랑 '홍무'의 딸로 태어남
② (나) 어려서부터 대단히 총명함
③ (다) 다섯 살 때, 장사랑의 반란으로 부모와 헤어지고, 죽을 위기에 처함
④ (라) 여공을 만나 목숨을 건지고 보국과 함께 양육됨
⑤ (마) 계월이 자기보다 보국의 능력이 우월하다고 인정함으로써 갈등이 해소되고, 자손 대대로 부귀영화를 누림

31 윗글에 대한 설명으로 적절하지 않은 것은?

① 주인공의 일대기적 구성 방식을 취함
② 신분을 감추기 위한 남장 모티프가 사용됨
③ 역사적 사건을 바탕으로 창작된 역사소설임
④ 여성이 남성보다 우월한 능력을 가진 존재로 그려짐
⑤ 여성의 봉건적 역할에서 벗어난 근대적 가치관이 드러남

32 윗글에 등장하는 인물로 지칭하는 인물이 다른 것은?

① ⓐ   ② ⓑ   ③ ⓒ   ④ ⓓ   ⑤ ⓔ

33 윗글을 영화로 각색할 때, 적절하지 <u>않은</u> 장면은?

① 보국이 영춘의 소식을 듣고 분노하는 장면
② 여공이 보국의 이야기를 듣고 만류하는 장면
③ 평국이 시녀와 장기와 바둑을 두는 장면
④ 보국이 계월의 전령을 보고 순종하는 장면
⑤ 천자가 평국을 보고 크게 기뻐하는 장면

34 윗글의 ㉠~㉤의 의미로 적절하지 <u>않은</u> 것은?

① ㉠ – 영춘이 시기와 질투가 심하다.
② ㉡ – 평국의 능력을 인정하고 있다.
③ ㉢ – 신하들이 계월을 부르도록 천자를 설득하는 근거로 제시하고 있다.
④ ㉣ – 계월의 지시를 받은 것에 대해 보국이 불만을 나타내고 있다.
⑤ ㉤ – 계월이 공과 사를 구분하려는 태도가 나타나고 있다.

35 〈보기〉를 참고할 때 윗글에 당대의 사회상이 반영된 것으로 가장 적절하지 <u>않은</u> 것은?

┤ 보기 ├

　　조선 후기의 사회·문화적 변화로 눈에 띄는 점은 국문 소설이 성행하며 독자층이 사대부가 여성을 비롯하여 평민층으로까지 확대되었다는 점과 가부장제 사회에서 남성에게 굴종을 강요당하던 여성의 의식이 변화하기 시작했다는 점이다. 여성 주인공의 영웅적 활약에 초점을 맞춘 여성 영웅 소설은 이러한 흐름에서 성행하였다. 물론 충군(忠君) 사상이나 남존여비(男尊女卑)와 같은 당대 유교적 이념의 벽은 여전히 견고했다. 하지만 소설에서 남성보다 뛰어난 여성 주인공을 내세워 기존의 가부장적 질서를 비판했다는 점을 통해 조선 후기 여성의 의식이 성장하고 있었다는 것을 알 수 있다.

① 계월이 천자에게 충성하는 장면에서 충군사상과 유교적 이념이 나타나 있다.
② 군담소설에 여성 주인공이 등장하고 적극적으로 활약하는 것으로 보아 그 당시에 여성들이 국난에 참여했음을 알 수 있다.
③ 여성인 계월이 적군들을 물리치는 장면에서 여성 독자들은 통쾌함을 느꼈을 것이다.
④ 보국이 여공에게 불만을 토로하는 장면을 통해 당시 가부장 중심 사회의 유교사상을 알 수 있다.
⑤ 계월이 보국보다 능력이 뛰어난 것을 보여주는 장면을 통해 독자층인 여성의 의식이 성장했음을 알 수 있다.

[36~40] 다음 글을 읽고 물음에 답하시오.

(가) 〈앞부분 줄거리〉

명나라 때 이부 시랑(吏部侍郎) 홍무는 나이 사십이 되도록 자녀가 없어 고민하였다. 그러던 어느 날, 부인 양 씨의 꿈에 선녀가 나타난 후 무남독녀 계월을 얻었는데, 그 아이가 어려서부터 대단히 총명하였다. 계월이 다섯 살 때, 장사랑의 반란이 일어나 난리 속에 부모와 헤어진다. 자리에 싸여 강에 던져진 계월은 여공이라는 사람의 도움으로 목숨을 건진다. 여공은 계월의 이름을 평국이라고 고친 후, 동갑인 아들 보국과 함께 곽 도사에게 보내 가르침을 받게 한다. 이후 계월과 보국은 나란히 과거에 급제한다.

오랑캐가 중원을 침범하자 천자의 명에 따라 계월은 원수로, 보국은 부원수로 전쟁터에 나간다. 그러나 보국이 계월의 말을 듣지 않고, 호기를 부리며 나가 싸우다가 크게 패한다. 계월은 이를 벌하려다 여러 장수의 만류로 용서하고, 자기가 직접 나가 적을 무찌른다. 이 과정에서 계월은 헤어졌던 부모와 우연히 만난다.

계월이 전쟁터에 다녀온 후로 병이 매우 깊어지자 천자는 어의를 보내는데, 어의의 진맥으로 계월이 여자임이 탄로 난다. 계월은 상소를 올려 천자를 속인 죄를 청하나, 천자는 이를 너그럽게 용서하며 계월의 벼슬을 그대로 둔 채 보국과의 혼인을 중매한다. 계월은 앞으로 규중에 갇혀 살아야 한다는 생각에 남자로 태어나지 못한 것을 한스러워하고, 보국은 자기를 군령으로 다스려 조롱한 계월에게 불만을 품으며 두 사람은 갈등을 겪게 된다. 천자의 명에 따라 계월과 보국이 혼례를 치른 다음 날 보국의 애첩인 영춘이 계월의 행차를 보고도 예를 갖추지 않자 계월은 군법을 적용하여 그의 목을 베게 한다.

(나) 이때 평국은 규중에 홀로 있으며 매일 시녀를 데리고 장기와 바둑으로 세월을 보내고 있었다. 그런데 사관(使官)이 와서 천자께서 부르신다는 명령을 전했다. 평국이 크게 놀라 급히 여자 옷을 조복(朝服)으로 갈아입고 사관을 따라가 임금 앞에 엎드리니 천자께서 크게 기뻐하며 말씀하셨다.

"㉠경이 규중에 처한 후로 오랫동안 보지 못해 밤낮으로 사모하더니 이제 경을 보니 기쁨이 한량없도다. 그런데 ㉡짐이 덕이 없어 지금 오와 초 두 나라가 반란을 일으켜 호주의 북쪽 땅을 쳐 항복을 받고, 남관을 헤쳐 황성을 범하고자 한다고 하는도다. 그러니 경은 스스로 마땅히 일을 잘 처리하여 사직을 보호하도록 하라."

이렇게 말씀하시니 평국이 엎드려 아뢰었다.

"㉢신첩 외람되게 ㉣폐하를 속이고 공후 작록을 받아 영화로이 지낸 것도 황공했사온데 폐하께서는 죄를 용서해 주시고 신첩을 매우 사랑하셨사옵니다. 신첩이 비록 어리석으나 힘을 다해 성은을 만분의 일이나 갚으려 하오니 폐하께서는 근심하지 마옵소서."

천자께서 이에 크게 기뻐하시고 즉시 수많은 군사와 말을 징발해 주셨다. 그리고 벼슬을 높여 평국을 대원수로 삼으시니 원수가 사은숙배하고 위의를 갖추어 친히 붓을 잡아 보국에게 전령(傳令)을 내렸다.

> 적병의 형세가 급하니 중군장은 급히 대령하여 군령을 어기지 마라.

보국이 전령을 보고 분함을 이기지 못해 부모에게 말했다.

"계월이 또 ㉤소자를 중군장으로 부리려 하오니 이런 일이 어디 있사옵니까?"

여공이 말했다.

"전날 내가 너에게 무엇이라 일렀더냐? 계월이를 괄시하다가 이런 일을 당했으니 어찌 계월이가 그르다고 하겠느냐? 나랏일이 더할 수 없이 중요하니 어찌할 수 없구나."

이렇게 말하고 어서 가기를 재촉했다. 보국이 할 수 없이 갑옷과 투구를 갖추고 진중(陣中)에 나아가 원수 앞에 엎드리니 원수 분부했다.

"만일 명령을 거역하는 자가 있다면 군법으로 시행할 것이다."

보국이 겁을 내어 중군장 처소로 돌아와 명령이 내려지기를 기다렸다.

(다) 천자께서 매우 놀라시고 용상을 두드리다 기절하셨다. 우승상 천희가 천자를 등에 업고 북쪽 문을 열고 도망하니 시신 백여 명이 따라가 천태령을 넘어갔다. 적장 맹길이 천자께서 도망하시는 것을 보고 크게 소리를 질렀다.

"명나라 황제는 도망치지 말고 항복하라."

이렇게 소리치며 쫓아오니 모시는 신하도 넋을 잃고 죽기 살기로 나아가니 앞에 큰 강이 가로막고 있었다. 이에 천자께서 하늘을 우러러 탄식하셨다.

"Ⓐ이제는 죽겠구나. 앞에는 큰 강이요, 뒤에는 적병이 있어 형세가 급하니 이 일을 어찌하겠는가?"

(라) 순식간에 한수 북쪽에 다다라서 보니 십 리 모래사장에 적병이 가득하고 항복하라고 하는 소리가 산천에 진동하고 있었다. 원수가 이 소리를 듣자 투구를 고쳐 쓰고 우레같이 소리치며 말을 채쳐 달려들어 크게 호령했다.

"적장은 나의 황상을 해치지 말라. 평국이 여기 왔노라."

이에 맹길이 두려워해 말을 돌려 도망하니 원수가 크게 호령하며 말했다.

"네가 가면 어디로 가겠느냐? 도망가지 말고 내 칼을 받으라."

이와 같이 말하며 철통같이 달려가니 원수의 준총마가 주홍 같은 입을 벌리고 순식간에 맹길의 말꼬리를 물고 늘어졌다. 맹길이 매우 놀라 몸을 돌려 긴 창을 높이 들고 원수를 찌르려고 하자 원수가 크게 성을 내 칼을 들어 맹길을 치니 맹길의 두 팔이 땅에 떨어졌다. 원수가 또 좌충우돌해 적졸을 모조리 죽이니 피가 흘러 내를 이루고 적졸의 주검이 산처럼 쌓였다.

(마) 〈뒷부분 줄거리〉

계월이 천자를 구한 사이 보국이 오왕과 초왕의 항복을 받아 돌아오는데, 계월이 적장 맹길인 체하며 보국을 속여 조롱한다. 보국은 모든 면에서 자기보다 우월한 계월의 능력을 인정하고 둘의 갈등은 해소된다. 두 차례에 걸친 국가의 위기를 구한 계월은 대사마 대장군의 작위를 받는다. 또한 천자는 보국을 승상에 봉하고 여공을 오왕에, 홍무를 초왕에 봉한다. 이후 계월은 보국을 예로써 섬기며 행복하게 살고 그들의 자손은 대대로 부귀영화를 누린다.

---

36 (가)~(마)에서 알 수 있는 갈래적 특성에 대한 설명으로 적절하지 <u>않은</u> 것은?

① (가) : 전쟁터에서 헤어졌던 부모와 다시 만나는 장면에서 '우연성'이 드러난다.
② (나) : 보국이 겁을 내며 명령을 기다리는 장면에서 '권선징악'적 특징이 드러난다.
③ (라) : 순식간에 한수 북쪽에 다다른 장면에서 '비현실적 요소'가 드러난다.
④ (라) : 피가 흘러 내를 이루고, 주검이 산처럼 쌓인 장면에서 '과장법'이 드러난다.
⑤ (마) : 대대로 부귀영화를 누리는 결말에서 '행복한 결말'의 특성이 드러난다.

37 Ⓐ에 어울리는 사자성어가 <u>아닌</u> 것은?

① 누란지위(累卵之危)　　② 사면초가(四面楚歌)　　③ 진퇴양난(進退兩難)
④ 풍전등화(風前燈火)　　⑤ 혼비백산(魂飛魄散)

38 ㉠~㉤의 호칭에 대한 설명으로 적절한 것은?

① ㉠ : '경'이라고 높여 부르는 것으로 보아, 황제가 평국이 여자임을 알아채기 전이다.

② ㉡ : 자신을 '짐'이라고 낮추는 것으로 보아, 황제는 이 반란의 책임이 자신에게 있다고 생각한다.

③ ㉢ : '신첩'이라는 호칭을 씀으로써, 자신의 성별을 드러내고 있음을 알 수 있다.

④ ㉣ : 황제를 '황상'이 아니라 '폐하'라고 부르는 것으로 보아, 황제가 평국을 총애하고 있음을 알 수 있다.

⑤ ㉤ : 자신을 '소자'로 낮추는 호칭에서, 보국이 계월에게 열등의식을 느끼고 있음을 알 수 있다.

39 이 글을 읽고 알 수 있는 당시 사회·문화적 상황으로 적절한 것은?

① 평국이 보국에게 전령을 내리는 장면에서, 남성의 가부장적 지위가 약해졌음을 알 수 있다.

② 작자미상의 국문소설인 것으로 보아, 독자층이 평민으로까지 확대되었다는 것을 알 수 있다.

③ 계월이 보국보다 높은 지위인 것으로 보아, 신분보다 능력 위주의 사회였음을 짐작할 수 있다.

④ 천자를 지키지 않고 전쟁에 나간 주인공의 행동으로 보아, 충군 사상이 흔들리기 시작했다는 것을 알 수 있다.

⑤ 평국이 여자임을 알고도 천자가 다시 기용하는 장면에서 여성의 사회적 진출이 막혀 있지만은 않았음을 알 수 있다.

40 위 글에 쓰인 단어의 예문이 적절하지 <u>않은</u> 것은?

① **규중** : 무슨 짐승의 소린지 규중(閨中) 깊이 세상을 모르는 그녀는 짐작조차 할 수 없었다.

② **조복** : 높고 낮은 관원들이 모두 자기의 품에 적당한 조복(朝服)으로 몸을 장식하고 뒤를 이어서 금호문 안으로 사라졌다.

③ **사직** : 경민은 회사 측의 설득에도 불구하고 지금까지는 완강하게 사직(辭職)을 고집해 왔다.

④ **사은숙배** : 동반 9품 이상의 관직에 임명된 자는 대전에 가서 사은숙배(謝恩肅拜)하였다.

⑤ **진중** : 이순신은 임진왜란 때 적의 유탄을 맞아 진중(陣中)에서 사망하였다.

서술형 심화문제

[01] 다음 글을 읽고 물음에 답하시오.

(가) 〈앞부분 줄거리〉

명나라 때 이부 시랑(吏部侍郎) 홍무는 나이 사십이 되도록 자녀가 없어 고민하였다. 그러던 어느 날, 부인 양 씨의 꿈에 선녀가 나타난 후 무남독녀 계월을 얻었는데, 그 아이가 어려서부터 대단히 총명하였다. 계월이 다섯 살 때, 장사랑의 반란이 일어나 난리 속에 부모와 헤어진다. 자리에 싸여 강에 던져진 계월은 여공이라는 사람의 도움으로 목숨을 건진다. 여공은 계월의 이름을 평국이라고 고친 후, 동갑인 아들 보국과 함께 곽도사에게 보내 가르침을 받게 한다. 이후 계월과 보국은 나란히 과거에 급제한다.

오랑캐가 중원을 침범하자 천자의 명에 따라 계월은 원수로, 보국은 부원수로 전쟁터에 나간다. 그러나 보국이 계월의 말을 듣지 않고, 호기를 부리며 나가 싸우다가 크게 패한다. 계월은 이를 벌하려다 여러 장수의 만류로 용서하고, 자기가 직접 나가 적을 무찌른다. 이 과정에서 계월은 헤어졌던 부모와 우연히 만난다.

계월이 전쟁터에 다녀온 후로 병이 매우 깊어지자 천자는 어의를 보내는데, 어의의 진맥으로 계월이 여자임이 탄로 난다. 계월은 상소를 올려 천자를 속인 죄를 청하나, 천자는 이를 너그럽게 용서하며 계월의 벼슬을 그대로 둔 채 보국과의 혼인을 중매한다. 계월은 앞으로 규중에 갇혀 살아야 한다는 생각에 남자로 태어나지 못한 것을 한스러워하고, 보국은 자기를 군령으로 다스려 조롱한 계월에게 불만을 품으며 두 사람은 갈등을 겪게 된다. 천자의 명에 따라 계월과 보국이 혼례를 치른 다음 날 보국의 애첩인 영춘이 계월의 행차를 보고도 예를 갖추지 않자 계월은 군법을 적용하여 그의 목을 베게 한다.

01 (가)를 참고하여, 영웅 일대기 구성의 단계에 맞게 '계월'의 일생을 서술하시오.

영웅의 일대기 구성	'계월'의 일생
고귀한 혈통	(1)
비정상적 출생	(2)
비범한 능력	(3)
어릴 적 위기	(4)
조력자의 도움	(5)
성장 후 위기	· 국란이 잦음.　　　　　 · 여자임이 탄로 남. · 남편과의 갈등.
위기 극복과 행복한 결말	· 출정하여 적을 물리침.　 · 천자가 용서하고 벼슬을 높여줌. · 보국이 계월의 우위를 인정.

02 『홍계월전』을 영웅 일대기 구성으로 정리한 것이다. 빈칸에 들어갈 말을 쓰시오.

영웅의 일대기 구성	세월의 일생
고귀한 혈통에서 태어남.	이부 시랑 홍무의 딸로 태어남.
(1)	어머니 양 씨가 선녀가 나오는 태몽을 꿈.
비범한 능력을 지님.	어려서부터 대단히 총명함.
어릴 적에 위기를 겪음	장사랑의 반란으로 부모와 헤어지고, 죽을 위기에 처함.
(2)	(3)
성장하여 다시 위기를 겪음.	(4)

[03] 다음 글을 읽고 물음에 답하시오.

여공이 이 말을 듣고 만류했다.

"계월이 비록 네 아내는 되었으나 벼슬을 놓지 않았고 기개가 당당하니 족히 너를 부릴 만한 사람이다. 그러나 예로써 너를 섬기고 있으니 어찌 마음 씀을 그르다고 하겠느냐? 영춘은 네 첩이다. 자기가 거만하다가 죽임을 당했으니 누구를 한하겠느냐? 또한 계월이 잘못해 궁노(宮奴)나 궁비(宮婢)를 죽인다 해도 누가 계월을 그르다고 책망할 수 있겠느냐? 너는 조금도 염려하지 말고 마음을 변치 말라. 만일 계월이 영춘을 죽였다 하고 계월을 꺼린다면 부부 사이의 의리도 변할 것이다. 또한 계월은 천자께서 중매하신 여자라 계월을 싫어한다면 네게 해로움이 있을 것이니 부디 조심하라."

"장부가 되어 계집에게 괄시를 당할 수 있겠나이까?"

보국이 이렇게 말하고 그 후부터는 계월의 방에 들지 않았다. 이에 계월이,

'영춘이 때문에 나를 꺼려 오지 않는구나.'

라고 생각했다.

"누가 보국을 남자라 하겠는가? 여자에게도 비할 수 없구나."

이렇게 말하며 자신이 남자가 되지 못한 것이 분해 눈물을 흘리며 세월을 보냈다.

03 윗글에서 계월과 보국이 갈등을 일으키는 근본적인 이유가 드러난 문장을 찾아 쓰시오.

04 〈보기〉는 영웅의 일대기 구성에 따라 '계월'의 일생을 정리한 것이다. 빈 칸에 들어갈 ㉠, ㉡을 쓰시오.

┤ 보기 ├

영웅의 일대기 구성	계월의 일생
고귀한 혈통	이부 시랑 '홍무'의 딸로 태어남
㉠	자녀가 없던 양 씨가 선녀가 나오는 꿈을 꾸고 계월을 낳음
비범한 능력을 지님	아려서부터 총명함
어릴적 위기를 겪음	장사랑의 반란으로 부모와 헤어지고 죽을 위기에 처함
㉡	여공을 만나 목숨을 건지고 보국과 함께 양육됨
성장하여 다시 위기를 겪음	여자임이 탄로 나고 남편과 갈등이 심각해짐
위기를 극복하고 행복한 결말을 맞음	보국과의 갈등이 해소되고 전쟁에 출정하여 공을 세움

┤ 답안 작성 시 참고 사항 ├

'㉠은 ~ (이)고, ㉡은 ~ 이다.'의 형식으로 서술할 것

05 〈보기〉는 '사씨남정기'의 일부로, 남편을 어떻게 섬기려 하느냐는 시아버지의 질문에 '사 씨'가 대답한 내용이다. 이를 통해 '사 씨'와 '계월'의 가치관을 비교하여 간단히 쓰시오.

> **보기**
>
> "고어(古語)에 이르기를 '부부의 도는 오륜(五倫)을 고루 겸한다.'라고 하였습니다. 아비에게는 간언하는 아들이 있고, 임금에게는 간쟁하는 신하가 있습니다. 형제는 서로 정도(正道)로 권면하고, 붕우는 서로 선행을 권유합니다. 부부의 경우라 하여 어찌 유독 그렇지 않겠습니까? 하지만 자고로 장부가 부인의 말을 들으면 이익은 적고 폐해가 많았습니다. 암탉이 새벽에 울고 철부(哲婦)가 나라를 기울게 하는 것은 경계하지 않을 수 없을 것입니다."
>
> – 김만중, 「사씨남정기」 –

> **답안 작성 시 참고 사항**
>
> • '사 씨의 가치관은 ~ 이고 계월의 가치관은 ~(이)다.'의 형식으로 서술할 것.
> • '가부장적 가치관'이란 표현을 사용하여 서술할 것.

[06] 다음 글을 읽고 물음에 답하시오.

천자께서 이에 크게 기뻐하시고 즉시 수많은 군사와 말을 징발해 주셨다. 그리고 벼슬을 높여 평국을 대원수로 삼으시니 원수가 사은숙배하고 위의를 갖추어 친히 붓을 잡아 보국에게 전령(傳令)을 내렸다.

〈중략〉

[A] ┌ 이때 원수가 장대에서 북을 치다가 보국의 위급함을 보고 급히 말을 몰아 긴 칼을 높이 들고 좌충우돌해 적진을 헤치고 구덕지의 머리를 베어 들고 보국을 구했다. 몸을 날려 적진에서 충돌하니 동에 번쩍 서쪽의 장수를 베고, 남으로 가는 듯하다가 북쪽의 장수를 베었다. 이처럼 좌충우돌하여 적장 오십여 명과 군사 천여 명을 한칼로 소멸하고
└ 본진으로 돌아왔다.

보국이 원수 보기를 부끄러워하니 원수가 보국을 꾸짖어 말했다.

"저러고서도 평소에 남자라고 칭하리오? 나를 업신여기더니 이제도 그렇게 할까?"

이렇게 말하며 보국을 무수히 조롱했다. 〈중략〉

천자께서 매우 놀라시고 용상을 두드리다 기절하셨다. 우승상 천희가 천자를 등에 업고 북쪽 문을 열고 도망하니 시신 백여 명이 따라가 천태령을 넘어갔다. 적장 맹길이 천자께서 도망하시는 것을 보고 크게 소리를 질렀다.

"명나라 황제는 도망치지 말고 항복하라."

이렇게 소리치며 쫓아오니 모시는 신하도 넋을 잃고 죽기 살기로 나아가니 앞에 큰 강이 가로막고 있었다. 이에 천자께서 하늘을 우러러 탄식하셨다.

"이제는 죽겠구나. 앞에는 큰 강이요, 뒤에는 적병이 있어 형세가 급하니 이 일을 어찌하겠는가?" 〈중략〉

이때 원수는 진중에 있으며 적을 무찌를 묘책을 생각하고 있었다. 그런데 자연히 마음이 어지러워 장막 밖에 나가 천기를 살펴보았다. 자미성이 자리를 떠나고 모든 별이 살기등등하여 은하수에 비치고 있었다. 원수가 크게 놀라 중군장을 불러 말했다.

"내가 천기를 보니 천자의 위태함이 경각(頃刻)에 있도다. 내가 홀로 가려 하니 장군은 장수와 군졸을 거느려 진문을 굳게 닫고 내가 돌아오기를 기다리라."

[B]

　　이렇게 말하고 칼 한 자루를 쥐고 말에 올라 황성으로 향했다. 동방이 밝아 오므로 바라보니 하룻밤 사이에 황성에 다다른 것이었다. 성안에 들어가서 보니 장안이 비어 있고 궁궐은 불에 타 빈터만 남아 있었다. 원수가 통곡하며 두루 다녔으나 한 사람도 없었다. 천자께서 가신 곳을 알지 못하고 망극해하고 있었는데, 문득 수챗구멍에서 한 노인이 나오다가 원수를 보고 매우 놀라 급히 들어갔다. 원수가 급히 쫓아가며,

　　"나는 도적이 아니다, 대국 대원수 평국이니 놀라지 말고 나와 천자께서 가신 곳을 일러 달라."

　　하니 노인이 그제야 도로 기어 나와 대성통곡했다. 원수가 자세히 보니 이 사람은 기주후 여공이었다. 내려 땅에 엎드려 통곡하며 말했다.

　　"시아버님은 무슨 연유로 이 수챗구멍에 몸을 감추고 있사오며 소부의 부모와 시모님은 어디로 피난했는지 아시나이까?"

　　여공이 원수의 옷을 붙들고 울며 말했다.

　　"뜻밖에도 도적이 들어와 대궐에 불을 지르고 노략하더구나. 그래서 장안의 백성들이 도망하여 갔는데 나는 갈 길을 몰라 이 구멍에 들어와 피난했으니 사돈 두 분과 네 시모가 간 곳은 알지 못하겠구나."〈중략〉

　　"천자를 구하러 가오니 아버님은 제가 돌아오기를 기다리소서."

　　그러고서 말에 올라 천태령을 넘어갔다. 순식간에 한수 북쪽에 다다라서 보니 십 리 모래사장에 적병이 가득하고 항복하라고 하는 소리가 산천에 진동하고 있었다. 원수가 이 소리를 듣자 투구를 고쳐 쓰고 우레같이 소리치며 말을 채쳐 달려들어 크게 호령했다.

06 [A]에 드러난 고전 소설의 특징을 쓰고, 이와 같은 특성이 드러나는 한 문장을 [B]에서 찾아 쓰시오.

(1) [A]에 드러난 고전 소설의 특징

(2) 위와 같은 고전 소설이 특징이 드러난 문장 (단, [B]에서 찾아 쓰되, 완전한 한 문장을 쓸 것)

[07~08] 다음 글을 읽고 물음에 답하시오.

〈앞부분 줄거리〉

　　명나라 때 이부 시랑(吏部侍郎) 홍무는 나이 사십이 되도록 자녀가 없어 고민하였다. 그러던 어느 날, 부인 양 씨의 꿈에 선녀가 나타난 후 무남독녀 계월을 얻었는데, 그 아이가 어려서부터 대단히 총명하였다. 계월이 다섯 살 때, 장사랑의 반란이 일어나 난리 속에 부모와 헤어진다. 자리에 싸여 강에 던져진 계월은 여공이라는 사람의 도움으로 목숨을 건진다. 여공은 계월의 이름을 평국이라고 고친 후, 동갑인 아들 보국과 함께 곽 도사에게 보내 가르침을 받게 한다. 이후 계월과 보국은 나란히 과거에 급제한다.

07 〈보기〉의 Ⓐ에 해당하는 구절을 찾아 〈조건〉에 맞게 한 문장으로 쓰시오.

┤ 보기 ├

영웅의 일대기 구성

고귀한 혈통 → 비정상적인 출생 → 비범한 능력 → 어릴적 위기 → Ⓐ조력자의 도움 → 성장 후 위기 → 위기 극복 및 행복한 결말

┤ 조건 ├

• 〈앞부분 줄거리〉에서 찾아 그대로 적을 것.
• 5어절로 적을 것.
• 맞춤법과 어법에 맞게 작성할 것.

08 '영웅의 일대기 구성'에 따라 '앞부분 줄거리'의 내용을 〈보기〉와 같이 정리해 보았다고 할 때, ⓐ와 ⓑ에 들어갈 내용이 무엇인지 〈조건〉에 맞게 서술하시오.

┤ 보기 ├

영웅의 일대기 구성	'계월'의 일생
고귀한 혈통	ⓐ
비정상적인 출생 과정	자녀가 없던 양 씨가 선녀가 나오는 꿈을 꾸고 계월을 낳음
비범한 능력	어려서부터 대단히 총명함
어릴 적 위기	ⓑ
조력자의 도움	여공을 만나 목숨을 건지고 보국과 함께 양육됨.
⋮	⋮

09 〈보기〉를 참고하여 '홍계월전'에 반영된 당대의 사회상에 대하여 조건에 맞게 서술하시오.

┤ 보기 ├

　조선 후기의 사회·문화적 변화로 눈에 띄는 점은 국문 소설이 성행하며 독자층이 사대부가 여성을 비롯하여 평민층으로까지 확대되었다는 점과 가부장제 사회에서 남성에게 굴종을 강요당하던 여성의 의식이 변화하기 시작했다는 점이다. 여성 주인공의 영웅적 활약에 초점을 맞춘 ㉮여성 영웅 소설은 이러한 흐름에서 성행하였다. 물론 충군 사상이나 남존여비와 같은 당대 ㉯유교적 이념의 벽은 여전히 견고했다. 하지만 소설에서 남성보다 뛰어난 여성 주인공을 내세워 기존의 가부장적 질서를 비판했다는 점을 통해 조선 후기 ㉰여성의 의식이 성장하고 있었다는 것을 알 수 있다.

┤ 조건 ├

1. ㉮의 창작 배경이 된 사회·문화적 변화를 두 가지 쓸 것.
2. 작품에 반영된 ㉯, ㉰를 '계월'의 행동 및 특징 중심으로 서술할 것.
3. 한글맞춤법에 맞게 서술할 것.

[01~06] 다음 글을 읽고, 물음에 답하시오.

(가) 살어리 살어리랏다 청산(靑山)애 살어리랏다
　　 멀위랑 ᄃ래랑 먹고 청산애 살어리랏다
　　 ㉠얄리얄리 얄랑셩 얄라리 얄라

(나) 우러라 우러라 새여 자고 니러 우러라 새여
　　 널라와 시름 한 나도 자고 니러 우니로라
　　 얄리얄리 얄라셩 얄라리 얄라

(다) 가던 새 가던 새 본다 ㉡믈 아래 가던 새 본다
　　 ㉮잉 무든 장글란 가지고 믈 아래 가던 새 본다
　　 얄리얄리 얄라셩 얄라리 얄라

(라) 이링공 뎌링공 ᄒ야 나즈란 디내와손뎌
　　 오리도 가리도 업슨 ㉢바므란 또 엇디 호리라
　　 얄리얄리 얄라셩 얄라리 얄라

(마) 어듸라 더디던 ㉣돌코 누리라 마치던 돌코
　　 믜리도 괴리도 업시 마자셔 우니노라
　　 얄리얄리 얄라셩 얄라리 얄라

(바) 살어리 살어리랏다 바ᄅ래 살어리랏다
　　 ㉤ᄂᄆ자기 구조개랑 먹고 바ᄅ래 살어리랏다
　　 얄리얄리 얄라셩 얄라리 얄라

(사) 가다가 가다가 드로라 에졍지 가다가 드로라
　　 ㉥사ᄉ미 짒대예 올아셔 ᄒ금(奚琴)을 혀거를 드로라
　　 얄리얄리 얄라셩 얄라리 얄라

(아) 가다니 ᄇ브른 도긔 설진 강수를 비조라
　　 조롱곳 누로기 ᄆ와 잡ᄉ와니 내 엇디 ᄒ리잇고
　　 얄리얄리 얄라셩 얄라리 얄라

01 위 글과 같은 갈래의 특징으로 바르지 **않은** 것은?

① 고려시대 때 불린 노래로 주로 평민 계층이 향유하였다.
② 대부분 작자 미상이고 구전되다가 훈민정음 창제 후 한글로 기록되었다.
③ 아름다운 우리말 표현과 경쾌한 리듬을 살리는 형식으로 국문학사상 백미로 평가된다.
④ 국문학사상 최초로 정형화된 서정시로 소박하면서도 깊이 있는 표현으로 우리 민족의 정서를 형상화하였다.
⑤ 「악학궤범」, 「악장가사」, 「시용향악보」 등에 수록되어 궁중 음악으로 향유되었다.

02 위 글의 형식상 특성을 〈보기〉에서 모두 고른 것은?

> ┤ 보기 ├
> ㄱ. 'A-A-B-A' 구조가 나타난다.
> ㄴ. 3·3·4조의 3음보의 율격이 드러난다.
> ㄷ. 대구와 반복을 통해 운율감을 드러낸다.
> ㄹ. 비유적 표현을 통해 당시 사회상을 풍자한다.
> ㅁ. 'ㅇ'음운의 의도적 사용으로 경쾌한 리듬감을 살린다.

① ㄱ, ㄷ   ② ㄴ, ㄹ   ③ ㄱ, ㄴ, ㅁ   ④ ㄱ, ㄷ, ㄹ   ⑤ ㄱ, ㄷ, ㅁ

03 ㉠에 대한 설명으로 적절하지 <u>않은</u> 것은?

① 연을 구분하는 역할을 하고 있다.
② 악기 소리를 흉내 낸 것으로 볼 수 있다.
③ 시가의 내용을 압축하고 있다.
④ 음악적 흥취를 고조시키는 역할을 한다.
⑤ 각 연마다 반복되어 구조적 통일성과 안정감을 준다.

04 ㉡~㉢에 대한 설명으로 가장 적절한 것은?

① ㉡ : 화자가 지향하는 이상향을 드러냄.
② ㉢ : 화자의 고독이 극대화 되는 시간적 배경임.
③ ㉣ : 고난에 굴하지 않겠다는 화자의 의지를 상징함.
④ ㉤ : 자연물에 의탁하여 화자의 소망과 정서를 드러냄.
⑤ ㉥ : 삶의 고통을 예술로 승화하려는 화자의 의지를 상징함.

05 (나)~(아)에 대한 설명으로 바르지 <u>않은</u> 것은?

① (나) : 고독한 자신의 처지와 감정을 자연물에 이입하였다.

② (다) : '믈 아래 가던 새 본다'란 시행을 통해 화자가 현실에 대해 아직 미련을 갖고 있음을 드러난다.

③ (마) : 설의적 표현을 통해 피할 수 없는 운명으로 인한 삶의 비애를 드러냈다.

④ (사) : 고통스러운 현실에서 벗어나기 위해 기적이 일어나기를 바라는 절박한 심정을 노래하였다.

⑤ (아) : 술을 통해 삶의 고독과 비애를 잊어버리고자 하는 화자의 심정이 드러난다.

06 〈보기2〉를 읽고, 〈보기1〉과 (가)에서 화자가 자연을 바라보는 태도 및 관점을 바르게 말한 것은?

┤ 보기 1 ├

청산(靑山)은 어찌하여 만고(萬古)에 푸르르며

유수(流水)는 어찌하여 주야(晝夜)에 그치지 아니하는고

우리도 그치지 말고 만고상청(萬古常靑) 하리라

－이황, 「도산십이곡」－

*청산: 푸른 산	만고: 오랜 세월
유수: 흐르는 물	만고상청: 영원히 푸르다.

┤ 보기 2 ├

이 시조는 조선 시대 사부들의 전형적인 작품으로, 자연을 빌어 유교적 질서와 이상을 읊은 노래이다. 위 작품은 '도산십이곡' 중 11곡에 해당하는데 종장의 '우리도 그치지 말아 만고상청하리라'는 학문에 대한 끊임없는 노력으로 인간 세상에도 영원한 질서와 조화가 깃들기를 바라는 작가의 도학적 이상을 엿볼 수 있다.

① (가)는 자연을 이상적인 삶의 공간으로 인식하고 〈보기1〉은 자연을 영원한 질서와 조화를 갖춘 존재로 인식한다.

② (가)와 〈보기1〉 모두 자연을 속세와 구별되는 유교적 질서와 이상을 갖춘 완벽한 대상으로 인식한다.

③ (가)에서는 자연을 벗 삼아 살아가려 하지만, 〈보기1〉에서는 자연과 동화(同化)되려 하고 있다.

④ (가)에서는 자연을 완벽한 대상을 인식하지만, 〈보기1〉에서는 자연을 불완전한 존재로 이해한다.

⑤ (가)에서는 자연과 인간을 대비하고 있지만, 〈보기1〉에서는 자연과 인간을 동일시하고 있다.

(가) 눈 마즈 휘여진 ㉠디를 뉘라셔 굽다턴고
　　　구블 절(節)이면 눈 속에 프를소냐
　　　아마도 세한고절(歲寒孤節)은 너쑨인가 ᄒ노라

－ 원천석의 시조 －

(나) ㉡동지(冬至)ㅅ달 기나긴 밤을 한 허리를 버혀 내어
　　　춘풍(春風) 니불 아레 서리서리 너헛다가
　　　어론 님 오신 날 밤이여든 ㉢구뷔구뷔 펴리라

－ 황진이의 시조 －

(다) 두터비 ㉣파리를 물고 두험 우희 치다라 안자
　　　것넌산 바라보니 백송골(白松骨)이 떠 잇거늘 가슴이 금즉하여 풀덕 뛰여 내닷다가 두험 아래 쟛바지거고
　　　㉤모쳐라 날낸 낼싀만졍 에헐질 번 하괘라.

－ 작가미상의 사설시조 －

(라) 생사(生死) 길은
　　　ⓐ예 있으매 머뭇거리고,
　　　ⓑ나는 간다는 말도
　　　몯다 이르고 어찌 갑니까.
　　　어느 가을 ⓒ이른 바람에
　　　이에 저에 떨어질 잎처럼,
　　　한 가지에 나고
　　　ⓓ가는 곳 모르온저.
　　　아아, ⓔ미타찰(彌陀刹)에서 만날 나
　　　도(道) 닦아 기다리겠노라.

－ 월명사, 「제망매가」 －

07 (가)와 (다)의 공통점으로 가장 적절한 것은?

　① 미래에 대한 낙관적인 태도가 반영되어 있다.
　② 대상에 대한 시적화자의 그리움이 드러나 있다.
　③ 일상적인 소재를 통해 해학적인 정서를 담고 있다.
　④ 시적화자가 지향하는 정신적인 가치를 예찬하고 있다.
　⑤ 시적화자가 부정적으로 인식하는 대상이 드러나 있다.

08 〈보기〉에서 ⓔ이 상징하는 의미와 유사한 것은?

┤ 보기 ├

제비 한 마리 처음 날아와
지지배배 그 소리 그치지 않네

말하는 뜻 분명히 알 수 없지만
집 없는 서러움을 호소하는 듯

"느릅나무 홰나무 묶어 구멍 많은데
어찌하여 그 곳에 깃들지 않니?"

제비 다시 지저귀며
사람에게 말하는 듯
"느릅나무 구멍은 황새가 쪼고
홰나무 구멍은 뱀이 와서 뒤진다오."

– 정약용, 「고시8」 –

① 제비　　　　② 느릅나무 홰나무　③ 사람　　　④ 황새　　　⑤ 뱀

09 ⓜ의 두꺼비의 태도를 설명한 한자성어로 가장 적절한 것은?

① 교언영색(巧言令色)　　　② 개과천선(改過遷善)　　　③ 허장성세(虛張聲勢)
④ 간담상조(肝膽相照)　　　⑤ 가렴주구(苛斂誅求)

10 〈보기〉를 바탕으로 ⓐ~ⓔ를 이해한 것으로 적절하지 <u>않은</u> 것은?

┤ 보기 ├

제망매가는 10구체 향가로서 월명사가 누이의 죽음이라는 상황을 통해 삶과 죽음에 대한 신라인의 세계관을 담고 있다. 제망매가는 수준 높은 비유적 표현을 사용하였으며, 인간적인 슬픔을 종교적으로 승화시켰다는 점에서 의의가 있다. 10구체 향가의 형식적 특징은 후대 문학에도 계승되어 국문학적으로도 높은 가치를 지니는 작품이다.

① ⓐ : 죽음에 대한 두려움으로 머뭇거리는 화자의 심정을 드러내고 있다.
② ⓑ : '간다'의 주체가 되는 '나'는 누이를 가리키고 있다.
③ ⓒ : 누이가 젊은 나이에 세상을 떠났음을 비유적으로 표현하고 있다.
④ ⓓ : 화자는 누이의 죽음을 통해 삶의 무상감을 느끼고 있다.
⑤ ⓔ : 화자가 누이와의 재회를 기대하는 공간을 의미하고 있다.

[11~16] 다음 글을 읽고, 물음에 답하시오.

(가) 〈앞부분 줄거리〉

명나라 때 이부 시랑(吏部侍郎) 홍무는 나이 사십이 되도록 자녀가 없어 고민하였다. 그러던 어느 날, 부인 양 씨의 꿈에 선녀가 나타난 후 무남독녀 계월을 얻었는데, 그 아이가 어려서부터 대단히 총명하였다. 계월이 다섯 살 때, 장사랑의 반란이 일어나 난리 속에 부모와 헤어진다. 자리에 싸여 강에 던져진 계월은 여공이라는 사람의 도움으로 목숨을 건진다. 여공은 계월의 이름을 평국이라고 고친 후, 동갑인 아들 보국과 함께 곽도사에게 보내 가르침을 받게 한다. 이후 계월과 보국은 나란히 과거에 급제한다.

오랑캐가 중원을 침범하자 천자의 명에 따라 계월은 원수로, 보국은 부원수로 전쟁터에 나간다. 그러나 보국이 계월의 말을 듣지 않고, 호기를 부리며 나가 싸우다가 크게 패한다. 계월은 이를 벌하려다 여러 장수의 만류로 용서하고, 자기가 직접 나가 적을 무찌른다. 이 과정에서 계월은 헤어졌던 부모와 우연히 만난다.

계월이 전쟁에 다녀온 후로 병이 매우 깊어지자 천자는 어의를 보내는데, 어의의 진맥으로 계월이 여자임이 탄로 난다. 계월은 상소를 올려 천자를 속인 죄를 청하나, 천자는 이를 너그럽게 용서하며 계월의 벼슬을 그대로 둔 채 보국과의 혼인을 중매한다. 계월은 앞으로 규중에 갇혀 살아야 한다는 생각에 남자로 태어나지 못한 것을 한스러워하고, 보국은 자기를 군령으로 다스려 조롱한 계월에게 불만을 품으며 두 사람은 갈등을 겪게 된다. 천자의 명에 따라 계월과 보국이 혼례를 치른 다음 날 보국의 애첩인 영춘이 계월의 행차를 보고도 예를 갖추지 않자 계월은 군법을 적용하여 그의 목을 베게 한다.

(나) 이때 보국은 계월이 영춘을 죽였다는 말을 듣고 분함을 이기지 못해 부모에게 아뢰었다.

"계월이 전날은 대원수 되어 소자를 중군장으로 부렸으니 군대에 있을 때에는 소자가 계월을 업신여기지 못했사옵니다. 하지만 지금은 계월이 소자의 아내이오니 어찌 소자의 사랑하는 영춘을 죽여 제 마음을 편안하지 않게 할 수가 있단 말이옵니까?"

여공이 이 말을 듣고 만류했다.

"계월이 비록 네 아내는 되었으나 벼슬을 놓지 않았고 기개가 당당하니 족히 너를 부릴 만한 사람이다. 그러나 예로써 너를 섬기고 있으니 어찌 마음 씀을 그르다고 하겠느냐? 영춘은 네 첩이다. 자기가 거만하다가 죽임을 당했으니 누구를 한하겠느냐? 또한 계월이 잘못해 궁노(宮奴)나 궁비(宮婢)를 죽인다 해도 누가 계월을 그르다고 책망할 수 있겠느냐? 너는 조금도 염려하지 말고 마음을 변치 말라. 만일 계월이 영춘을 죽였다 하고 계월을 꺼린다면 부부 사이의 의리도 변할 것이다. 또한 계월은 천자께서 중매하신 여자라 계월을 싫어한다면 네게 해로움이 있을 것이니 부디 조심하라."

"장부가 되어 계집에게 괄시를 당할 수 있겠나이까?"

보국이 이렇게 말하고 그 후부터는 계월의 방에 들지 않았다. 이에 계월이,

'영춘이 때문에 나를 꺼려 오지 않는구나.'

라고 생각했다.

"누가 보국을 남자라 하겠는가? 여자에게도 비할 수 없구나."

이렇게 말하며 자신이 남자가 되지 못한 것이 분해 눈물을 흘리며 세월을 보냈다.

(다) 각설, 이때 남관(南關)의 수장이 장계를 올렸다. 천자께서 급히 뜯어보시니 다음과 같은 내용이었다.

> 오왕과 초왕이 반란을 일으켜 지금 황성을 범하고자 하옵니다. 오왕은 구덕지를 얻어 대원수로 삼고 초왕은 장맹길을 얻어 선봉으로 삼았사온데, 이들이 장수 천여 명과 군사 십만을 거느려 호주 북쪽 고을 칠십여 성을 무너뜨려 항복을 받고 형주 자사 이왕태를 베고 짓쳐왔습니다. 소장의 힘으로는 능히 방비할 길이 없어 감히 아뢰오니 엎드려 바라건대, 황상께서는 어진 명장을 보내셔서 적을 방비하옵소서.

천자께서 보시고 크게 놀라 조정의 관리들과 의논하니 우승상 정영태가 아뢰었다.

"이 도적은 좌승상 평국을 보내야 막을 수 있을 것이오니 급히 평국을 부르소서."

천자께서 들으시고 오래 있다가 말씀하셨다.

"평국이 전날에는 세상에 나왔으므로 불렀지만 지금은 규중에 있는 여자니 차마 어찌 불러서 전장에 보내겠는가?"

이에 신하들이 아뢰었다.

"평국이 지금 규중에 있으나 이름이 조야에 있고 또한 작록을 거두지 않았사오니 어찌 규중에 있다 하여 꺼리겠나이까?"

천자께서 마지못하여 급히 평국을 부르셨다.

이때 평국은 규중에 홀로 있으며 매일 시녀를 데리고 장기와 바둑으로 세월을 보내고 있었다. 그런데 사관(使官)이 와서 천자께서 부르신다는 명령을 전했다. 평국이 크게 놀라 급히 여자 옷을 조복(朝服)으로 갈아입고 사관을 따라가 임금 앞에 엎드리니 천자께서 크게 기뻐하며 말씀하셨다.

"경이 규중에 처한 후로 오랫동안 보지 못해 밤낮으로 사모하더니 이제 경을 보니 기쁨이 한량없도다. 그런데 짐이 덕이 없어 지금 오와 초 두 나라가 반란을 일으켜 호주의 북쪽 땅을 쳐 항복을 받고, 남관을 헤쳐 황성을 범하고자 한다고 하는도다. 그러니 경은 스스로 마땅히 일을 잘 처리하여 사직을 보호하도록 하라."

이렇게 말씀하시니 평국이 엎드려 아뢰었다.

"신첩이 외람되게 폐하를 속이고 공후 작록을 받아 영화로 이 지낸 것도 황공했사온데 폐하께서는 죄를 용서해 주시고 신첩을 매우 사랑하셨사옵니다. 신첩이 비록 어리석으나 힘을 다해 성은을 만분의 일이나 갚으려 하오니 폐하께서는 근심하지 마옵소서."

천자께서 이에 크게 기뻐하시고 즉시 수많은 군사와 말을 징발해 주셨다. 그리고 벼슬을 높여 평국을 대원수로 삼으시니 원수가 사은숙배하고 위의를 갖추어 친히 붓을 잡아 보국에게 전령(傳令)을 내렸다.

(라) 보국이 전령을 보고 분함을 이기지 못해 부모에게 말했다.

"계월이 또 소자를 중군장으로 부리려 하오니 이런 일이 어디 있사옵니까?"

여공이 말했다.

"전날 내가 너에게 무엇이라 일렀더냐? 계월이를 괄시하다가 이런 일을 당했으니 어찌 계월이가 그르다고 하겠느냐? 나랏일이 더할 수 없이 중요하니 어찌할 수 없구나."

이렇게 말하고 어서 가기를 재촉했다. 보국이 할 수 없이 갑옷과 투구를 갖추고 진중(陣中)에 나아가 원수 앞에 엎드리니 원수 분부했다.

"만일 명령을 거역하는 자가 있다면 군법으로 시행할 것이다."

보국이 겁을 내어 중군장 처소로 돌아와 명령이 내려지기를 기다렸다.

(마) 이때 원수가 장대에서 북을 치다가 보국의 위급함을 보고 급히 말을 몰아 긴 칼을 높이 들고 좌충우돌해 적진을 헤치고 구덕지의 머리를 베어 들고 보국을 구했다. 몸을 날려 적진에서 충돌하니 동에 번쩍 서쪽의 장수를 베고, 남으로 가는 듯하다가 북쪽의 장수를 베었다. 이처럼 좌충우돌하여 적장 오십여 명과 군사 천여 명을 한칼로 소멸하고 본진으로 돌아왔다.

보국이 원수 보기를 부끄러워하니 원수가 보국을 꾸짖어 말했다.

"저러고서도 평소에 남자라고 칭하리오? 나를 업신여기더니 이제도 그렇게 할까?"

이렇게 말하며 보국을 무수히 조롱했다.

이때 원수가 장대에 자리를 잡고 앉아 구덕지의 머리를 함에 봉해 황성으로 보냈다.

한편 오와 초의 양 왕은 서로 의논하며 말했다.

"평국의 용맹을 보니 옛날 조자룡이라도 당하지 못할 것이니 어찌 대적할 것이며, 평국이 명장 구덕지를 죽였으니 이제는 누구와 함께 큰일을 도모하겠는가? 이제는 우리 양국이 평국의 손에 망할 것이로다."

(바) 이때 천자께서는 구덕지의 머리를 받아 보시고 크게 기뻐하시며 신하들을 모아 평국 부부를 칭찬하시고 태평으로 지내고 계셨다. 그런데 이때 오초(吳楚) 동쪽 관문의 수장(首將)이 장계를 올렸다.

양자강의 드넓은 모래사장에 수많은 군사와 말들이 몰려오며 황성을 범하고자 하나이다.

천자께서 매우 놀라시고 조정 관료를 모아 의논하셨다. 그러나 적장 맹길이 동쪽 관문을 깨치고 들어와 백성을 무수히 죽이고 대궐에 불을 질러 불빛이 하늘에 닿을 정도였다. 이에 장안의 백성들이 물 끓듯 하며 도망했다.

천자께서 매우 놀라시고 용상을 두드리다 기절하셨다. 우승상 천희가 천자를 등에 업고 북쪽 문을 열고 도망하니 시신 백여 명이 따라가 천태령을 넘어갔다. 적장 맹길이 천자께서 도망하시는 것을 보고 크게 소리를 질렀다.

"명나라 황제는 도망치지 말고 항복하라."

이렇게 소리치며 쫓아오니 모시는 신하도 넋을 잃고 죽기 살기로 나아가니 앞에 큰 강이 가로막고 있었다. 이에 천자께서 하늘을 우러러 탄식하셨다.

"이제는 죽겠구나. 앞에는 큰 강이요, 뒤에는 적병이 있어 형세가 급하니 이 일을 어찌하겠는가?"

(사) 천자께서 ([A])하여 용포(龍袍)의 소매를 뜯어 손가락을 입에 물고 깨물려고 하나 차마 못 하고 하늘을 우러러 통곡하며 말씀하셨다.

"사백 년 사직이 내게 와서 망할 줄을 어찌 알았겠는가?"

이렇게 말씀하시며 대성통곡하시니 햇빛도 빛을 잃었다.

이때 원수는 진중에 있으며 적을 무찌를 묘책을 생각하고 있었다. 그런데 자연히 마음이 어지러워 장막 밖에 나가 천기를 살펴보았다. 자미성이 자리를 떠나고 모든 별이 살기등등하여 은하수에 비치고 있었다. 원수가 크게 놀라 중군장을 불러 말했다.

"내가 천기를 보니 천자의 위태함이 경각(頃刻)에 있도다. 내가 홀로 가려 하니 장군은 장수와 군졸을 거느려 진문을 굳게 닫고 내가 돌아오기를 기다리라."

(아) "천자를 구하러 가오니 아버님은 제가 돌아오기를 기다리소서."

그러고서 말에 올라 천태령을 넘어갔다. 순식간에 한수 북쪽에 다다라서 보니 십 리 모래사장에 적병이 가득하고 항복하라고 하는 소리가 산천에 진동하고 있었다. 원수가 이 소리를 듣자 투구를 고쳐 쓰고 우레같이 소리치며 말을 채쳐 달려들어 크게 호령했다.

"적장은 나의 황상을 해치지 말라. 평국이 여기 왔노라."

이에 맹길이 두려워해 말을 돌려 도망하니 원수가 크게 호령하며 말했다.

"네가 가면 어디로 가겠느냐? 도망가지 말고 내 칼을 받으라."

이와 같이 말하며 철통같이 달려가니 원수의 준총마가 주홍 같은 입을 벌리고 순식간에 맹길의 말꼬리를 물고 늘어졌다. 맹길이 매우 놀라 몸을 돌려 긴 창을 높이 들고 원수를 찌르려고 하자 원수가 크게 성을 내 칼을 들어 맹길을 치니 맹길의 두 팔이 땅에 떨어졌다. 원수가 또 좌충우돌해 적졸을 모조리 죽이니 피가 흘러 내를 이루고 적졸의 주검이 산처럼 쌓였다.

이때 천자와 신하들이 넋을 잃고 어찌할 줄을 모르고 천자께서는 손가락을 깨물려 하고 있었다. 원수가 급히 말에서 내려 엎드려 통곡하며 여쭈었다.

"폐하께서는 옥체를 보중하옵소서. 평국이 왔나이다."

천자께서 혼미한 가운데 평국이라는 말을 듣고 한편으로는 반기며 한편으로는 슬퍼하며 원수의 손을 잡고 눈물을 흘리며 말씀을 못 하셨다. 원수가 옥체를 구호하니 이윽고 천자께서 정신을 차리고 원수에게 치하하셨다.

"짐이 모래사장의 외로운 넋이 될 것을 원수의 덕으로 사직을 안보(安保)하게 되었도다. 원수의 은혜를 무엇으로 갚으리오?"

이렇게 말씀하시고,

"원수는 만 리 변방에서 어찌 알고 와 짐을 구했는고?"

하시니, 원수가 엎드려 아뢰었다.

"천기를 살펴보고 군사를 중군장에게 부탁하고 즉시 황성에 왔사옵니다. 장안이 비어 있고 폐하의 거처를 모르고 주저하던 차에 시아버지 여공이 수챗구멍에서 나오므로 물어서 급히 와 적장 맹길을 사로잡은 것이옵니다."

말씀을 대강 아뢰고 나와서 살아남은 적들을 낱낱이 결박해 앞세우고 황성으로 향했다. 원수의 말은 천자를 모시고 맹길이 탔던 말은 원수가 탔으며 행군 북은 맹길의 등에 지우고, 모시는 신하를 시켜 북을 울리게 하며 궁으로 돌아갔다 . 천자께서 말 위에서 용포 소매를 들어 춤을 추며 즐거워하시니 신하들과 원수도 모두 팔을 들어 춤추며 즐거워했다.

〈뒷부분 줄거리〉

계월이 천자를 구한 사이 보국이 오왕과 초왕의 항복을 받아 돌아오는데, 계월이 적장 맹길인 체하며 보국을 속여 조롱한다. 보국은 모든 면에서 자기보다 우월한 계월의 능력을 인정하고 둘의 갈등은 해소된다. 두 차례에 걸친 국가의 위기를 구한 계월은 대사마 대장군의 작위를 받는다. 또한 천자는 보국을 승상에 봉하고 여공을 오왕에, 홍무를 초왕에 봉한다. 이후 계월은 보국을 예로써 섬기며 행복하게 살고 그들의 자손은 대대로 부귀영화를 누린다.

– 작자 미상, 「홍계월전」 –

11 위 소설에 대한 설명으로 적절하지 <u>않은</u> 것은?

① 남장 모티프가 소설 속에 반영되어 있다.

② 여성을 주인공으로 하는 군담 소설로 볼 수 있다.

③ 주인공의 뛰어난 활약상을 통해 영웅 소설의 면모를 보여주고 있다.

④ 천기를 보는 주인공의 모습을 통해 고전소설의 비현실성을 알 수 있다.

⑤ 여성의 능력을 중시하던 현실을 반영하여 주인공을 우월하게 그리고 있다.

12 (나)에서 '여공'이 '보국'을 설득하기 위해 내세운 근거가 <u>아닌</u> 것은?

① 계월의 능력이 보국보다 우월하다.

② 영춘의 행동에 문제가 있었으므로 계월을 탓할 수 없다.

③ 계월과 갈등을 일으키는 것은 보국에게 이로울 것이 없다.

④ 천자가 중매한 사람이므로 계월은 보국에게 하대할 수 있다.

⑤ 계월이 궁노, 궁비를 죽여도 다른 이가 계월을 책망하기 어렵다.

13 위 소설을 영웅의 일대기 구성에 따라 정리할 때, 적절하지 않은 것은?

	영우의 일대기 구성	'계월'의 일생
	고귀한 혈통에서 태어남.	이부 시랑 '홍무'의 딸로 태어남.
ⓐ	비정상적인 출생 과정을 거침.	어머니 양 씨가 선녀의 꿈을 꾸고 나서 아이를 잉태함.
	비범한 능력을 지님.	어려서부터 대단히 총명함.
ⓑ	어릴 적에 위기를 겪음.	오왕과 초왕의 반란으로 부모와 헤어지고 죽을 위기에 처함.
ⓒ	조력자의 도움을 받음.	여공을 만나 목숨을 건지고 보국과 함께 양육됨.
ⓓ	성장하여 다시 위기를 겪음.	여자임이 탄로 남. 첩 영춘을 죽인 일로 남편 보국과 갈등함.
ⓔ	위기를 극복하고 행복한 결말을 맞이함.	계월이 출정하여 적을 물리침.

① ⓐ   ② ⓑ   ③ ⓒ   ④ ⓓ   ⑤ ⓔ

14 (가)~(라)의 내용과 일치하는 것을 〈보기〉에서 모두 고르면?

┤ 보기 ├

㉮ '보국'은 가부장적 사고를 지닌 인물로, 계월과 갈등을 겪는다.
㉯ '평국'은 '천자'의 은혜를 갚기 위해 출병할 것을 결심하고 있다.
㉰ '여공'은 '계월'의 뛰어난 능력을 인정하며, 사적인 관계보다는 공적인 일을 더 중요시하고 있다.
㉱ '천자'는 '평국'이 여자라는 것을 알고 있었지만, 이에 전혀 개의치 않고 '평국'을 불러들이려 하고 있다.
㉲ '계월'은 비범한 능력을 가진 영웅적 인물로, 가정과 국가 사이에서 갈등을 겪는 모습을 보여 준다.
㉳ 홍계월이 천자의 부름을 받아 사직을 보전하라는 명을 받은 것에서 국가의 위기와 남장이 발각된 위기를 극복할 기회를 얻었다고 볼 수 있다.

① ㉮, ㉯, ㉰   ② ㉮, ㉯, ㉰, ㉱   ③ ㉮, ㉯, ㉰, ㉲
④ ㉮, ㉯, ㉰, ㉳   ⑤ ㉮, ㉯, ㉰, ㉱, ㉲

15 다음 중 (사)의 [A]에 들어갈 한자 성어로 적절한 것은?

① 혼비백산(魂飛魄散)   ② 난형난제(難兄難弟)   ③ 우화등선(羽化登仙)
④ 허장성세(虛張聲勢)   ⑤ 사면초가(四面楚歌)

16 〈보기〉를 참고하여 위 소설을 감상한 내용으로 적절하지 <u>않은</u> 것은?

┤ 보기 ├

　　조선 후기의 사회·문화적 변화로 눈에 띄는 점은 국문 소설의 성행하며 독자층이 사대부가 여성을 비롯하여 평민층으로까지 확대되었다는 점과 가부장제 사회에서 남성에게 굴종을 강요당하던 여성의 의식이 변화하기 시작했다는 점이다. 여성 주인공의 영웅적 활약에 초점을 맞춘 여성 영웅 소설은 이러한 흐름에서 성행하였다. 물론 충군(忠君) 사상이나 남존여비(男尊女卑)와 같은 당대 유교적 이념의 벽은 여전히 견고했다. 하지만 소설에서 남성보다 뛰어난 여성 주인공을 내세워 기존의 가부장적 질서를 비판했다는 점을 통해 조선 후기 여성의 의식이 성장하고 있었다는 것을 알 수 있다.

① **영수** : '계월'의 영웅적인 활약상은 당대 여성들에게 대리 만족의 기회를 제공했겠군.

② **철수** : 국난을 해결하기 위해 능력을 발휘하는 '계월'의 모습에는 당대 여성들의 사회적 자아실현의 열망이 표현되었겠군.

③ **순희** : 처첩 문제로 갈등하는 '계월'의 모습에서 유교적 이념이 점차 강화되어 가는 사회적 분위기를 읽을 수 있군.

④ **명현** : 남존여비가 팽배했던 사회적 분위기에 대한 반발로 인해 '계월'과 같은 여성 영웅을 주인공으로 삼은 소설이 탄생한 것이겠군.

⑤ **영희** : '계월'이 남편인 '보국'보다 뛰어난 능력을 발휘하는 모습을 통해 당대의 가부장적 사회 속에 살고 있는 여성들은 통쾌함을 느꼈겠군.

9

우리 말과 글의 역사 위에서 미래를 보다

국어의 어제와 오늘

제1강 국어의 어제

이번 시간에는 중세 국어와 현대 국어의 차이점을 이해하고, 오늘날 세계 속에서 한국어의 위상을 알아보려고 해
_{'제1강'의 강연 내용} _{'제2강'의 강연 내용}
요. 이를 바탕으로 국어를 사랑하고 국어 발전에 참여하는 태도를 기를 수 있으면 좋겠어요.
_{강연의 기대 효과}

우선, 중세 국어와 현대 국어의 차이점을 알아볼게요. 중세 국어 하면 지루하고 어렵게 느껴지죠? 중세 국어가 지
_{강연의 특성상 앞에 있는 청중에게 질문을 하여 관심을 유발함.} _{국어의 역사성 때문임.}
금 우리가 쓰고 있는 현대 국어와 달라서 생소하게 느껴질 수도 있지만, 중세 국어 역시 우리말이라는 점을 기억하면
서 차근차근 살펴볼게요.

다음 자료는 '세종어제훈민정음'의 '어지(御旨)'예요. '어지'는 훈민정음, 즉 한글을 창제한 세종 대왕이 한글 창제의
_{백성을 가르치는 바른 소리} _{임금이 몸소 짓거나 만듦.} _{임금의 뜻을 이르던 말} _{백성들이 문자 생활을 할 수 있게 하기 위함.}
목적과 정신을 직접 밝힌 글로, '어제 서문(御製序文)'이라고도 합니다. 국어의 역사를 구분할 때 10세기부터 16세기
_{자주 정신, 애민 정신, 창조 정신, 실용 정신} _{머리말}
까지의 시기를 '중세'라고 하는데, 이 『세종어제훈민정음』은 중세 국어의 모습을 살펴볼 수 있는 대표적인 자료입니다.』
_{후기 중세 국어(15세기, 훈민정음 창제 후)의 모습} _{「」: '세종어제훈민정음'의 의의}

그럼 '어지'를 살펴보면서 중세 국어와 현대 국어의 차이점을 본격적으로 알아보죠.

세종어제훈민정음 어지

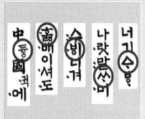

첫째, **표기와 음운**의 차이를 살펴보죠. 일반적으로 <u>가로쓰기</u>를 하고 있는 현대 국어와
_{현대 국어의 특징 - 왼쪽에서 오른쪽으로 쓰는 방식}

달리 중세 국어는 <u>세로쓰기</u>를 했고, <u>띄어쓰기를 하지 않았어요.</u> '·쁘·들'과 '·노·미'는 현대
_{중세 국어의 특징 ① - 위에서 아래로 쓰는 방식}   _{중세 국어의 특징 ②}

국어에서라면 각각 '뜻을'과 '놈이'로 '<u>끊어 적기</u>'를 했을 텐데, 중세 국어에서는 앞 음절의
_{형태소의 모습을 밝혀 적는 것으로, 앞 음절의 끝소리를 앞 음절에 그대로 적음.}

끝소리를 뒤 음절의 첫소리로 옮겨 적는 '<u>이어 적기</u>'를 했어요. 그리고 '펴·디:몯홇'처럼
_{중세 국어의 특징 ③}

<u>글자 왼쪽에 방점을 찍어 성조, 즉 소리의 높낮이를 표시했어요.</u>
_{중세 국어의 특징 ④}

'어지'에서 볼 수 있듯이 중세 국어에는 '<u>ㆁ(옛이응), ㆆ(여린히읗), ㅸ(순경음 비읍), ·</u>
_{현대 국어에서 사라진 글자 ①}

<u>(아래아)' 등과 같이 오늘날 쓰이지 않는 글자가 존재했어요.</u> '어지'에는 보이지 않지만
_{중세 국어의 특징 ⑤}

'<u>ㅿ(반치음)</u>'도 중세 국어에 있었던 글자예요. 이 중 'ㅸ, ·, ㅿ'은 현대 국어에는 없는 음
_{현대 국어에서 사라진 글자 ②}

운을 표기하기 위한 것이에요.

또한 '·쁘·들', '·뿌·메'와 같이 중세 국어에는 <u>음절 첫머리에 서로 다른 둘 이상의 자음</u>
_{중세 국어의 특징 ⑥}

<u>이 올 수 있었어요.</u> 이들을 '어두 자음군'이라고 하는데, 이것이 현대 국어에서는 '뜻을',

'씀에'처럼 된소리로 바뀌었어요.

둘째, **문법**의 차이입니다. 우선 '어지'의 현대어 풀이를 살펴보죠.

세종어제훈민정음 어지

「 」: 자주 정신   「 」: 애민 정신, 창조 정신

[현대어 풀이]「나라의 말이 중국과 달라 문자(한자)와 서로 통하지 아니하여서,」「이런 까닭으로 어리석은 백성이 이르

고자 하는 바가 있어도 마침내 제 뜻을 능히 펴지 못하는 사람이 많다. 내가 이를 불쌍히 여겨 새로 스물여덟 자를 만드

「 」: 실용 정신

니,「사람마다 하여금 쉽게 익혀 날마다 씀에 편안하게 하고자 할 따름이다.」

'나·랏:말ᄊ·미中듕國·귁·에달·아'는 현대 국어로 '나라의 말이 중국과 달라'인데요.

비교부사격 조사

이를 통해 중세 국어의 조사 '에'가 비교를 나타내는 현대 국어의 조사 '와/과'와 같은

중세 국어의 특징 ⑦

의미로 쓰였음을 알 수 있어요.

또 '百·ᄇᆡᆨ姓·셩·이니르 · 고·져·홇·배(바+ㅣ)이·셔·도'는 현대 국어로 '백성이 이르

「ㅢ:중세 국어의 특징 ⑧

고자 하는 바가 있어도'인데요. 이를 통해「주어를 나타내는 조사가 중세 국어에서는

'이/ㅣ'만 쓰였고, 현대 국어에서 끝음절에 받침이 없는 체언 뒤에 붙어 주어를 나타

중세 국어의 주격 조사

내는 조사 '가'가 없었음을 알 수 있어요.

중세 국어에서는 조사나 어미가 결합할 때 *모음 조화 현상이 잘 지켜졌어요. 체언이

중세 국어의 특징 ⑨

나 용언 어간의 끝음절 모음이 양성 모음(·, ㅗ, ㅏ)이냐, 음성 모음(ㅡ, ㅜ, ㅓ)이냐에

따라 조사나 어미가 선택된 거죠. 이를테면, '·ᄠᅳ·들(뜻을)'처럼 음성 모음 다음에는 음

'ㅡ'는 음성 모음임.

성 모음을 가진 조사가, '·ᄍᆞ·ᄅᆞᆯ'처럼 양성 모음 다음에는 양성 모음을 가진 조사가 결합

'ㆍ'는 양성 모음임.

되었어요. 반면에 현대 국어에서는 '자를'과 같이 양성 모음 다음에 음성 모음을 가진

조사가 결합되는 경우가 흔합니다. 이를 통해 현대 국어에서는 모음 조화 현상이 약해

졌음을 알 수 있죠.

마지막으로, **어휘의 차이**를 살펴볼까요? 중세 국어에 쓰인 어휘 중에는 형태나 의미

중세 국어의 특징 ⑩

가 현대 국어와 다른 것이 있어요. '어지'의 현대어 풀이에서 알 수 있듯이 '서르'는 '서

로'를 뜻하는 말로 현대 국어와 형태만 다르죠. 반면에 형태는 비슷하지만 현대 국어에

중세 국어 어휘의 변화 양상 ① – 형태 변화   중세 국어 어휘의 변화 양상 ② – 의미 변화

서 그 의미가 달라진 어휘도 있어요. '어·린' 같은 어휘가 그러한데, 현대 국어에서는 '나

이가 적은'이라는 의미이지만 중세 국어에서는 '어리석은'이라는 의미였어요.

---

*모음 조화 현상: 두 음절 이상의 단어에서, 뒤의 모음이 앞 모음의 영향으로 그와 가깝거나 같은 소리로 되는 언어 현상이다. 양성 모음은
양성 모음끼리, 음성 모음은 음성 모음끼리 어울린다.

지금까지 중세 국어와 현대 국어의 표기 및 음운, 문법, 어휘의 차이를 살펴봤는데요, 이를 통해 <u>언어가 시간의 흐</u>

<u>언어의 역사성</u>

<u>름에 따라 변화한다는 것</u>을 알 수 있었을 거예요. 이러한 특성을 언어의 역사성이라고 하죠. 여러분들이 <u>국어의 역사</u>

<u>를 탐구하는 과정에서 선인들의 삶을 이해하고, 국어의 소중함도 느꼈길</u> 바랍니다.

강연자의 당부

제2강 국어의 오늘

이번 시간에는 오늘날 **세계 속 한국어의 위상**이 어떠한지를 살펴볼 거예요. 다음 그래프를 볼까요?

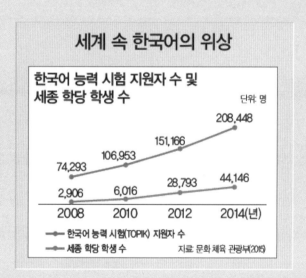

이 그래프는 '한국어 능력 시험(TOPIK)' 지원자 수 및 '세종 학당' 학생 수의 <u>추이</u>를 나타낸 것이에요. 한국어 능력

일이나 형편이 시간의 경과에 따라 변하여 나감

시험이란 한국어를 모국어로 하지 않는 재외 동포나 외국인의 한국어 사용 능력을 평가하기 위한 시험이에요. <u>세종</u>

<u>학당은 해외에 있는 한국어 교육 기관으로, 전 세계에서 한국어와 한국 문화 교육을 담당하고 있어요.</u>

세종 학당의 뜻과 역할

이 그래프를 보면, <u>한국어 능력 시험 지원자 수와 세종 학당 학생 수가 점점 늘어나고 있다</u>는 걸 알 수 있죠? 세계

세계 속 한국어의 위상이 높아진 결과

적으로 한국어를 배우려는 외국인들이 늘어나는 이유는 <u>국제 사회에서 우리나라의 위상과 역할이 커지면서 정치, 경</u>

세계 속 한국어의 위상이 높아진 이유

<u>제, 문화적으로 한국을 알고 이해할 필요가 높아졌기</u> 때문이죠. 그 덕분에 한국어의 국제적인 위상도 함께 높아지고

있어요. 많은 외국인이 한국어를 배우려고 노력하고 있다니, 자랑스럽지 않나요?

한국어가 한민족만의 언어가 아닌, 세계인의 언어로 주목받으며 그 위상이 높아지고 있죠. 하지만 한국어를 모국어로 하는, 한국어의 주인인 우리가 국어를 함부로 사용해서 안타까울 때가 있어요. 다음 자료를 같이 볼까요?

외래어와 외국어를 과도하게 사용한 예	가상 공간에서 언어를 잘못 사용한 예
유니크한 디자인과 비비드한 컬러가 돋보이는 이 상품은 이미 많은 셀럽들이 초이스한 핫아이템입니다.	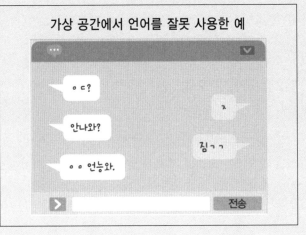

왼쪽 자료는 <u>외래어나 외국어를 불필요하게 많이 사용한 예</u>이고, 오른쪽 자료는 <u>가상 공간에서 규범에 맞지 않는</u>
　　　　　　　부적절한 국어 표현 ①　　　　　　　　　　　　　　　　　　　　　　　부적절한 국어 표현 ②
<u>표현을 사용</u>한 예입니다. 최근에는 이런 부적절한 표현을 일상생활에서까지 사용하는 경우가 있어서 문제가 되고 있어요. 이렇게 국어를 잘못 사용하면 <u>의사소통을 방해할 뿐만 아니라 상대방의 기분을 언짢게 할 수도 있어요.</u> 더 나
　　　　　　　　　　　　　　　　올바른 국어 사용이 필요한 이유
아가 국어의 발전을 가로막는 일이기도 합니다. 그러므로 일상생활에서 <u>꼭 필요한 경우가 아니라면, 외국어나 불필</u>
　　　　　　　　　　　　　　　　　　　　　　　　　올바른 국어 사용 방법 ①
<u>요한 외래어 사용을 자제하고 고유어나 순화어를 사용해야 합니다.</u> <u>가상 공간에서도 언어 규범에 맞는 표현을 사용</u>
　　　　　　　　　　　　　　　　　　　　　　　　　　올바른 국어 사용 방법 ②
하는 것이 좋겠어요.

<u>모든 언어는 시간의 흐름에 따라 변합니다.</u> 국어도 마찬가지예요. 국어가 앞으로 어떻게 변할지 정확히는 알 수 없
　　언어의 역사성
지만, 현재를 살고 있는 우리는 모두 그 미래를 결정하는 중요한 역할을 하고 있어요. 따라서 우리는 국어의 아름다
　　　　　　　「　」: 강연자의 당부
운 미래를 위해「자신이 국어를 어떻게 사용하고 있는지 생각해 보고, 국어를 사랑하며 국어의 발전에 기여하는 태도
를 지니도록 노력해야 합니다.」

세종어제훈민정음 世宗御製訓民正音

□ : 종성에 음가 없는 'ㅇ'을 받쳐 적은 동국정운식 한자음

世·솅宗종 御·엉製·졩 訓·훈民민正·졍音흠
　　　　임금이 몸소 지은 글　　　백성을 가르치는 바른 소리

나·랏 :말ᄊᆞ·미 中듕國·귁·에 달·아 文문字·ᄍᆞ·와·로 서르 ᄉᆞᄆᆞᆺ·디 아·니ᄒᆞᆯ·씨 ·이런 젼·ᄎᆞ·로 어·린
　　말ᄊᆞ+이(주격조사)　　비교 부사격 조사　　　　　　8종성법(기본형은 ᄉᆞᆺ다)　　　　까닭으로　어리석은

百·ᄇᆡᆨ姓·셩·이 니르·고·져 ·홇 ·배이·셔·도 ᄆᆞᄎᆞᆷ:내 제 ·ᄠᅳ·들 시·러 펴·디 :몯ᄒᆞᆶ ·노·미 하·니·라 ·내·
　　두음법칙이 적용되지 않음　　　　바+ㅣ(주격조사)　　　ᄠᅳᆮ+을(목적격 조사)　구개음화가 일어나지 않음　많다

·이·를 爲·윙·ᄒᆞ·야 :어엿·비 너·겨 ·새·로 ·스·믈여·듧 字·ᄍᆞ·ᄅᆞᆯ 밍·ᄀᆞ노·니 :사ᄅᆞᆷ:마·다 :ᄒᆡ·ᄧᅧ :수·ᄫᅵ 니·
　　　　　　가엾게, 불쌍히　　　　　　　　　　　　　　　　　　　　　　　　　'ㅸ'의 사용

·겨 ·날·로 ·ᄡᅮ·메 便뼌安한·킈 ᄒᆞ·고·져 ᄒᆞᇙ ᄯᆞᄅᆞ·미니·라
　어두자음군 사용

　　　　　　　　　　　　　　　　－ 「월인석보」(권1)에서, 세조(世祖) 5년(1459년) －

| 현대어 풀이 |

　우리나라의 말이 중국과 달라 한자와 서로 통하지 아니하여서, 이런 까닭으로 어리석은 백성이 말하고자 하는 바가 있어도
　자주정신　　　　　　　　　　　　　　　　　　　　　　　　　　　애민·창조정신
마침내 제 뜻을 능히 펴지 못하는 사람이 많다. 내가 이것을 가엾게 생각하여 새로 스물여덟 글자를 만드니, 모든 사람으로 하여

금 쉽게 익혀서 날마다 쓰는 데 편안하게 하고자 할 따름이다.
　실용정신

■ 〈세종어제훈민정음〉에 나타난 한글 창제 정신

내용	창제 정신
우리말이 중국의 것과 다르다.	자주 정신
백성들이 말하고자 하는 바를 제대로 전달하지 못하여 이를 불쌍히 여기고, 글자를 새로 만듦.	애민 정신, 창조 정신
사람들로 하여금 쉽게 쓰게 하고자 함.	실용 정신

■ 〈세종어제훈민정음〉을 바탕으로 한 중세 국어와 현대 국어의 비교

구분	중세 국어	현대 국어	변화 내용
표기	世·솅宗종	세종	한자음을 동국정운식으로 표기함.
	·이런	이런	성조가 사라짐.
	·뿌·메	사용함에	표기에서 주로 이어적기를 사용함.
	성조(방점)	존재하지 않음.	중세 국어에서는 글자의 왼쪽에 점을 찍어 소리의 높낮이를 표시했으나, 임진왜란 이후 소멸됨.
음운	:수·빙	쉬이	현재 사용하지 않는 자음자(ㆁ, ㅿ, ㆆ, ㅸ)가 쓰임.
	·뜨·들	뜻을	어두 자음군이 사라지고 된소리로 바뀜.
	펴·디	펴지	구개음화의 영향으로 '-디'가 '-지'로 바뀜.
	스·믈	스물	원순 모음화의 영향으로 '스믈'이 '스물'로 바뀜.
문법	듕·귁·에	중국과	중세 국어에는 비교나 기준을 나타내는 부사격 조사 '에'가 있었음.
	·홀 ·배	하는 바가	주격 조사로 'ㅣ'가 사용됨.

■ 중세 국어와 현대 국어의 어휘 변화

중세 국어	뜻		현대 국어	뜻	변화 유형
어·린	어리석은		어린	나이가 적은	의미 변동
놈	사람	→	놈	'남자'의 낮춤말	의미 축소
:어엿·비	가엽게, 불쌍히		어여삐	예쁘게	의미 변동

⊙ 핵심정리

갈래	서문(序文), 번역문	성격	교시적, 설명적
제재	훈민정음		
주제	훈민정음의 창제 정신과 취지		
특징	• 《훈민정음》의 서문을 한글로 풀이한 것으로, 《월인석보》(1459) 제 1 권에 실려 있다. • 세종 대왕이 훈민정음을 창제하게 된 배경과 자주, 애민, 창조, 실용의 창제 정신이 잘 나타나 있다.		

확인학습 ··

01 중세 국어에서는 음가 없는 'ㅇ'을 사용하였다.　　　　　　　　　　　　　　　　　○☐ ×☐

02 중세 국어에서는 어두에 둘 이상의 자음을 사용하였다.　　　　　　　　　　　　　　○☐ ×☐

03 중세 국어에서는 주격 조사로 '이'와 '가'를 사용하였다.　　　　　　　　　　　　　　○☐ ×☐

04 중세 국어에서는 소리 나는 대로 적는 것을 원칙으로 하고 있다.　　　　　　　　　　○☐ ×☐

05 중세 국어에서는 소리의 높낮이를 통하여 단어의 뜻을 분별할 수 있다.　　　　　　　○☐ ×☐

06 중세 국어에서는 띄어쓰기를 하지 않았다.　　　　　　　　　　　　　　　　　　　　○☐ ×☐

07 중세국어의 'ㅇ, ㆆ, ㅸ' 등의 자음은 현대 국어에서는 사용하고 있지 않다.　　　　○☐ ×☐

08 중세 국어는 현대 국어와 달리 두음 법칙이 적용되지 않았다.　　　　　　　　　　　○☐ ×☐

09 중세 국어는 현대 국어와 달리 소리 나는 대로 표기하는 부분이 있다.　　　　　　　○☐ ×☐

10 중세 국어에서는 입술소리 'ㅁ, ㅂ, ㅃ, ㅍ' 다음에서 평순 모음 'ㅡ'가 사용되었으나 현대 국어에서는 평순 모음 'ㅡ'
　　가 원순 모음 'ㅜ'로 바뀌었다.　　　　　　　　　　　　　　　　　　　　　　　　　○☐ ×☐

11 방점은 점의 개수로 소리의 높낮이를 알 수 있다.　　　　　　　　　　　　　　　　　○☐ ×☐

12 방점이 없으면 소리를 낼 수 없다.　　　　　　　　　　　　　　　　　　　　　　　○☐ ×☐

객관식 기본문제

[01~02] 다음 글을 읽고 물음에 답하시오.

世솅宗죵御엉製졩訓훈民민正졍音흠

㉠나·랏:말쏘·미 中듕國·귁·에 ㉡달·아 文문字·쭝·와로 서르 스뭇·디 아·니홀·씨 ·이런 젼·ᄎ·로 어·린 ㉢百·빅姓·셩·이 니르·고·져 ·㉣홅·배 이·셔·도 ᄆᆞ·춤:내제 ㉤·ᄠᅳ·들 시·러 펴·디 :몯홅 ·노·미 하·니·라 ·내 ·이·를 爲·윙·ᄒᆞ·야:어엿·비 너·겨 ·새·로 ·스·믈여·듧 字·쭝·를 밍·ᄀᆞ노·니 :사ᄅᆞᆷ:마·다 :ᄒᆡ·ᅇᅧ :수·ᇦᅵ 니·겨 ·날·로 ·ᄡᅮ·메 便뼌安한·킈 ᄒᆞ·고·져 홅 ᄯᆞᄅᆞ·미니·라

---

01 윗글의 ㉠~㉤을 통해 알 수 있는 중세국어의 특징으로 적절한 것은?

① ㉠ : 부사격 조사를 표기할 때 'ㅅ'을 사용하여 표기하였다.

② ㉡ : 용언 뒤에 모음으로 시작하는 어미가 이어질 때 이어 적기하여 표기하였다.

③ ㉢ : 한자어를 표기할 때 형식적으로 종성 'ㅇ'을 사용하여 초성, 중성, 종성을 모두 표기하였다.

④ ㉣ : 주격 조사를 쓸 때 모음 뒤에서는 주격 조사를 쓰지 않고 생략하였다.

⑤ ㉤ : 초성을 쓸 때 합용 병서를 단어의 첫머리에 써서 어두 자음군을 표기하였다.

02 〈보기〉는 윗글을 바탕으로 학생들이 중세국어와 현대국의 차이점을 탐구한 자료 중 일부이다. 탐구자료 ㉠~㉢에 들어갈 적절한 예시만을 짝지은 것은?

┤ 보기 ├

탐구 영역	탐구 자료	탐구 내용
음운의 측면	㉠	가연 : 중세국어 시기에는 두음 법칙이 없었다고 볼 수 있군.
어휘의 측면	㉡	나연 : 국어가 변화하면서 어떤 어휘는 없어지기도 하고, 어떤 어휘는 그 의미가 바뀌기도 하는군.
문법과 문법 요소 측면	㉢	다연 : '가'가 쓰일 자리에 다른 형태가 쓰인 것을 보니 현대국어와 달리 중세국어 시기에는 주격조사 '가'가 없었구나.

	㉠	㉡	㉢
①	서르	어엿브다	:몯홅 ·노·미 하·니·라
②	니르고져	어리다	홅 ·배 이·셔·도
③	날로	젼ᄎ	나·랏 :말쏘·미
④	너겨	놈	·스·믈여·듧 字·쭝·를
⑤	사ᄅᆞᆷ마다	나라	百·빅姓·셩·이 니르·고·져

世솅宗종御엉製졩訓훈民민正졍音흠

㉠나·랏:말쏘·미 ㉡中듕國·귁·에 달·아 文문字·쫑·와로 서르 소뭇·디 아·니홀·씨 ·이런 젼·ᄎ·로 어·린 百·빅姓·셩·이 니르·고·져 ·홇 ㉢·배 이·셔·도 ᄆ·ᄎ·ᆷ:내제 ·ᄠ·들 시·러 펴·디 :몯홇 ·④노·미 하·니·라 ·내 ·이·ᄅᆞᆯ ㉣爲·윙·ᄒᆞ·야:어엿· 비 너·겨 ·새·로 ㉤·스·믈여·듧 字·쫑·ᄅᆞᆯ 밍·ᄀᆞ노·니 :사ᄅᆞᆷ:마·다 :히·ᅇᅧ :수·ᄫᅵ 니·겨 ·날·로 ·ᄡᅮ·메 便뼌安한·킈 ᄒᆞ·고· 져 홇 ᄯᆞ·ᄅᆞ·미니·라

– 「훈민정음」 언해, 1459년 –

[현대어 풀이]

우리나라 말이 중국과 달라 한자와는 서로 통하지 아니하여서 이런 까닭으로 어리석은 백성이 말하고자 하는 바가 있어도 마침내 제 뜻을 펴지 못하는 사람이 많다. 내가 이것을 가엾게 여겨 새로 스물여덟 자를 만드니, 모든 사람으로 하여금 쉽게 익혀서 날마다 쓰는 데에 편하게 하고자 할 따름이다.

03 윗글을 읽고 중세 국어의 특징을 설명한 것으로 적절하지 <u>않은</u> 것은?

① 현대 국어와 달리 띄어쓰기를 하지 않았다.
② 현대 국어에서는 소실된 음운을 사용하고 있다.
③ 체언과 조사를 적을 때 그 체언의 원형을 밝혀 적었다.
④ 초성에 둘 이상의 자음이 오는 어두 자음군이 존재했다.
⑤ 비교의 의미를 드러내는 부사격 조사가 현대 국어와는 다른 형태로 존재했다.

04 윗글을 읽고 국어의 변천에 대해 탐구한 내용으로 적절하지 <u>않은</u> 것은?

① 중세 국어는 현대 국어와 달리 구개음화가 일어나지 않았다.
② 중세 국어는 현대 국어와 달리 두음법칙이 적용되지 않았다.
③ 중세 국어는 현대 국어와 달리 방점을 찍어 성조를 표시하였다.
④ 중세 국어의 'ㆍ'(아래 아)는 현대 국어에서 더 이상 음운으로 사용되지 않는다.
⑤ 중세 국어는 현대 국어와 달리 단어의 첫머리에서 둘 이상의 자음이 쓰일 수 없었다.

05 ㉠~㉤에 대해 탐구한 내용으로 적절하지 <u>않은</u> 것은?

① ㉠의 'ㅅ'은 현대 국어 관형격 조사에 해당하겠군.
② ㉡의 '에'는 부사격 조사의 기능을 하고 있군.
③ ㉢의 'ㅣ'는 주격조사로, 현대 국어와 다른 형태가 사용되었군.
④ ㉣의 'ᄒ야'를 보니 모음조화가 제대로 지켜지지 않았음을 알 수 있군.
⑤ ㉤을 보니 원순모음화가 일어나지 않았음을 알 수 있군.

06 아래의 밑줄 친 조사 중에서 윗글의 ㉢'배'에 쓰인 조사와 같은 역할을 하는 조사가 쓰인 것은?

① 이번 월드컵은 우리나라<u>에서</u> 우승을 차지하였다.
② 긴 겨울이 지나자 강물이 녹아 얼음<u>이</u> 되었다.
③ 피서지에서 예약한 방이 깨끗하지<u>가</u> 않았다.
④ 그가 우리를 도와줄 적임자<u>가</u> 아닐까?
⑤ 지금의 야자가 미래의 성공<u>이</u> 될 것이다.

07 윗글에 사용된 단어에 대한 설명으로 적절하지 <u>않은</u> 것은?

① '말씀'은 '일반적인 말'을 의미했지만, 오늘날 남의 말을 높여 이르는 말이나 자기 말을 낮추어 이르는 말을 가리킨다는 점에서 의미 확대의 예이다.
② '사맛다, 젼ᄎ'는 오늘날 사용하지 않는 단어이기 때문에 어휘 소멸의 예이다.
③ '어리다'는 '어리석다'를 의미했는데, 오늘날 '나이가 적다'를 가리킨다는 점에서 의미 이동의 예이다.
④ '놈'은 '일반 사람'을 의미했지만 오늘날 '남자, 사람'을 낮잡아 이르는 말로 쓰여 의미 축소의 예이다.
⑤ '어엿브다'는 '가엽다'를 의미했지만, 오늘날 '예쁘다'를 가리킨다는 점에서 의미 이동의 예이다.

08 현대어 풀이를 참고할 때, 윗글의 'Ⓐ노·미'와 표기의 측면에서 가장 이질적인 것은?

① 말ᄊ·미　　　② 쁘·들　　　③ 어엿·비
④ 니·겨　　　⑤ ᄯᆞ·미 니·라

09 〈보기〉의 ㉠, ㉡, ㉢의 사례를 순서대로 바르게 짝지은 것은?

┌─ 보기 ┤
- 'ㅇ'룰 입시울쏘리 아래 니어 쓰면 ㉠입시울 가배야톤 소리 두외느니라
  [현대어 풀이] ㅇ을 순음 아래 이어 쓰면 순경음이 된다.

- ·와 ─와 ㅗ와 ㅜ와 ㅛ와 ㅠ는 ㉡첫소리 아래 브텨 쓰고 ㅣ와 ㅏ와 ㅓ와 ㅑ와 ㅕ와란 ㉢올흔녀긔 브텨 쓰라.
  [현대어 풀이] ·와 ─와 ㅗ와 ㅜ와 ㅛ와 ㅠ는 첫소리 아래 붙여 쓰고 ㅣ와 ㅏ와 ㅓ와 ㅑ와 ㅕ는 오른쪽에 붙여 쓰라.
└─

	㉠	㉡	㉢
①	文문字쭝	나랏	펴디
②	百빅姓셩이	흥고져	니겨
③	밍ᄀᆞ노니	이런	달아
④	히ᅇᅧ	ᄆᆞ춤내	시러
⑤	수비	몯홀	하니라

10 〈보기〉는 16세기 말에 쓰인 편지글이다. 잘 읽고 현대 국어와 다른 점을 찾아 설명한 것으로 적절하지 <u>않은</u> 것은?

┌─ 보기 ┤
  워늬 아바님께 샹빅
  자내 샹해 날두려 닐오듸 둘히 머리 셰도록 사다가 홈ᄢᅴ죽쟈 ᄒᆞ시더니 엇디ᄒᆞ야 나를 두고 자내 몬져 가사는 〈하략〉
└─

① '원이'를 '워늬'로 분철식 표기 한 것이다.
② '올림'을 웃어른에게 말씀을 사룀이란 뜻의 '상백(上白)'이라는 한자어로 표현했다.
③ 아내가 남편에게 '자내'라고 표현했다.
④ '나에게'를 '날두려'라고 표현했다.
⑤ '먼저'를 '몬져'로 표현했다.

[11~14] 다음 글을 읽고 물음에 답하시오.

世·솅宗종御·엉製·졩訓·훈民민正·졍音흠

나·랏@:말쏘·미 中듕國·귁·에 달·아 文문字·쫑·와로 서르 스뭇·디 아·니홀·씨 ·이런 젼·ᄎ·로 ⓑ어·린 百·빅姓·셩·이 니르·고·져 ·홇 ·배 이·셔·도 ᄆ·ᄎᆷ:내제 ·ᄠ·들 시·러 펴·디 :몯홇 ⓒ·노·미 하·니·라 ·내 ·이·를 爲·윙·ᄒ·야ⓓ:어엿·비 너·겨 ·새·로 ·스·믈여·듧 字·쫑·를 밍·ᄀ노·니 ⓔ:사·름:마·다 :히·여 :수·비 니·겨 ·날·로 ·ᄡᅮ·메 便뼌安한·킈 ᄒ·고·져 홇 ᄯᆞ르·미니·라

– 「훈민정음(訓民正音)」 언해본에서 –

[현대어 풀이]

우리나라 말이 중국과 달라 한자와는 서로 통하지 아니하여서 이런 까닭으로 어리석은 백성이 말하고자 하는 바가 있어도 마침내 제 뜻을 펴지 못하는 사람이 많다. 내가 이것을 가엾게 여겨 새로 스물여덟 자를 만드니, 모든 사람으로 하여금 쉽게 익혀서 날마다 쓰는 데에 편하게 하고자 할 따름이다.

11 윗글의 ⓐ~ⓔ 중, 〈보기〉의 설명과 관련 없는 것은?

┌─┤ 보기 ├─────────────────────────────────┐

언어는 시간의 흐름에 따라 신생, 성장, 소멸한다. 마찬가지로 단어의 의미도 시간의 흐름에 따라 변화하는데, 의미 영역이 확대되기도 하고(의미 확대), 반대로 축소되기도 하며(의미 축소), 전혀 다른 의미로 변화하기도 한다.(의미 이동).

└──┘

① ⓐ : 말씀　　　② ⓑ : 어리다　　　③ ⓒ : 놈
④ ⓓ : 어엿브다　　⑤ ⓔ : 사름

12 윗글을 통해 알 수 있는 중세국어의 특징으로 알맞지 <u>않은</u> 것은?

① 동국정운식 표기법을 사용하고 있다.
② 성조(聲調)를 통해 단어의 뜻을 구별할 수 있다.
③ 음운 측면에서 '스뭇·디'처럼 어휘가 사라진 것도 있다.
④ 중세국어 표기법은 실제 발음을 충실히 반영하고 있다.
⑤ 표기 측면에서 이어적기를 하고 띄어쓰기를 하지 않는다.

13 윗글에 대한 설명으로 알맞지 <u>않은</u> 것은?

① 'ㆍ, ㅸ, ㆆ'이 사용되고 있다.
② 훈민정음의 창제 동기가 나타난다.
③ 어두자음군과 합용병서가 나타난다.
④ 평성은 방점이 한 개이며 높은 소리이다.
⑤ 훈민정음은 자음 17자, 모음 11자로 되어 있다.

14 윗글을 통해 알 수 있는 중세국어의 특징에 해당하는 사례로 적절하지 <u>않은</u> 것은?

중세국어 특징	사례
① 구개음화가 사용되지 않음	펴·디
② 비교부사격 조사 '에'가 사용됨	中듕國·귁·에
③ 두음법칙이 사용되지 않음	니르·고·져, 니·겨
④ 주격조사 'ㅣ'가 사용됨	·내, 제
⑤ 모음조화가 잘 지켜짐	爲·윙·ᄒᆞ·야

15 〈보기〉를 읽고 중세 국어에 대해 탐구한 내용으로 적절하지 <u>않은</u> 것은?

┌─ 보기 ┐

워늬아바님ᄭᅴ샹빅
자내샹해날ᄃᆞ려닐오ᄃᆡ둘히머리셰도록사다가홈ᄭᅴ죽쟈ᄒᆞ시더니
엇디ᄒᆞ야나ᄅᆞᆯ두고자내몬져가사ᄂᆞᆫ 〈하략〉

– 「이응태 묘 출토 편지」에서(1586년) –

[현대어 풀이]
원이 아버님께 올림
당신 항상 나에게 이르되 둘이 머리가 세도록 살다가 함께 죽자고
하시더니, 어찌하여 나를 두고 당신 먼저 가셨나요?

① 모음조화가 지켜졌음을 알 수 있군.
② 두음법칙이 적용되었음을 확인할 수 있군.
③ 주체높임선어말 어미 '-시'가 사용되었군.
④ 단어나 문장 간에 띄어쓰기를 하지 않았군.
⑤ 아내가 남편에게 '자내'라는 호칭을 쓰고 있는데, 현대 국어에서의 쓰임과는 차이가 있군.

[01~04] 다음 글을 읽고, 물음에 답하시오.

(가) 世셍宗죵御엉製졩訓훈民민正졍音흠

나·랏:말ᄊᆞ·미 中듕國·귁·에 달·아 文문字·ᄍᆞ·와·로 서르 ᄉᆞᄆᆞᆺ·디 아·니ᄒᆞᆯ·ᄊᆡ·이런 젼·ᄎᆞ·로 어·린 百·빅姓·셩·이 니르·고·져·ᄒᆞᇙ·배 이·셔·도 ᄆᆞᄎᆞᆷ:내 제·ᄠᅳ·들 시·러 펴·디:몯ᄒᆞᇙ·노·미 하·니·라·내·이·ᄅᆞᆯ 爲·윙·ᄒᆞ·야:어엿·비 너·겨·새·로·스·믈여·듧字·ᄍᆞᆼ·ᄅᆞᆯ 밍·ᄀᆞ노·니:사ᄅᆞᆷ:마·다:ᄒᆡ·ᅇᅧ:수·ᄫᅵ 니·겨·날·로·ᄡᅮ·메便뻔安한·킈 ᄒᆞ·고·져 ᄒᆞᇙ ᄯᆞᄅᆞ·미니·라

– 「월일석보」 (권1)에서, 세조(世祖) 5년(1459년) –

(나) [현대어 풀이]

우리나라 말이 중국과 달라 한자와 서로 통하지 아니하여서, 이런 까닭으로 어리석은 백성이 말하고자 하는 바가 있어도 마침내 제 뜻을 능히 펴지 못하는 사람이 많도다. 내가 이것을 가엾게 생각하여 새로 스물여덟 글자를 만드니, 모든 사람으로 하여금 쉽게 익혀서 날마다 쓰는 데 편안하게 하고자 할 따름이다.

(다) 워니 아바님ᄭᅴ 샹빅

자내 샹해 날ᄃᆞ려 닐오ᄃᆡ 둘히 머리 셰도록 사다가 홈ᄭᅴ 죽쟈 ᄒᆞ시더니 엇디 ᄒᆞ야 나ᄅᆞᆯ 두고 자내 몬져 가시ᄂᆞᆫ.

〈하략〉

– 「이응태 묘 출토 편지」에서(1586년) –

01 (가)를 읽고 이해한 내용으로 적절하지 <u>않은</u> 것을 〈보기〉에서 있는 대로 고른 것은?

┤ 보기 ├

ㄱ 평등사상을 전제로 한다.
ㄴ 우리말은 중국의 말과 다르다.
ㄷ 훈민정음의 문자의 수는 28자이다.
ㄹ 훈민정음의 창제 원리를 밝히고 있다.
ㅁ 당시 문자 생활에 어려움을 겪는 이가 많았다.
ㅂ 백성의 어려움을 살피는 통치자의 태도가 드러나 있다.
ㅅ 중국과의 소통에 도움을 주기 위해 새로운 문자를 만들었다.

① ㄱ, ㄴ, ㅁ　　② ㄱ, ㄷ, ㅂ　　③ ㄱ, ㄹ, ㅅ　　④ ㄴ, ㄷ, ㄹ　　⑤ ㄴ, ㅂ, ㅅ

02 (가)와 (다)의 표기상의 특징으로 적절하지 <u>않은</u> 것 <u>두 개</u>는?

① (가)는 (다)와 달리 방점을 사용하였다.
② (가)와 (다) 둘 다 어두자음군이 사용되었다.
③ (가)와 달리 (다)는 두음법칙이 적용되지 않았다.
④ (가)와 (다) 둘 다 오늘날에는 쓰이지 않는 음운이 사용되었다.
⑤ (가)와 (다) 둘 다 종성에서 음가가 없는 'ㅇ'을 형식적으로 표기하였다.

03 (가)와 (나)의 자료를 활용하여 중세 국어와 현대 국어를 비교한 결과로 적절하지 <u>않은</u> 것을 있는 대로 고른 것은?

비교 자료				비교 결과
	중세 국어 (가)	현대 국어 (나)		
㉠	나랏	나라의	→	(가)에서 사잇소리 'ㅅ'은 (나)에서 관형격조사 '의'로 나타난다.
㉡	뜨들	뜻을	→	(가)에서는 이어 적기가, (나)에서는 끊어 적기가 나타난다.
㉢	펴디	펴지	→	'ㅣ' 모음 앞에 있던 'ㄷ'은 (가)와 달리 (나)에서 구개음인 'ㅈ'이 되었다.
㉣	爲윙ᄒᆞ야	위하여	→	(가)에는 (나)와 달리 특정 모음끼리 좋아하여 어울리는 현상이 나타나 있다.
㉤	하니라	많다	→	(가)에서 '하다'는 '행동이나 작용을 이루다'와 '많다'의 두 가지 의미를 모두 지녔으나, (나)에서는 하나의 의미만 남았다.
㉥	배, 내	바가, 내가	→	(가)에는 주격조사가 사용되지 않았으나 (나)에는 주격조사 '가'가 사용되었다.

① ㉠, ㉡   ② ㉡, ㉢   ③ ㉢, ㉣   ④ ㉣, ㉤   ⑤ ㉤, ㉥

04 〈보기〉에 대한 다음 설명 중 적절하지 <u>않은</u> 것은?

┤ 보기 ├

워닉 아바님씌 샹빅
　자내 샹해 날ᄃᆞ려 닐오듸 둘히 머리 셰도록 사다가 홈씌 죽쟈 ᄒᆞ시더니 엇디ᄒᆞ야 나ᄅᆞᆯ 두고 자내 몬져 가시ᄂᆞ.

① '날ᄃᆞ려'는 현대 국어의 '나달리'로 현대 국어와 다르게 사용되는 조사가 있다.
② '닐오듸'에서와 같이 현대 국어와 달리 두음 법칙이 적용되지 않았다.
③ '워닉'에서 소리 나는 대로 표기하는 부분이 있다.
④ 현대 국어와 달리 아내가 남편을 '자내'라고 일컫고 있다.
⑤ 사랑하는 사람에 대한 마음이 드러나 있다.

[05~18] 다음 글을 읽고, 물음에 답하시오.

(가)

世솅宗종御엉製졩訓훈民민正정音흠

㉠나·랏:말ᄊᆞ·미中듕國·귁·에달·아 文문字·ᄍᆞ·와·로서르ᄉᆞᄆᆞᆺ·디아·니ᄒᆞᆯ·ᄊᆡ ㉡·이런전·ᄎᆞ·로어·린百·빅姓·셩·이니르· 고·져·홇·배이·셔·도ᄆᆞ·ᄎᆞᆷ:내제·ᄠᅳ·들시·러펴·디:몯ᄒᆞᇙ·노·미하·니·라 ㉢·내·이·ᄅᆞᆯ為·윙·ᄒᆞ·야:어엿·비너·겨 ㉣·새·로·스· 믈여·듧字·ᄍᆞ·ᄅᆞᆯ밍·ᄀᆞ노·니 ㉤:사ᄅᆞᆷ:마·다:ᄒᆡ·ᅇᅧ:수·비니·겨·날·로·ᄡᅮ·메便뼌安ᅙᅡᆫ·킈ᄒᆞ·고·져ᄒᆞᇙᄯᆞᄅᆞ·미니·라

– 「훈민정음(訓民正音)」 언해본에서 –

(나)

---

05 (가)에서 중세국어의 음운을 분석한 내용으로 적절하지 **않은** 것은?

① :말ᄊᆞ·미 → :말ᄊᆞᆷ+·이
② ·ᄠᅳ·들 → ·ᄠᅳᆮ+·을
③ ·노·미 → ·놈+·이
④ ·배 → ·바+ㅣ
⑤ ·ᄡᅮ·메 → ·ᄡᅳ–+움+·에

06 (가)에서 훈민정음의 창제정신이 나타난 부분을 고른 것으로 적절한 것은?

	자주정신	실용정신	애민정신
①	㉠	㉡	㉤
②	㉠	㉢	㉤
③	㉠	㉤	㉢
④	㉡	㉢	㉣
⑤	㉡	㉤	㉢

07 〈보기〉에서 (나)를 보고 중세국어와 현대국어의 표기에 대해 나눈 대화 중 옳은 것만 고른 것은?

> ┤ 보기 ├
>
> **소원** : 중세국어에서는 세로쓰기를 하였어.
>
> **예린** : 지금 우리가 가로쓰기하는 것과는 다른 쓰기방식이었네?
>
> **엄지** : 중세에는 문장 단위의 띄어쓰기를 했나봐. 읽을 때 의미파악이 어려워.
>
> **은하** : 그렇지. 중세국어에는 표기에 한글과 한자가 섞인 모습도 보여.
>
> **유주** : 현대에서는 '씀에(쓰는 데)'로 표기하는 것을 '·뿌·메'로 표기했던 것으로 보아 이어적기를 사용했어.
>
> **신비** : '꼬ᄅ미니라'도 '따름이니라'를 분철한 것이지?

① 소원, 예린, 엄지, 은하
② 소원, 예린, 엄지, 유주
③ 소원, 예린, 은하, 유주
④ 예린, 엄지, 유주, 신비
⑤ 소원, 예린, 엄지, 은하, 유주

08 중세국어와 현대국어의 음운에 대한 대화 중 옳은 것만 고른 것은?

> ┤ 보기 ├
>
> **혜빈** : 중세국어에서 사용하던 'ㅸ', 'ㆍ'같은 음운은 지금은 사용하지 않아.
>
> **연우** : ':사ᄅᆞᆷ'을 지금은 '사람'으로 쓰는 것이 좋은 예지.
>
> **제인** : ':수·비'를 현대에서는 '수이(쉬 → 쉽게)'로 사용하는 것도 예시가 될 수 있어.
>
> **나윤** : 그리고 중세국어에서는 글자 왼쪽에 성조를 나타내던 방점이 있었어.
>
> **주이** : 성조는 방점의 종류로 보아 총 두 가지가 있었나봐.
>
> **태하** : '·ᄠᅳ·들', '·뿌·메'에서 'ㄸ', 'ㅄ'과 같은 초성도 지금은 사용하지 않아.

① 혜빈, 연우, 나윤, 주이, 태하
② 혜빈, 연우, 제인, 주이, 태하
③ 혜빈, 연우, 제인, 나윤, 태하
④ 혜빈, 연우, 제인, 나윤, 주이
⑤ 혜빈, 연우, 제인, 나윤, 주이, 태하

09 중세국어와 현대국어의 어휘에 대한 대화 중 옳은 것만 고른 것은?

> ┤ 보기 ├
>
> **초롱** : 중세국어에 있던 어휘가 현대 국어에서 없어지기도 했어.
>
> **보미** : 중세국어에서 '전ᄎ'라는 어휘가 현대 국어에서 없어진 것이 좋은 예야.
>
> **은지** : 그래, 또 'ᄉᆞᄆᆞᆺ디'가 현대국어에서 없어진 것도 하나의 예지.
>
> **나은** : '어리다'가 중세에는 '어리석다'의 의미지만 현대에는 '나이가 적은'으로 사용하는 것처럼 의미가 축소된 경우도 있어.
>
> **남주** : 중세국어의 '어엿브다'는 '불쌍하다'라는 의미가 현대에는 '예쁘다'라는 의미로 아예 변화되기도 했어.
>
> **하영** : '놈'은 중세에 '남자나 사람을 낮잡아 이르는 말'이란 뜻에서 지금은 '일반적인 사람'으로 의미가 축소되었지?

① 초롱, 보미, 은지, 나은
② 초롱, 보미, 은지, 남주
③ 초롱, 보미, 나은, 하영
④ 초롱, 보미, 나은, 남주
⑤ 초롱, 은지, 남주, 하영

10 중세국어와 현대국어의 문법과 문법적 요소에 대한 대화 중 옳은 것만 고른 것은?

> ┤ 보기 ├
>
> **솔라** : '中듕國·귁·에달·아'를 '중국과 달라'로 해석하는 것으로 보아 비교 주사격 조사가 '에'에서 '과'로 바뀌었다는 것을 알 수 있어.
>
> **화사** : '·홇·배'를 '하는 바가'로 해석하는 건 중세국어에는 주격조사 '가'가 없었음을 알 수 있는 예야.
>
> **문별** : '衛·윙·ᄒᆞ·야'를 '위하여'로 쓰는 것으로 보아 현대국어에서는 모음조화를 잘 지키지 않게 되었음을 알 수 있어.

① 솔라　　　　② 솔라, 화사　　　　③ 화사, 문별
④ 솔라, 문별　　⑤ 솔라, 화사, 문별

11 이 글에 대한 설명으로 바른 것은?

① 새로 만든 28자는 자음 18자, 모음 10자이다.
② 창제의 3대 정신은 자주, 근면, 협동의 정신이다.
③ 글의 주제는 훈민정음의 창제 이유를 밝힌 것이다.
④ 새로 만든 ㅸ, ㅿ, ㆍ, ㆆ의 4글자는 이후 소실되었다.
⑤ 훈민정음이라는 책의 서문으로, 언해 이전 원문은 한글로 기록되어 있다.

12 '중세 국어'의 특징으로 틀린 것은?

① 10세기~16세기 국어를 가리켜 말한다.
② 어휘가 지금과는 다른 양상으로 쓰였다.
③ 지금은 사용하지 않는 음운들이 쓰였다.
④ 훈민정음 창제기~임진왜란까지의 국어이다.
⑤ 문법도 현대 국어와는 다르게 쓰인 점이 많다.

13 중세 국어의 표기 원리(이어적기)가 반영되지 <u>않은</u> 것은?

① 나랏말쓰미
② 쁘들
③ 빙ㄱ노니
④ 뿌메
⑤ 쓰르미니라

14 중세 국어 자료에서는 '나 ·랏 :말 ㅆ ·미'와 같은 부호들이 보인다. 이 부호에 대한 설명으로 틀린 것은?

① '방점'이라고 불렀다.
② 점은 '없거나, 1개, 2개'를 붙였다.
③ 근대 국어 시기를 거치면서 사라졌다.
④ 성조(소리의 높낮이)를 표기했던 부호이다.
⑤ 동국정운식 표기를 반영하기 위한 것으로 한자에만 찍었다.

15 윗글에 나타난 어휘들의 의미와 변화 양상을 잘못 연결한 것을 2개 고르시오.

어휘	의미	변화 양상
① 말쏨	말	확대
② 노미	사람이	축소
③ 스뭇디	통하지	확대
④ 어린	어리석은	이동
⑤ 어엿비	가엾게	이동

16 윗글의 어휘를 설명한 것으로 잘못된 것은?

① 中듕國귁에 달아 : '에'를 현대어로 옮기면 '보다'가 된다.
② 文문字쫑, 爲윙ᄒᆞ야 : 한자어의 받침이 빈 자리에 'ㅇ'을 넣어 주었다.
③ 노미 하니라 : '하다'는 '많다'는 의미로 쓰였다.
④ 젼ᄎᆞ : '까닭'이란 뜻이었다.
⑤ ᄠᅳᆮ들, ᄲᅮ메 : 첫소리에도 겹자음이 쓰였다.

17 '니르고져 ᄒᆞᇙ배 이셔도'에 대한 설명으로 **틀린** 것은?

① '이르고자 할 바가 있어도'의 의미이다.
② '니르고져'는 현대 국어에서 '이르고저'로 바뀌므로 두음법칙이 적용되었다고 볼 수 있다.
③ 'ᄇᆡ'는 '바'에 주격조사 'ㅣ'가 결합된 형태다
④ 중세 국어에서는 아직 주격 조사 '가'가 등장하지 않았음을 추측할 수 있다.
⑤ '이셔도'에서는 주체 높임 선어말 어미 '-시-'가 쓰였음을 알 수 있다.

18 〈보기〉에 대해 이해한 내용으로 가장 적절한 것은?

┤ 보기 ├

　워니 아바님ᄭᅴ 샹빅
　자내 샹해 날ᄃᆞ려 닐오ᄃᆡ 둘히 머리 셰도록 사다가 홈ᄭᅴ 죽쟈 ᄒᆞ시더니 엇디ᄒᆞ야 나ᄅᆞᆯ 두고 자내 몬져 가시ᄂᆞᆫ. 날ᄒᆞ고 ᄌᆞ식ᄒᆞ며 뉘 긔걸ᄒᆞ야 엇디 ᄒᆞ야 살라 ᄒᆞ야 다 더디고 자내 몬져 가시ᄂᆞᆫ고. 자내 날 향ᄒᆡ ᄆᆞᄋᆞᄆᆞᆯ 엇디 가지며 나ᄂᆞᆫ 자내 향ᄒᆡ ᄆᆞᄋᆞᄆᆞᆯ 엇디 가지던고.

－ 이응태 묘 출토 언간(1586년) －

① 이어적기 방식에 따라 쓴 편지글이군.
② 구개음화 현상이 상당히 진행되었다는 것을 알 수 있군.
③ 주어의 인칭에 따라 의문문을 표현하는 방식이 다르다는 사실을 알 수 있군.
④ 주격조사와 목적격 조사의 쓰임을 보니 모음조화가 파괴되었다는 것을 알 수 있군.
⑤ 사용된 어휘를 보니 몽골, 일본, 중국 문화의 영향을 많이 받았다는 사실을 알 수 있군.

[19~20] **다음 글을 읽고, 물음에 답하시오.**

(가)

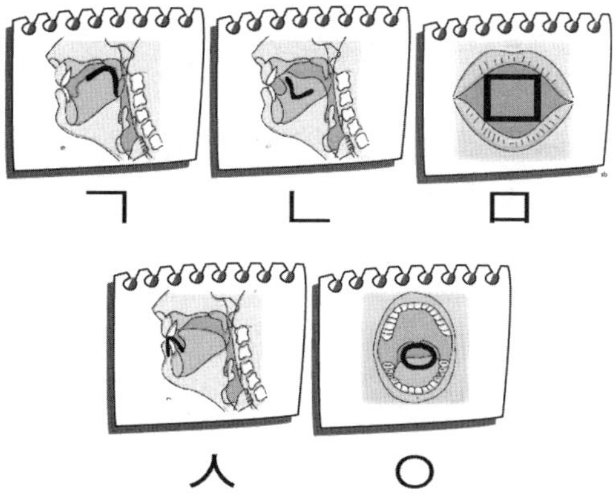

(나)

ㄱ → ㅋ
ㄴ → ㄷ → ㅌ (ㄷ → ㄹ)
ㅁ → ㅂ → ㅍ
ㅅ → ㅈ → ㅊ (ㅅ → ㅿ)
ㅇ → ㆆ → ㅎ (ㅇ → ㆁ (옛이응))

(다) "훈민정음 해례본"에서는 초성 17자에 속하지 않는 자음자들을 만들어 쓰는 방법으로 '병서'와 '연서'를 설명하고 있다. 병서는 'ㄲ, ㄸ, ㅃ, ㅴ' 등처럼 둘 이상의 같거나 다른 자음을 가로로 나란히 쓰는 방법으로, 'ㄲ, ㄸ, ㅃ'같이 쓰인 것을 '각자병서', 'ㅳ, ㅼ, ㅴ' 같이 쓰인 것을 '합용병서'라고 한다. 연서는 'ㅱ, ㅸ, ㆄ' 등처럼 두 개의 자음을 세로로 이어 쓰는 방법이다.

(라)

·	하늘의 둥근 모양을 본뜸.
ㅡ	땅의 평평한 모양을 본뜸.
ㅣ	사람이 서 있는 모양을 본뜸.

(마)

초출자	• ㅗ, ㅏ, ㅜ, ㅓ • '·'를 'ㅡ', 'ㅣ'에 결합하여 만듦.
재출자	• ㅛ, ㅑ, ㅠ, ㅕ • 초출자에 다시 '·'를 결합하여 만듦.

(바) "훈민정음 해례본"에는 중성 11자 외에도 둘이나 세 글자를 합하여서 만든 'ㅘ, ㅝ, ㆇ, ㆊ, ㆎ, ㅢ, ㅚ, ㅐ, ㅟ, ㅔ, ㆉ, ㅒ, ㆌ, ㅖ, ㅙ, ㅞ' 등의 모음자가 더 설명되어 있다. 이 모음자들은 '합용'의 원리에 의해 만들어진 것이다.

19 윗글을 바탕으로 한글의 제자 원리에 대해 이해한 것으로 적절하지 <u>않은</u> 것은?

① (가)와 (라)를 통해 자음과 모음의 기본자는 모두 '상형(象形)'의 원리에 의해 만들어졌음을 알 수 있다.

② (나)는 (가)의 기본자에서 획을 더해 거센 소리를 표현한 자음의 이원적(二元的) 구성을 보여준다.

③ (나)의 'ㄹ, ㅿ, ㆁ(옛이응)'은 소리의 세기와 무관하며 획을 더하지 않고 만들었으므로 '이체자'라고 부른다.

④ (마)는 (라)의 기본자에서 단모음의 합성 과정과 이중모음의 합성 과정을 보여준다.

⑤ 윗글을 통해 한글은 자음과 모음의 형태만으로도 발음을 짐작할 수 있는 조직적인 문자임을 알 수 있다.

20 윗글과 〈보기〉를 읽고 이해한 것으로 가장 적절한 것은?

┤ 보기 ├

휴대전화기에서 위의 자판으로 '통닭과 빵'을 표기하기 위해서는 다음과 같이 숫자 키패드를 누르는 과정이 필요하다.

ⓐ 통 : 6번 → 6번 → 2번 → 3번 → 0번

ⓑ 닭 : 6번 → 1번 → 2번 → 5번 → 5번 → 4번

ⓒ 과 : 4번 → 2번 → 3번 → 1번 → 2번

ⓓ 빵 : 7번 → 7번 → 7번 → 1번 → 2번 → 0번

① ⓐ~ⓓ 모두 가획의 원리가 적용되었다.

② ⓐ는 연서의 방법으로 자음을 표현하였다.

③ ⓑ의 종성은 각자병서의 방법으로 자음을 표기하였다.

④ ⓒ는 합용의 원리가 적용되었다.

⑤ ⓓ의 초성은 합용병서의 방법으로 자음을 표기하였다.

(가) 나·랏:말싸·미中듕國·귁·에달·아文문字·쫑·와·로서르㉠스뭇·디아·니홀·씨·이런젼·ᄎ·로어·린百·빅姓·셩·이니르·고·져·홇·배이·셔·도ᄆᆞ·ᄎᆞᆷ:내제·ᄠ·들시·러펴·디:몯홇·노·미하·니·라·내·이·를爲·윙·ᄒᆞ·야:어엿·비너·겨·새·로·스·믈여·듧字·쫑·ᄅᆞᆯ밍·ᄀᆞ노·니:사ᄅᆞᆷ:마·다:ᄒᆡ·ᅇᅧ:수·비니·겨·날·로㉡ᄡᅮ·메便뼌安한·킈ᄒᆞ·고·져홇ᄯᆞᄅᆞ·미니·라

(나) 원니 아바님ᄭᅴ 샹빅
자내 샹해 날ᄃᆞ려 닐오ᄃᆡ 둘히 머리 셰도록 사다가 ᄒᆞᆷᄭᅴ 죽쟈 ᄒᆞ시더니 엇디ᄒᆞ야 나ᄅᆞᆯ 두고 자내 몬져 가시ᄂᆞ 〈하략〉

---

21 (가)와 같은 15세기 국어의 음운과 표기에 대한 설명으로 옳지 <u>않은</u> 것을 <u>모두</u> 고른 것은?

┌─ 보기 ┐

ⓐ 자음 'ㅿ'과 'ㅸ'이 존재하였다.
ⓑ 초성에 오는 'ㅳ'은 'ㅂ'과 'ㄷ'이, 'ㅄ'은 'ㅂ'과 'ㅅ'이 모두 발음되었다.
ⓒ ':어엿·비'에서 둘째 음절의 종성은 'ㄷ'으로 발음되었다.
ⓓ 평성, 거성, 상성의 성조를 방점으로 구분하였다.
ⓔ 당시 현실적 한자음 표기하기 위해 동국정운식 표기를 하였다.

① ⓐ, ⓑ   ② ⓒ, ⓓ   ③ ⓓ, ⓔ   ④ ⓒ, ⓔ   ⑤ ⓐ, ⓓ

22 ㉠, ㉡에 대한 설명으로 알맞지 <u>않은</u> 것은?

① ㉠의 기본형은 '스뭇다'이다.
② ㉠을 통해 구개음화가 일어나지 않았음을 알 수 있다.
③ ㉠을 통해 이 당시에는 8종성법 표기가 사용되었음을 알 수 있다.
④ ㉡을 통해 어두자음군이 사용되었음을 알 수 있다.
⑤ ㉡을 통해 비교부사격조사 '에'가 사용되었음을 알 수 있다.

23 (가)~(나)에 대한 설명으로 옳지 <u>않은</u> 것은?

① (가) : 현대 국어에 비해 모음조화가 비교적 잘 지켜지고 있다.
② (가) : 자주, 애민, 창조, 실용 정신이 나타나 있다.
③ (가) : 주격 조사가 오늘날과 다름을 알 수 있다.
④ (나) : 15세기 우리말의 모습을 연구하는데 중요한 자료가 되고 있다.
⑤ (나) : 현대 국어와 달리 아내가 남편을 '자네'라고 일컫고 있다.

[24~28] 다음 글을 읽고, 물음에 답하시오.

(가) ㉠나·랏:말ᄊ·미中듕國·귁·에달·아文문字·ᄍ·와·로서르ᄉᄆᆺ·디아·니홀·ᄊ·이런젼·ᄎ·로어·린百·빅姓·셩·이니르·고·져ㄴ·홇·배이·셔·도ᄆᆞᄎ:내제 ㉮ 시·러펴·디:몯홇·노·미하·니·라·내·이·ᄅᆞᆯ爲·윙·ᄒ·야:어엿·비너·겨·새·로·스·믈여·듧字·ᄍ·ᄅᆞᆯ밍·ᄀᆞ·노·니:사·ᄅᆞᆷ:마·다:히·ᅇᅧ:수·ᄫᅵ니·겨·날·로㉢·ᄡ·메便뼌安ᅙᅡᆫ·킈ᄒ·고·져홇ᄯᆞᄅᆞ·미니·라

(나) 乃냉終즁ㄱ 소리는 다시 첫소리를 ㉣·ᄡᅳᄂᆞ니·라
    ㅇ·를 입시울쏘리 아래 니쓰면 입시울가ᄇᆡ야ᄫᆞᆫ소리 ᄃᆞ외ᄂᆞ·니·라.
    첫소리를 어울워 ᄡᅳ디면 ᄀᆞᆲ봐쓰라 ᄂᆡᆼ終즁ㄱ 소리도 ᄒᆞ가지라

    - 「훈민정음」 언해 -

(다) 불휘 기픈 ㉤남ᄀᆞᆫ ᄇᆞᄅᆞ매 아니 뮐ᄊᆡ
    곶 됴코 여름 하ᄂᆞ니
    ᄉᆡ·미 기픈 ㉯ ᄀᆞ·ᄆᆞ·래 아니 그츨ᄊᆡ
    내히 이러 바ᄅᆞ래 가ᄂᆞ니

    - 「용비어천가」, 〈제2장〉 -

24 (가), (나)에 나타난 중세국어의 음운에 대해 설명한 것으로 적절하지 않은 것은?

① 초성에 둘 이상의 자음이 오는 어두자음군이 있었다.
② 지금은 쓰이지 않는 자음 'ㅿ'과 'ㅸ'이 존재하였다.
③ 평성, 거성, 상성, 입성을 방점의 개수로 구분하였다.
④ 종성에서 'ㄷ'과 'ㅅ'이 다르게 발음되었다.
⑤ 종성에 음가가 없는 ㅇ이 있었다.

25 〈보기〉와 어휘의 변화의 양상이 같은 것끼리 짝지어진 것은?

┤ 보기 ├
ㄱ. '젼·ᄎ'는 원래 까닭이나 이유를 뜻하는 말이었으나 지금은 사라진 단어이다.
ㄴ. '스랑ᄒ다'는 원래 '생각하다'와 '사랑하다'의 의미로 쓰였으나 지금에 와서는 '사랑하다'의 의미로 쓰인다.
ㄷ. '싁싁ᄒ다'는 원래 '엄하다'의 뜻이었으나 지금은 '용감하다'의 의미로 쓰인다.

	ㄱ	ㄴ	ㄷ
①	말ᄊᆞᆷ	불휘	어리다
②	불휘	어리다	놈
③	하다	놈	어엿브다
④	ᄉᆞᄆᆺ다	하다	어엿브다
⑤	ᄉᆞᄆᆺ다	말ᄊᆞᆷ	어엿브다

26 ⊙~⑩에 나타난 중세 국어의 문법적 특징을 설명한 것으로 적절하지 <u>않은</u> 것은?

① ⊙ : 무정 명사에 결합되는 관형격 조사 'ㅅ'이 쓰였다.
② ⓒ : 모음으로 끝나는 체언 뒤에 주격 조사가 생략되었다.
③ ⓒ : 명사형 어미 '-움'이 쓰였다.
④ ⓔ : 현재 시제를 나타내는 선어말어미 '-ᄂᆞ-'가 쓰였다.
⑤ ⑩ : 조사와 결합할 때 'ㄱ'이 덧붙는 체언이 쓰였다.

27 〈보기〉의 밑줄 친 부분의 사례로 적절하지 <u>않은</u> 것은?

┤ 보기 ├

국어에서 어휘는 시대에 따라 형태 변화를 겪어왔는데 그 원인은 크게 두 가지로 볼 수 있다. 하나는 <u>음운의 변천에 따른 어형 변화</u>로 'ㆍ'와 같은 음운의 소멸이나 된소리되기, 구개음화, 단모음화, 원순모음화 등의 음운 현상으로 인해 어형이 바뀌는 것이다. 또 하나는 형태소 자체의 변화에 의한 것이다.

	중세국어	현대국어
①	스믈	스물
②	니어쓰면	이어쓰면
③	기픈	깊은
④	ᄇᆞ롬	바람
⑤	됴코	좋고

28 방점을 고려하지 않을 때, 〈보기〉의 설명에 따라 ㉮, ㉯에 들어갈 말을 바르게 고른 것은?

┤ 보기 ├

모음조화는 양성모음은 양성모음끼리, 음성모음은 음성모음끼리 결합하는 현상을 말한다. 중세국어 시기는 모음조화가 비교적 잘 지켜져 목적격조사는 '을/를/ᄋᆞᆯ/ᄅᆞᆯ', 단독의 보조사에 '은/는/ᄋᆞᆫ/ᄂᆞᆫ'이 있었다. 예를 들어
㉮ : 'ᄠᅳᆮ' + '목적격 조사'가 결합한 형태
㉯ : 'ᄆᆞᆯ' + '단독의 보조사'가 결합한 상태
에서 중세국어의 모음조화현상을 확인할 수 있다.

	㉮	㉯
①	ᄠᅳ들	ᄆᆞᄅᆞᆫ
②	ᄠᅳ를	ᄆᆞᆯᄂᆞᆫ
③	ᄠᅳ들	ᄆᆞᆯ은
④	ᄠᅳᆮ를	ᄆᆞᆯᄂᆞᆫ
⑤	ᄠᅳ들	ᄆᆞᄅᆞᆫ

[29~32] 다음 글을 읽고, 물음에 답하시오.

(가) 世·솅宗종御·엉製·졩訓·훈民민正·정音음

나·랏:말쓰·미中듕國·귁·에달·아文문字·쭝·와·로서르스뭇·디아·니홀·씨·이런젼·ᄎ·로어·린百·빅姓·셩·이니르·고·져·홇·배이·셔·도ᄆᆞ·ᄎᆞᆷ:내제·ᄠᅳ·들시·러펴·디:몯홇·노·미하·니·라·내·이·ᄅᆞᆯ爲·윙·ᄒᆞ·야:어엿·비너·겨·새·로·스·믈여·듧字·쭝·ᄅᆞᆯ밍·ᄀᆞ노·니:사름:마·다:히·ᅇᅧ:수·비니·겨·날·로·ᄡᅮ·메便뼌安한·킈ᄒᆞ·고·져홇ᄯᆞᄅᆞ·미니·라

– 〈월인석보〉 (권1)에서, 세조(世祖) 5년(1459년) –

(나) 워니 아바님ᄭᅴ 샹빅

자내 샹해 날ᄃᆞ려 닐오ᄃᆡ 둘히 머리 셰도록 사다가 홈ᄭᅴ 죽쟈 ᄒᆞ시더니 엇디ᄒᆞ야 나를 두고 자내 몬져 ㉠가시ᄂᆞ. 〈하략〉

– 〈이응태 묘 출토 편지〉에서(1586년) –

29 (가)에 대한 이해로 적절하지 <u>않은</u> 것은?

① 문자생활에 어려움을 겪고 있는 백성의 사정을 살피는 통치자의 태도가 드러나 있다.

② 문자를 만들게 된 배경과 만든 이의 의도가 직접적으로 드러나 있다.

③ 새로 만든 문자의 수는 28자이고 백성들이 쉽게 익혀 자기 생각을 펼칠 수 있는 문자이다.

④ 당시의 우리말은 중국말과 달랐으며 새로 만드는 문자는 중국과의 소통에 도움이 될 것이다.

⑤ 언어생활에 차별이 있어서는 안 되며 무지하고 불쌍한 백성들을 가르쳐야겠다는 의도가 드러나 있다.

30 (가)를 바탕으로 중세 국어에서 현대 국어로의 변화를 이해한 내용으로 적절하지 <u>않은</u> 것은?

① '니르고져'를 현재는 '이르고자'로 적으므로, 점차 두음법칙이 적용되었음을 알 수 있군.

② '펴디'를 현재는 '펴지'로 적으므로, 점차 구개음화가 나타났음을 알 수 있군.

③ '내'를 현재는 '내가'로 적으므로, 주격조사를 사용하지 않다가 점차 주격조사를 사용하게 되었음을 알 수 있군.

④ '스믈'을 현재는 '스물'로 적으므로, 점차 원순모음화 현상이 나타났음을 알 수 있군.

⑤ 'ᄯᆞᄅᆞ미니라'를 현재는 '따름이다'로 적으므로, 표기법이 이어 적기에서 끊어 적기로 바뀌었음을 알 수 있군.

31 (가)에서 세종의 훈민정음창제 취지를 바탕으로 〈보기〉에 대해 문제를 제기한다고 할 때 적절하지 <u>않은</u> 것은?

┌─┤ 보기 ├─
'이번 스프링 시즌의 릴랙스한 위크엔드, 블루 톤이 가미된 시크하고 큐트한 원피스는 로맨스를 꿈꾸는 당신의 머스트 해브 아이템' 얼마 전 인터넷에서 화제가 된 패션잡지의 한 사례이다. 문화와 예술 분야의 외국어 남용 실태를 잘 보여주는 글이다.

일상 업무에서도 외국어와 어려운 한자어가 언어 건강을 해치고 있다. 예를 들어, "오퍼레이션 로스의 파서빌리티가 있으니까 리포트해(운영자의 손실이 생길 수 있으니 점검해서 보고해)." 라는 식이다. 또 '은행 외계어'라 불리는 말은 이런 식이다. '익영업일에 불입한 당발송금은 기 설정된 계좌에 산입돼 처리됩니다(다음 영업일에 낸 외화송금은 이미 설정된 계좌에 포함해 처리합니다).'

– 〈동아일보〉 (2013.10.9.) –
└─

① 외국어나 한자를 잘 모르는 사람들은 글의 의미를 제대로 이해하기 어렵지 않을까?
② 언어는 정보의 전달수단을 넘어 그것을 사용하는 민족의 정신에도 영향을 미치지 않을까?
③ 고유어가 점차 사라지고 국어가 외국어로 대체되는 상황이 오지 않을까?
④ 세계화의 흐름에 맞게 영어공용화를 추진해야 한다는 생각이 오히려 소통을 어렵게 하는 것은 아닐까?
⑤ 한자어가 우리나라 사람들의 생각을 드러내기에 적절한 수단은 아니지 않을까?

32 〈보기〉를 참고하여 (나)의 밑줄 친 ㉠을 이해한 것으로 옳은 것은?

┌─┤ 보기 ├─
중세국어의 시기에는 의문사의 유무에 따라 의문문의 종결 표현이 달랐다. 의문사가 없는 판정 의문문의 경우에는 문장이 '-가'로 종결되었으며, 의문사가 있는 설명 의문문은 문장이 '-고'로 종결되었다. 한편 의문사 유무와 관계없이 2인칭 대명사가 주어일 때는 어미 '-ㄴ', '-ㄹ' 뒤에 첨사 '-다'가 연결된 '-ㄴ다', '-ㄹ다'가 종결형으로 쓰였다.
└─

① 염려의 뜻을 담고 있다.
② '원'에게 하는 물음이다.
③ 의문사가 없는 물음이다.
④ 첨사 '-다'가 생략된 것이다.
⑤ 구체적인 답을 요구하는 물음이다.

[33~39] 다음 글을 읽고, 물음에 답하시오.

(가) 世·솅宗종御·엉製·졩訓·훈民민正·졍音흠
(ⓐ)文문字·쫑·와·로서르스뭇·디아·니홀·씨·이런젼·ᄎ·로어·린百·빅姓·셩·이니르·고·져·ᅟᅢᇙⓐ·배이·셔·도ᄆᆞ·ᄎᆞᆷ:내제·ᄠᅳ·들시·러ⓑ펴·디:몯ᄒᆞᇙ·노·미하·니·라·내·이·ᄅᆞᆯ爲·윙·ᄒᆞ·야:어엿·비너·겨·새·로·스·믈여·듫字·쭝·ᄅᆞᆯ밍·ᄀᆞ노·니:사ᄅᆞᆷ:마·다:히·ᅇᅧ:수·ᄫᅵ니·겨·날·로·ᄡᅮ·메便뼌安한·킈ᄒᆞ·고·져ᄒᆞᇙᄯᆞᄅᆞ·미니·라

– 「훈민정음(訓民正音)」 언해본에서 –

[현대어 풀이]

우리나라의 말이 중국과 달라 한자와는 서로 통하지 아니하여서 이런 까닭으로 어리석은 백성이 말하고자 하는 바가 있어도 마침내 제 뜻을 펴지 못하는 사람이 많다. 내가 이것을 가엾게 생각하여 새로 스물여덟 글자를 만드니, 모든 사람으로 하여금 (Ⓑ) 편안하게 하고자 할 따름이다.

(나) 용비어천가(龍飛御天歌)
불·휘 기·픈 남·ᄀᆞᆫ ᄇᆞᄅᆞ·매 아·니 :뮐·ᄊᆡ
곶 :됴·코 여·름 ·하ᄂᆞ·니
:ᄉᆡ·미기·픈 ·므·른 ·ᄀᆞᄆᆞ·래 아·니 그·츨·ᄊᆡ
:내·히 이러 바·ᄅᆞ·래 ·가ᄂᆞ·니

[현대어 풀이]
뿌리가 깊은 나무는 바람에 흔들리지 아니하므로
꽃이 좋고 열매가 많습니다.
샘이 깊은 물은 가뭄에도 끊이지 아니하므로
내가 이루어져 바다로 흘러갑니다.

(다) 월인석보(月印釋譜)
俱夷(구이) ·ᄯᅩ :묻ᄌᆞ·ᄫᆞ샤·ᄃᆡ
"부텻·긔 받ᄌᆞ·ᄫᅡ 므·슴·호려 ·ᄒᆞ·시ᄂᆞ·니"
善慧(선혜) 對答(대답)·ᄒᆞ샤·ᄃᆡ
"一切(일체) 種種(종종) 智慧(지혜)·를 일·워 衆生(중생)·ᄋᆞᆯ 濟渡(제도)·코져 ·ᄒᆞ노·라"
俱夷(구이) 너·기샤·ᄃᆡ '·이 男子(남자)ㅣ 精誠(정성)·이 至極(지극)홀·ᄊᆡ :보·ᄇᆡ·ᄅᆞᆯ 아·니 앗·기놋·다'·ᄒᆞ·야 니ᄅᆞ·샤·ᄃᆡ
"·내 ·이 고·ᄌᆞᆯ 나·소리·니 願(원)ᄒᆞᆫ·ᄃᆞᆫ ·내 生生(생생)·애 그딋 가·시 ᄃᆞ외·아지·라"

[현대어 풀이]
구이가 또 여쭈시길
"부처님께 바쳐 무엇하려 하시는고?"
선혜가 대답하시기를
"모든 갖가지 깨달음을 이루어 중생을 제도하고자 한다."
구이가 생각하되 '이 남자가 정성이 지극해서 보배를 아끼지 않는구나.' 하여 말씀하시기를
"내가 이 꽃을 드리겠으니, 원컨대 나의 모든 생애에 그대의 아내가 되고 싶다."

33 (가)~(다)의 공통점이 <u>아닌</u> 것은?

① 소리 나는 대로 적었다.
② 주격 조사로서 '가'가 없었다.
③ 현재는 사라진 음운들이 있었다.
④ 글자 오른쪽에 방점이 찍혀 있었다.
⑤ 모음조화가 현대국어에 비해 잘 지켜졌다.

34 ⓐ에 쓰인 주격 조사와 가장 가까운 주격조사를 사용한 것은?

① ·빅姓·셩·이
② ·노·미
③ :시미
④ 俱夷(구이)
⑤ 男子(남자)ㅣ

35 ⓑ는 현대 국어와 차이가 있는 표기이다. 이와 가장 유사한 것은?

① :됴·코
② 그·츨·씨
③ 너·기샤·딕
④ 니르·샤·딕
⑤ 두외·아지·라

36 다음 중 이어적기 표기가 <u>아닌</u> 것은?

① 뿌·메
② ᄇᆞᄅᆞ·매
③ ·ᄆᆞ른
④ :보·비·ᄅᆞ
⑤ 고·즐

37 다음 중 Ⓐ에 들어갈 내용으로 적절한 것은?

① 나·랏:믈쓰·미中듕國·귁·에 달·아
② 나·랏:말쓰·미中듕國·귁·에 달·아
③ 나·라:말쓰·미中듕國·귁·에 달·라
④ 나·라:믈쓰·미中듕國·귁·에 달·아
⑤ 나·랏:믈쓰·미中듕國·귁·에 달·라

38 〈보기〉의 ⓐ, ⓑ에 따른 표기의 예로 적절하게 짝지은 것은?

┤ 보기 ├
ⓐ - 초성 글자를 합하여 사용할 때는 나란히 써라.
ⓑ - ㅇ을 순음 아래 이어 쓰면 순경음이 된다.

	ⓐ	ⓑ
①	:수·비	:히·여
②	밍·ㄱ노·니	·홍·배
③	·ᄠ·들	받ᄌ·바
④	便뼌安한·킈	:보·빅·ᄅ
⑤	·빅姓·셩·이	므·른

39 〈보기〉는 중세국어 이후의 근대국어 자료이다. 중세국어와 비교할 때 차이점으로 적절하지 <u>않은</u> 것은?

┤ 보기 ├

신정심상소학(新訂尋常小學)

비둘기가 부엉이의 移居(이거)ᄒ랴는 貌樣(모양)을 보고 어듸 갈 터이뇨 무르니 부엉이 對答(대답)ᄒ야 갈오듸 이 地方(지방) 스름은 내 우름 쇼리를 미워ᄒᄂ 故(고)로 나는 다른 地方(지방)으로 올무랴 ᄒ노라 ᄒ니 비둘기 우서 갈오듸 즈네 우는 쇼리를 곳치지 안코 居處(거처)만 옴기면 如舊(여구)히 또 미워홈을 免(면)치 못ᄒ리라 ᄒ얏소 이 이익기는 춤 滋味[재미]잇습ᄂ이다

[현대어 풀이]
비둘기가 부엉이가 이사하려는 모습을 보고 "어디 갈 작정이냐?"라고 물으니 부엉이가 대답하여 말하기를 "이 지방 사람은 내 울음소리를 미워하는 까닭에 나는 다른 지방으로 옮기려 한다."라고 하니 비둘기가 웃으며 말하기를 "자네가 우는 소리를 고치지 않고 거처만 옮기면 여전히 미움 받기를 피하지 못할 것이다."라고 하였다. 이 이야기는 참 재미있습니다.

① 끊어적기가 쓰인다.
② 방점을 표시하지 않는다.
③ 주격 조사로서 '가'가 쓰인다.
④ 이어적기가 완전히 사라졌다.
⑤ 구개음화가 일어난 표기가 쓰인다.

(가) 과거에는 '십의 열 배가 되는 수, 또는 그런 수의.'라는 뜻을 '온'이라는 소리로 나타내도록 약속되어 있었으나 후에 그러한 뜻을 '백(百)' 이라는 소리로 나타내도록 약속을 바꾸었기 때문에, 우리는 '백'은 알지만 '온'은 알지 못하는 상황이 된 것이다.

(나) 世솅宗종御엉製졩訓훈民민正정音흠
나·랏:말쏘·미中듕國·귁·에달·아文문字·쫑·와로서르스뭇·디아·니홀·씨·이런젼·ᄎ·로어·린百·빅姓·셩·이니르·고·져·홒·배이·셔·도ᄆᆞ·ᄎᆞᆷ:내제·ᄠ·들시·러펴·디:몯홇·노·미하·니·라·내·이·ᄅᆞᆯ爲·윙·ᄒᆞ·야:어엿·비너·겨·새·로·스·믈여·듧字·쫑·ᄅᆞᆯ밍·ᄀᆞ노·니:사름:마·다:히·ᅇᅧ:수·ᄫᅵ니·겨·날·로·ᄡᅮ·메便뼌安한·킈ᄒᆞ·고·져홇ᄯᆞᄅᆞ·미니·라

– 「훈민정음(訓民正音)」 언해본에서 –

(다) 누구던지상탈수잇습니다
부인네께서만히써보내십시요
재미잇는조선옛날이약이를모집합니다
사람은어렷슬째부터 조흔교훈과조흔가르침중에서 조흔생각을갓게되고 조흔마음을기쁘게되고 쏘그런속에서커가야 조흔사람 조흔일군이되는것임으로 세계어느나라에던지 어린사람에게들려주는 조흔이약이가만히잇서서 그나라아이들이 그 조흔이약이를듯고자라서 튼튼하고마음착하고 [하략]

– 1922년 잡지 표기 –

〈현대어 풀이〉
누구든지 상 탈 수 있습니다.
부인네께서 많이 써 보내십시오.
재미있는 조선 옛날이야기를 모집합니다.
사람은 어렸을 때부터 좋은 교훈과 좋은 가르침 중에서 좋은 생각을 갖게 되고 좋은 마음을 기쁘게 되고 또 그런 속에서 커가야 좋은 사람 좋은 일꾼이 되는 것이므로 세계 어느 나라에든지 어린 사람에게 들려주는 좋은 이야기가 많이 있어서 그 나라 아이들이 그 좋은 이야기를 듣고 자라서 튼튼하고 마음 착하고 [하략]

40 (가)에 나타난 언어의 특성을 가장 잘 설명한 것은?

① 언어는 하나의 사회적 약속이지만 시간의 흐름에 따라 신생, 성장, 사멸하는 변화를 겪을 수 있다.

② 언어는 언어의 지식과 규칙을 바탕으로 무한한 수의 새로운 단어와 문장을 만들 수 있다.

③ 언어는 같은 부류의 사물들에서 공통적인 속성을 뽑아내는 추상화의 과정을 통해 개념을 형성한다.

④ 언어는 인간이 의사소통을 하는 데 쓰이는 기호이며, 일정한 말소리와 의미의 자의적 결합으로 이루어진다.

⑤ 언어는 외부 세계를 있는 그대로 반영하는 것이 아니라 연속적으로 이루어져 있는 세계를 불연속적인 것으로 분절하여 표현한다.

41 (나)에 대한 설명으로 적절하지 <u>않은</u> 것은?

① 지금은 사용하지 않는 음운이 사용되었다.

② 글자의 왼쪽에 점을 찍어 성조를 표시하였다.

③ 오늘날에는 사용하지 않는 어휘가 나타나 있다.

④ 오늘날과 같이 구개음화, 두음법칙이 잘 지켜졌다.

⑤ 오늘날과 달리 첫소리에 서로 다른 자음을 나란히 쓰기도 하였다.

42 (나)의 밑줄 친 부분에서 '문법과 문법적 요소'에 대한 설명으로 적절한 것은?

① '나·랏:말쏘·미'가 '우리나라의 말이'로 해석되는 것을 보니, '랏'에는 끊어 읽기 부호를 사용한 것이다.

② '中듕國·귁·에'는 '중국과 함께'라는 뜻의 공통 부사격 조사를 사용하였다.

③ '아·니홀·씨'가 '아니하여'로 풀이되는 것으로 보아, '-ㄹ쎠'는 오늘날과 달리 감탄형 어미로 쓰였다.

④ '빅姓·셩·이'에서 볼 수 있듯이, 자음으로 끝난 체언 뒤에서 주격조사 '이'가 사용되었음을 알 수 있다.

⑤ '홇·배'가 '하는 바가'로 해석되는 것을 볼 때, 모음으로 끝난 체언 뒤에서 주격 조사가 생략되었음을 알 수 있다.

43 아래 설명을 참고하였을 때, 다음 중 모음 조화가 지켜지지 <u>않은</u> 것은?

> 모음 조화란 한 단어 안에서, 혹은 어간과 어미, 체언과 조사의 연결에서 양성 모음은 양성 모음끼리, 음성 모음은 음성 모음끼리 어울리는 현상이다.

① 말·쏨　　② 서르　　③ 무·춤:내　　④ 너·겨　　⑤ 흥·고·져

44 (나)와 (다)를 비교한 것으로 적절하지 <u>않은</u> 것은?

① (나)는 방점이 있고 (다)에서는 방점이 사라졌다.

② (나)는 (다)와 같이 각자병서, 합용병서가 쓰였다.

③ (나)는 (다)와 달리 순경음이 사용되지 않았다.

④ (나)는 띄어쓰기를 하지 않았고, (다)는 부분적으로 띄어쓰기를 하였다.

⑤ (나)는 한글과 한자가 섞인 표기를, (다)는 한글 위주의 표기를 사용하였다.

서술형 심화문제

[01~03] 다음 글을 읽고, 물음에 답하시오.

(가) 世솅宗종御엉製졩訓훈民민正정音흠

나·랏:말ᄊ·미中듕國·귁·에달·아文문字·ᄍ·와·로서르ᄉ·ᄆᆺ·디아니홀·ᄊᆡ·이런젼·ᄎ·로어·린百·빅姓·셩·이니르·고·져·홇·배이·셔·도ᄆᆞ·ᄎᆞᆷ:내제·ᄠ·들시·러펴·디:몯홇·노·미하·니·라·내·이·ᄅᆞᆯ爲·윙·ᄒᆞ·야:어엿·비너·겨·새·로·스·믈여·듧字·ᄍ·ᄅᆞᆯ밍·ᄀᆞ노·니:사름:마·다:히·여:수·ᄫᅵ니·겨·날·로·ᄡᅮ·메便뼌安한·킈ᄒᆞ·고·져홇ᄯᆞ·ᄅᆞ·미니·라

– 「훈민정음(訓民正音)」 언해본에서 –

01 〈보기〉는 훈민정음 창제 원리에 대한 설명이다. 이를 바탕으로 ㉠, ㉡에 해당하는 음운을 각각 쓰시오.

> **보기**
>
> 훈민정음은 상형의 원리에 따라 기본자를 만든 다음 이를 기초하여 나머지 글자를 만들었다. 자음은 ㉠기본자에 가획을 하여 만들었으며, 가획의 원리에서 벗어난 글자인 이체자가 있었다. 모음도 먼저 ㉡기본자를 만든 후, 이 기본자를 합성시켜 초출자와 재출자를 만들었다.

02 〈보기〉의 단어에 공통적으로 나타난 중세국어 **표기법**을 쓰시오.

> **보기**
>
> • 말ᄊ·미   • ᄠ·들   • ·ᄡᅮ·메   • ·ᄯᆞ·ᄅᆞ·미니·라

03 위에 제시된 '훈민정음'을 읽고, '문법과 문법적 요소'에 관한 중세국어의 특징을 현대국어와 비교하여 서술하시오. (단, 예를 함께 제시하여야 하고, 200자 내외로 서술할 것.)

■ 서술형 심화문제

04 현대의 '한글 맞춤법' 원리에 비추어 볼 때, 다음 중세 국어의 표기가 현대 국어와 다른 점을 서술하시오. (세 가지 단어를 보고, 표기의 공통점을 서술하여야 함. 50자 내외로 빈 칸에 쓸 것.)

중세 국어		현대 국어	표기 방식상 국어의 변화
·노·미	→	놈이	
·뿌·메	→	씀에	
ᄯᆞᄅᆞ·미니·라	→	따름이니라	

05 아래의 글은 '국어의 역사성'과 관련된 글이다. '국어의 역사성'을 '어휘적 측면'에서 서술하되, '훈민정음'에서 예를 찾아 서술하시오. (100자 내외로 서술하되, 꼭 예를 '훈민정음'에서 찾을 것.)

┤ 참고 ├

 소리와 뜻 사이에 일정한 약속이 형성되어 있다고 해서 그러한 약속이 항상 유지되는 것은 아니다. 시간이 지남에 따라 그러한 약속이 변화될 수도 있는데 이를 언어의 역사성이라고 한다.

06 〈보기〉의 두 사례에서 공통적으로 설명한 문법 원리를 쓰고, 그 내용을 설명하시오.

┤ 보기 ├

• '스믈여듧 字ᄍᆞ룰'의 목적격 조사 '룰'은 음운 환경에 따라 '올/룰'이나 '을/를' 중에서 선택해 썼다.
• '爲윙ᄒᆞ야'의 연결 어미 '-야'는 음운 환경에 따라 '-야/-여' 중에서 선택해 썼다.
 (양성모음, 음성모음, ㅏ ㅓ ㅗ ㅜ · ㅡ를 모두 사용하여 설명할 것)

[07~10] 다음 글을 읽고, 물음에 답하시오.

　나랏 말ᄊᆞ미 中듕國귁에 달아 文문字ᄍᆞ와로 서르 ㉠ᄉᆞᄆᆞᆺ디 아니ᄒᆞᆯᄊᆡ 이런 젼ᄎᆞ로 어린 百ᄇᆡᆨ姓셩이 니르고져 홇 배 이셔도 ᄆᆞᄎᆞᆷ내 제 ᄠᅳ들 시러 펴디 몯홇 노미 하니라 내 이ᄅᆞᆯ 爲윙ᄒᆞ야 어엿비 너겨 새로 ㉡스믈여듧 字ᄍᆞᄅᆞᆯ ㉢밍ᄀᆞ노니 사ᄅᆞᆷ마다 ᄒᆡ여 수ᄫᅵ 니겨 날로 ᄡᅮ메 便뼌安한킈 ᄒᆞ고져 홇 ᄯᆞᄅᆞ미니라.

- 「훈민정음」 언해 -

---

07 윗글에 나타난 훈민정음 창제정신 4가지를 서술하시오.

> ┤ 작성요령 ├
>
> ㄱ. 답안은 '훈민정음에는 ~한/는 ○○정신이 나타난다.'의 문장 형태로 서술함.

08 ㉠에 나타난 표기법을 서술하시오.

> ┤ 작성요령 ├
>
> ㄱ. 답안은 '(표기법 명칭)으로 (내용 설명)이다.'의 문장 형태로 서술함.

09 ㉡이 무엇인지 아래 조건에 맞게 서술하시오.

> ┤ 작성요령 ├
>
> ㄱ. 답안은 '초/중/종성은 (제자 원리 또는 방법)에 의해 (글자)를 만들었다.'의 형태로 서술함.

10 ㉢의 형태소를 분석하여 쓰시오.

> ┤ 작성요령 ├
>
> ㄱ. 답안작성 예 : 나랏 : 나라-ㅅ/ 말ᄊᆞ미 : 말ᄊᆞᆷ-이

11 다음을 읽고 〈조건〉에 맞춰 물음에 답하시오.

┤ 조건 ├
1. (1)번의 예로 각자병서는 제외.
2. (1), (2)번의 경우 정답인 예를 2개 이상 찾으시오.

(1) (다)의 표기상의 특징이다. 아래 빈칸에 알맞은 말을 채우시오.

단어의 첫머리에 오는 둘 또는 그 이상의 자음의 연속체인 (   )이 사용되었다.
그 예로 (,   ,   )이 있다.

(2) (다)에 쓰인 '거듭적기'이 예를 모두 찾아 쓰시오.

12 (1) 다음은 중세 국어 표기가 현대 국어와 다른 점을 현대의 '한글 맞춤법'의 원리에 비추어 설명한 것이다. ㉠, ㉡에 들어갈 알맞은 말을 쓰시오.

말ᄊ·미	→ 말씀이
ᄠ·들	→ 뜻을
ᄲ·메	→ 씀에
홇ᄯᄅ·미니·라	→ 할 따름이니라
(중세 국어)	(현대 국어)

→ 중세 국어는 이어적기(연철), 즉 (㉠) 표기하였으나, 현대 국어는 끊어적기(분철), 즉 (㉡)표기하였다.

(2) 다음 〈보기〉의 ⓐ, ⓑ에 알맞은 말을 쓰시오.

┤ 보기 ├
　언어는 끊임없는 변화를 겪는다. 단어에 결합된 의미도 마찬가지이다. 어휘의 의미는 의미가 확대되거나, 축소되거나 아니면 이동하는 등 여러 가지 방식으로 변화한다.
　'중생(衆生)'이라는 단어는 예전에는 모든 생물 전체를 가리키는 불교 용어였지만, 지금은 인간을 제외한 동물을 가리키는 말로 변했다. 이는 윗글 (나)의 (ⓐ) 어휘들에서도 볼 수 있으며 이들은 모두 어휘의 의미 영역이 (ⓑ)된 예라고 할 수 있다.

┤ 조건 ├
1. ⓐ에 해당하는 예를 2개 찾아 쓸 것.
2. ⓑ'확대, 축소, 이동' 중에서 알맞은 단어를 골라 쓸 것.

[13] 다음 글을 읽고, 물음에 답하시오.

셰종엉졩 훈민졍흠
나랏말ᄊᆞ미 中듕國귁에 달아
㉠ 무ᄎᆞᆷ내 제 ᄠᅳ들 시러 펴디 몯ᄒᆞᆯ 노미 하니라
㉡ 새로 스믈여듧 字ᄍᆞ를 밍ᄀᆞ노니
㉢ 文문字ᄍᆞ와로 서르 ᄉᆞᄆᆞᆺ디 아니ᄒᆞᆯᄊᆡ 이런 젼ᄎᆞ로
㉣ 어린 百빅姓셩이 니르고져 홇배 이셔도
㉤ 사ᄅᆞᆷ마다 히ᅄᅧ 수ᄫᅵ 니겨 날로 ᄡᅮ메
㉥ 내 이ᄅᆞᆯ 爲윙ᄒᆞ야 어엿비 너겨
便뼌安ᅙᅡᆫ킈 ᄒᆞ고져 홇 ᄯᆞᄅᆞ미니라.

– 「훈민정음(訓民正音)」 (언해본) –

13 ㉠~㉥을 문맥에 맞게 순서를 쓰시오.

[1] ㉮의 시조와 ㉯의 속담을 바탕으로 우리말의 담화 관습을 알아보자.

> ㉮ 말하기 좋다 하고 남의 말을 말을 것이
>
> 남의 말 내 하면 남도 내 말 하는 것이
>
> 말로써 말이 많으니 말 말을까 하노라
>
> – 작자 미상 –
>
>
> ㉯ ㉠ 발 없는 말이 천 리 간다.
>
> ㉡ 아 해 다르고 어 해 다르다.
>
> ㉢ 가루는 칠수록 고와지고 말은 할수록 거칠어진다.

⊙ 핵심정리

갈래	평시조		성격	교훈적
제재	말(말하기)			
주제	함부로 말하는 것을 경계			
특징	• '말'에 대한 인식이 드러남. • '말(言)'과 '말다'의 활용형을 이용한 언어유희적 표현이 사용됨.			

(1) ㉮의 화자가 보이는 '말'에 대한 인식이 어떠한지 말해 보자.

㉮의 화자는 남에 대해 함부로 말하는 것을 경계하고 있다. 내가 남에 대해 함부로 말하면 남도 똑같이 나에 대해 함부로 말할 수 있다는 점을 들어, 함부로 말하지 말고 신중하게 말할 것을 당부하고 있다.

(2) ㉯에 제시된 속담을 뜻을 찾아보고, 세 속담이 공통으로 드러내고자 하는 교훈은 무엇인지 정리해 보자.

속담	뜻
㉠	말은 비록 발이 없지만 천 리 밖까지도 순식간에 퍼진다.
㉡	같은 내용의 이야기라도 표현하는 데 따라서 다르게 들린다.
㉢	가루는 체에 칠수록 고와지지만 말은 길어질수록 거칠어져 시비가 붙을 수 있고 마침내는 말다툼까지 가게 된다.

교훈
말은 멀리까지 순식간에 퍼지고, 길어질수록 좋지 않은 결과를 낳게 된다. 또한 말이란 같은 내용이라도 표현에 따라 듣는 사람이 다르게 받아들일 수 있다. 세 속담은 공통적으로 말을 삼가고 꼭 필요한 말만 가려서 신중하게 해야한다는 교훈을 전하고 있다.

(3) ㉮와 ㉯에 공통으로 반영된 우리말의 담화 관습을 정리해 보자.

㉮와 ㉯에는 '말'을 중요하게 여겨 불필요한 말을 삼가고, 대화 상대나 상황을 고려하여 필요한 말만 조심히 하는 '신중하게 말하기'의 담화 관습이 반영되어 있다.

[2] 다음 글에서 '김 선생'이 한 말의 의도와 표현을 바탕으로 우리말의 담화 관습을 살펴보자.

김 선생은 <u>담소</u>를 즐겨 하였다.
　　　　　웃고 즐기면서 하는 이야기

그가 일찍이 벗의 집을 찾아간 적이 있었다. 주인은 술상을 내오되 안주는 단지 채소뿐이라며 먼저 사과부터 하는 것이었다.

"집은 가난하고 시장마저 멀다네. 맛있는 음식일랑 전혀 없고 <u>담박한</u> 것뿐이네. 그저 부끄러울 따름일세."
　　　　　　　　　　　　　　　　　　　　　　　　　　　조촐한

그때 마침 <u>한 무리의 닭들이 마당에서 어지럽게 모이를 쪼고 있었다.</u>
　　　　　　　　　벗의 말이 거짓임이 드러남.

김 선생이 그를 보며 말하였다.

"대장부는 천금(千金)도 아까워하지 않는 법이네. 내 말을 잡아 안주를 장만하게."

"하나뿐인 말을 잡으라니, 무엇을 타고 돌아가겠다는 말인가?"

<u>"닭을 빌려 타고 가려네."</u>
　　벗의 인색함을 돌려 말함으로써 꾸짖음.

김 선생의 대답에 <u>주인은 크게 웃고서</u> 닭을 잡아 대접하였다.
　　　　　　　　김 선생의 말의 의도를 이해함.

－ 서거정, 「<u>차계기환(借鷄騎還)</u>」 －
　　　　　　　　　　'닭을 빌려 타고 돌아간다'의 뜻

⊙ 핵심정리

갈래	설화, 패관 문학	성격	풍자적, 해학적
제재	친구의 인색한 대접		
주제	친구의 인색한 대접에 대한 재치 있는 지적		
특징	• 웃음을 통해 문제를 해결함. • '돌려 말하기'의 말하기 방식이 드러남.		

(1) '김 선생'이 다음과 같이 말한 의도를 파악하고, 그 의도가 명확하게 드러날 수 있도록 직접적인 표현으로 바꾸어 보자.

↗	'김 선생'이 말한 의도	자신을 인색하게 대접하는 친구의 잘못을 지적하면서, 닭을 잡아 안주를 내오라는 자신의 요구를 드러내고자 함.	↘

"닭을 빌려 타고 가려네."	바꾼 표현
	"마당에 있는 닭을 잡아 안주는 내오게."

(2) 앞의 활동(1)을 바탕으로 '김 선생'의 말하기 방식에서 드러나는 특징을 파악하고, 이러한 담화 관습의 장단점은 무엇인지 말해 보자.

김 선생은 자신을 인색하게 대접하는 친구의 잘못을 직설적으로 지적하지 않고 부드럽게 돌려 말함으로써 친구와의 관계를 불편하게 하지 않으면서도 자신의 의도를 효과적으로 드러내고 있다. 이와 같이 '돌려 말하기'는 상대방의 감정을 상하지 않게 하면서 직접적으로 표현하기 어려운 내용을 완곡하게 돌려 말할 수 있다는 장점이 있다. 하지만 자신의 의도를 직접적으로 전달하지 않기 때문에 상대방이 자신의 의도를 전혀 이해하지 못하거나 잘못 받아들일 수도 있다는 단점이 있다.

[3] 다음 대화에서 드러나는 우리말의 담화 관습을 파악해 보자.

> **뉴스 진행자** 오늘 이분과의 만남을 매우 많은 분들이 기대하시고, 또 기다리셨을 것 같습니다. 저 역시도 그랬습니다. 어떤 화려한 수식어보다, <u>그냥 이름 석 자로 소개해 드리는 게 이분을 가장 잘 표현하는 말이 아닐까 싶은데요.</u> 5년 만에 새 앨범으로 돌아온 ○○○ 씨. 현장 방송으로 이곳에 나와 주셨습니다. 뉴스에서 현장 방송으로 출연하는 건 처음이실 것 같은데, 모시게 됐습니다. 어서 오십시오. 반갑습니다.
> 인지도가 매우 높은 인물임을 드러냄.
>
> **출연자** 안녕하세요. 영광입니다.
>
> **뉴스 진행자** 제가 어떠한 수식어도 필요가 없다고 했지만, 한 평론가께서 그렇게 말씀하시더군요. <u>혁명적 존재</u>였다. 혹시 동의하십니까?
> 상대방을 칭찬함.
>
> **출연자** 모르겠어요. <u>저한테는 과찬의 말씀이신 것 같아요.</u> 저는 그냥 음악하는 사람이고 음악을 통해서 사람들과 공감할 수 있는 그런 이야깃거리들을 많이 만드는 게 제 일인데, 혁명까지는 과찬의 말씀이십니다.
> 자신을 낮추어 겸손하게 말함.
>
> – 제이티비시(JTBC)「뉴스룸」(2014. 10. 20.) –

(1) '출연자'의 말하기 방식에서 드러나는 우리말의 담화 관습이 무엇인지 파악해 보자.

　　출연자는 뉴스 진행자가 자신을 칭찬하는 말에 대해 과찬의 말씀이라며 겸손하게 대답하고 있다. 즉 출연자의 말하기 방식에서 상대방을 존중하고 상대방에 대한 예의를 갖추면서 자기를 낮추어 말하는 '겸손하게 말하기'의 담화 관습이 드러난다.

(2) 앞의 활동 (1)에서 파악한 우리말의 담화 관습을 활용한다면 다음 상황에서 '정연'이 어떻게 대답하는 것이 좋을지 써 보자.

정연아, 너 토론 대회에서 상 받았다며? 어쩜 그렇게 말재주가 좋니?	말재주가 좋기는……. 토론 대회 내내 내가 얼마나 말재주가 없는지 새삼 느꼈는걸

[4] 다음 글을 바탕으로 선조들이 강조했던 우리말의 담화 관습에 대해 알아보자.

> ㉮ 남이 지난 일이나 색다른 얘기를 할 때에는 이미 들은 것이라도 그가 신나게 말하거든 끝까지 자세하게 들을 것이지, 중간에 가로막고 <u>이러쿵저러쿵</u>하며 "나는 벌써부터 자세히 아는 일인데, 그대는 이제야 들었구려. 거
> 이러하다는 둥 저러하다는 둥
> 듭 말할 것 없네."라고 말해서는 안 된다.
>
> ㉯ <u>음담패설</u>, 도리에 안 맞는 말, <u>허황된</u> 말, 과장된 말, 남을 헐뜯는 말, 속이는 말이나 도에 지나쳐 <u>가혹한</u> 말,
> 음탕하고 덕의(德義)에 벗어나는 상스러운 이야기　　헛되고 황당하며 미덥지 못한.　　　　　　　　　　몹시 모질고 혹독한
> 원한이 섞인 말 등을 듣거든 <u>수작하지</u> 말고 슬금슬금 물러서라.
> 서로 말을 주고받지
>
> — 이덕무, 『사소절』 —

(1) 윗글에서 강조한 담화 관습은 무엇인지 적어 보자.

- ㉮: 상대방이 하는 말을 귀 기울여 듣기(경청하기)
- ㉯: 상대방의 말을 신중하게 판단하며 가려듣기

(2) ㉮와 ㉯에서 예로 든 상황과 유사한 경험이 있는지 생각해 보고, 자신은 어떤 듣기 태도를 보였는지 말해 보자.

친구 진호와 놀던 중에 진호가 재원이와 다툰 얘기를 하면서 재원이를 험담하기 시작했다. 나는 잠자코 그 얘기를 듣고 있었는데 갑자기 재원이가 나타나 내가 진호와 함께 자기를 험담했다고 오해를 하는 바람에 한동안 재원이와 사이가 서먹해졌다. 그날의 경험을 통해 도리에 맞지 않거나 남을 헐뜯는 말은 가려듣고, 그와 같은 자리는 피해야 한다는 것을 깨닫게 되었다.

지식 콕콕	우리말의 담화 관습

　같은 언어를 사용하는 공동체 안에서는 각 언어 공동체 특유의 담화 관습이 있다. 우리말에도 다음과 같이 우리말을 사용하는 사람들 사이에서 오랫동안 지켜 내려온 담화 관습이 존재한다.

- **신중하게 말하기**: 말을 중요하게 여겨 불필요한 말을 삼가고, 대화 상대나 상황을 고려하여 필요한 말만 조심히 한다.
- **돌려 말하기**: 직설적으로 말하면 상대방의 감정을 상하게 할 수 있는 내용이나 직접적으로 표현하기 어려운 내용을 완곡하게 돌려 말한다.
- **겸손하게 말하기**: 상대방을 존중하고 예의를 갖추면서 자기를 낮추어 말한다.
- **경청하고 가려듣기**: 상대방이 하는 말이 관심을 끌지 않더라도 귀 기울여 끝까지 잘 듣고, 도리에 맞지 않거나 남을 헐뜯는 말 등은 가려듣는다.

[01~03] 다음 글을 읽고 물음에 답하시오.

(가) 말하기 좋다 하고 남의 말을 말을 것이
남의 말 내 하면 남도 내 말 하는 것이
말로써 말이 많으니 말 말을까 하노라.

(나) * 발 없는 말이 천 리 간다.
* 아 해 다르고 어 해 다르다.
* 가루는 칠수록 고와지고 말은 할수록 거칠어진다.

(다) **진행자** : 제가 어떠한 수식어도 필요가 없다고 했지만, 한 평론가께서 그렇게 말씀하시더군요. 혁명적 존재였다. 혹시 동의하십니까?
출연자 : 모르겠어요. 저한테는 과찬의 말씀이신 것 같아요. 저는 그냥 음악하는 사람이고 음악을 통해서 사람들과 공감할 수 있는 그런 이야깃거리들을 많이 만드는 게 제 일인데, 혁명까지는 과찬의 말씀이십니다.

(라) 남이 지난 일이나 색다른 얘기를 할 때에는 이미 들은 것이라도 그가 신나게 말하거든 끝까지 자세하게 들을 것이지, 중간에 가로막고 이러쿵저러쿵하며 "나는 벌써부터 자세히 아는 일인데, 그대는 이제야 들었구려. 거듭 말할 것 없네."라고 말해서는 안 된다.

(마) 업무에 활용할 수 있는 자격증을 취득하였고, 인턴 활동을 하며 실무 경험을 쌓았습니다. 꾸준히 성장하는 저의 모습이 궁금하시다면 저를 뽑아 주십시오.

01 (가)~(마)에 대한 설명으로 적절한 것은?

① (가)는 언어 유희적 표현을 이용하여 '말'에 대한 화자의 인식을 드러내고 있다.
② (나)는 상대방의 말을 신중하게 판단하며 가려들어야 하는 필요성에 대해 역설하는 표현이다.
③ (다)의 출연자는 상대방의 말에 동의하며 자신의 입장을 논리적으로 설명하고 있다.
④ (라)는 상대방의 감정을 고려하여 요점만 간단하게 말해야 함을 강조하고 있다.
⑤ (마)의 화자는 면접 담화 상황에서 좋은 평가를 받기 위해 자신을 낮추어 겸손하게 말하고 있다.

02 (가)~(마) 중 진우에게 충고할 수 있는 우리말의 담화 관습에 관한 내용과 관련 있는 것은?

> ┤ 보기 ├
>
> **수미** : 이번 소풍 말이야…….
>
> **진우** : 어디로 간대?
>
> **수미** : 그러니까 오늘 학급회의…….
>
> **진우** : 꼭 가야 해? 난 안 가고 싶은데…….

① (가)   ② (나)   ③ (다)   ④ (라)   ⑤ (마)

03 다음 글에 나타나 있는 '김 선생'의 말하기 방식에 대한 설명으로 적절하지 <u>않은</u> 것은?

> 김 선생은 담소를 즐겨 하였다.
>
> 그가 일찍이 벗의 집을 찾아간 적이 있었다. 주인은 술상을 내오되 안주는 단지 채소뿐이라며 먼저 사과부터 하는 것이었다.
>
> "집은 가난하고 시장마저 멀다네. 맛있는 음식일랑 전혀 없고 담박한 것뿐이네. 그저 부끄러울 따름일세."
>
> 그때 마침 한 무리의 닭들이 마당에서 어지럽게 모이를 쪼고 있었다.
>
> 김 선생이 그를 보며 말하였다.
>
> "대장부는 천금도 아까워하지 않는 법이네. 내 말을 잡아 술안주를 장만하게."
>
> "하나뿐인 말을 잡으라니, 무엇을 타고 돌아가겠다는 말인가?"
>
> "닭을 빌려 타고 가려네."
>
> 김 선생의 대답에 주인은 크게 웃고서 닭을 잡아 대접하였다.

① 웃음을 통해 문제를 해결하고 있다.

② 돌려 말하기 담화 관습을 활용하여 말하였다.

③ 친구와의 관계를 불편하게 하지 않는 장점이 있다.

④ 친구의 인색한 대접에 대해 일종의 풍자를 한 것이다.

⑤ 자신의 의도를 명확하게 표현하는 담화 관습에 해당한다.

[01~03] 다음 글을 읽고 물음에 답하시오.

김 선생은 담소를 즐겨 하였다.

그가 일찍이 벗의 집을 찾아간 적이 있었다. 주인은 술상을 내오되 안주는 단지 채소뿐이라며 먼저 사과부터 하는 것이었다.

"집은 가난하고 시장마저 멀다네. 맛있는 음식일랑 전혀 없고 담박한 것뿐이네. 그저 부끄러울 따름일세."

그때 마침 한 무리의 닭들이 마당에서 어지럽게 모이를 쪼고 있었다.

김 선생이 그를 보며 말하였다.

"대장부는 천금(千金)도 아까워하지 않는 법이네. ㉠내 말을 잡아 안주를 장만하게."

"하나뿐인 말을 잡으라니. 무엇을 타고 돌아가겠다는 말인가?"

"닭을 빌려 타고 가려네."

김 선생의 대답에 주인은 크게 웃고서 닭을 잡아 대접하였다.

01 윗글과 같은 담화 방식의 특징으로 적절한 것은?

① 자신에게 필요한 말만 들을 수 있다.
② 상대방의 감정을 상하게 할 수도 있다.
③ 자신의 의도를 상대방에게 직접 전달하는 방식이다.
④ 말하는 사람의 의도를 상대방이 잘못 받아들일 수도 있다.
⑤ 상대방에 대한 예의를 갖추면서 자신을 낮추어 말하는 방식이다.

02 윗글의 담화 상황에서 ㉠의 의도로 적절한 것은?

① 벗에게 닭을 잡아 안주로 내어 달라고 하는 말이다.
② 벗과의 술자리 분위기를 부드럽게 만들기 위한 말이다.
③ 벗에게 집에 타고 돌아갈 말을 빌려 달라고 하는 말이다.
④ 벗에게 자신의 말을 잡아 안주로 내어 달라고 하는 말이다.
⑤ 안주로 채소만을 낸 것을 부끄러워하는 친구를 위로하는 말이다.

03 (가)와 (나)에 대한 설명으로 적절하지 <u>않은</u> 것은?

> **(가)** 말하기 좋다 하고 남의 말을 말을 것이
>   남의 말 내 하면 남도 내 말 하는 것이
>   말로써 말이 많으니 말 말을까 하노라
>
> **(나)** ㉠ 발 없는 말이 천 리 간다.
>   ㉡ 아 해 다르고 어 해 다르다.
>   ㉢ 가루는 칠수록 고와지고 말은 할수록 거칠어진다.

① (가)의 내용을 나타내는 속담으로 '혀 아래 도끼 들었다'가 있다.
② (나)의 ㉠과 같은 속담으로 '낮말은 새가 듣고 밤말은 쥐가 듣는다'가 있다.
③ (나)의 ㉡은 같은 내용이라도 표현에 따라 다르게 들릴 수 있다는 의미이다.
④ (나)의 ㉢과 같은 속담으로 '고기는 씹어야 맛이고 말은 해야 맛이다'가 있다.
⑤ (가)와 (나) 모두 신중하게 말할 것을 당부하는 담화 관습이 반영되어 있다.

04 다음 담화 상황에 나타난 문제점을 우리말의 담화 관습을 활용하여 적절하게 고친 것은?

(가)	(나)
여학생 : 이렇게 쉬운 문제도 틀리다니 넌 공부를 하긴 하는거니?	여학생 : 어휴, 이번에 성적이 또 떨어졌어. 남학생 : 난 역시 천재인가봐, 또 백 점 맞았어.

① (가) : 돌려 말하기 → "기초가 부족해서 그래, 앞으로 예습보다는 복습을 더 열심히 해."
② (가) : 겸손하게 말하기 → "문제가 어려웠나 보구나? 어디서 실수했는지 다시 한 번 살펴보자."
③ (나) : 신중하게 판단하며 가려듣기 → "공부 방법이 잘못된 거 아니니? 다음에는 제대로 공부 좀 해 봐."
④ (나) : 돌려 말하기 → "시험이 인생의 전부가 아니니 너무 걱정하지 마"
⑤ (나) : 겸손하게 말하기 → "성적이 떨어져 속상하겠다. 이번 시험은 좀 어려웠던 것 같아."

05 다음 면접 담화 상황에 대한 설명으로 적절하지 <u>않은</u> 것은?

> 진취적인 성향의 ○○회사에서 신입사원을 뽑고 있다.
>
> **면접관** : 회사에서 지원자를 뽑아야 하는 이유를 말해보세요.
> A : 능력이 많이 부족하고 실무 경험도 적은 편이지만, 저를 뽑아 주시면 열심히 일하겠습니다.
> B : 업무에 활용할 수 있는 자격증을 취득하였고, 인턴 활동을 하며 실무 경험을 쌓았습니다. 꾸준히 성장하
> 는 저의 모습이 궁금하시다면 저를 뽑아 주십시오.

① A는 우리말의 담화 관습을 무조건 수용하였다.
② A는 겸손한 태도로 자신을 낮추어 표현하였다.
③ B보다 A와 같은 태도가 더 좋은 평가를 받을 것이다.
④ B는 면접관에게 자신감 있는 태도로 자신의 장점을 강조했다.
⑤ B는 과거의 담화 관습을 담화 상황에 맞게 수정하여 계승한 것이다.

06 바람직한 의사소통을 위해 다음의 '진목'과 '유슬'에게 해 줄 수 있는 조언으로 가장 적절한 것은?

> ┤ 보기 ├
>
> **유슬 엄마** : 진목아, 연주 잘 봤어. (진목의 어깨를 토닥이며) 지난달보다 많이 늘었더라. 연습 많이 했다며?
> **진목** : (대답 없이 유슬 엄마의 손을 뿌리친다.)
> **유슬 엄마** : 부모님이랑 같이 안 왔구나. 내가 학원까지 데려다줄까?
> **진목** : (인상 쓰며) 필요 없습니다. (유슬 엄마를 지나친다.)
> **유슬** : 야!
> **진목** : (가다가 멈추고 뒤돌아 유슬을 바라본다.)
> **유슬** : 너 일부러 떨어뜨린 거지? 내 악보, 실수인 척 애쓰긴 했는데, 너 되게 티 났어. 근데 어쩌냐? 나 악보
>   다 외우고 있었거든.
> **진목** : 지금 천재라고 잘난 척하는 거냐?
> **유슬** : (웃음) 아니, 몇 번을 말하니? 난 천재가 아니라니까. 그냥 (진목에게 다가가서) 니가 별것 아닌 거야.
> **진목** : 뭐?

① 자신을 낮추어 겸손하게 말해야 한다.
② 상대방의 말의 의도를 잘 파악해야 한다.
③ 상대방을 존중하고 예의를 갖추어야 한다.
④ 상대방의 말을 신중하게 판단하며 들어야 한다.
⑤ 꼭 필요한 말이 아니면 최대한 말을 아껴야 한다.

07 〈보기〉의 ㉮와 ㉯에 공통으로 반영된 우리말의 담화 관습으로 가장 적절한 것은?

┤ 보기 ├

㉮ 말하기 좋다 하고 남의 말을 말을 것이
　남의 말 내 하면 남도 내 말 하는 것이
　말로써 말이 많으니 말 말을까 하노라

- 작자 미상 -

㉯ • 발 없는 말이 천 리 간다.
　• 아 해 다르고 어 해 다르다.
　• 가루는 칠수록 고와지고 말은 할수록 거칠어진다.

① 신중하게 말하기　　　　② 돌려 말하기　　　　③ 겸손하게 말하기
④ 경청하기　　　　⑤ 가려듣기

서술형 심화문제

01 〈보기〉에서 김 선생이 밑줄 친 부분과 같이 말한 의도를 서술하고, 이를 통해 파악할 수 있는 우리말의 담화 관습을 2어절로 밝혀 쓰시오.

보기

김 선생은 담소를 즐겨 하였다.

그가 일찍이 벗의 집을 찾아간 적이 있었다. 주인은 술상을 내오되 안주는 단지 채소뿐이라며 먼저 사과부터 하는 것이었다.

"집은 가난하고 시장마저 멀다네. 맛있는 음식일랑 전혀 없고 담박한 것뿐이네. 그저 부끄러울 따름일세."

그때 마침 한 무리의 닭들이 마당에서 어지럽게 모이를 쪼고 있었다.

김 선생이 그를 보며 말하였다.

"대장부는 천금(千金)도 아까워하지 않는 법이네. 내 말을 잡아 술안주를 장만하게."

"하나뿐인 말을 잡으라니, 무엇을 타고 돌아가겠다는 말인가?"

"닭을 빌려 타고 가려네."

김 선생의 대답에 주인은 크게 웃고서 닭을 잡아 대접하였다.

– 서거정, 「차계기환(借鷄騎還)」 –

김 선생 발언의 의도	자신에게 인색한 친구의 잘못을 지적함.
	(1)
우리말의 담화 관습	(2)

02 다음 글을 읽고, '김 선생'의 말하기 방식에 반영된 우리말의 담화 관습과 이러한 담화 관습의 장단점을 각각 한 가지씩만 쓰시오.

김 선생은 담소를 즐겨 하였다.

그가 일찍이 벗의 집을 찾아간 적이 있었다. 주인은 술상을 내오되 안주는 단지 채소뿐이라며 먼저 사과부터 하는 것이었다.

"집은 가난하고 시장마저 멀다네. 맛있는 음식일랑 전혀 없고 담박한 것뿐이네. 그저 부끄러울 따름일세."

그때 마침 한 무리의 닭들이 마당에서 어지럽게 모이를 쪼고 있었다.

김 선생이 그를 보며 말하였다.

"대장부는 천금(千金)도 아까워하지 않는 법이네. 내 말을 잡아 안주를 장만하게."

"하나뿐인 말을 잡으라니. 무엇을 타고 돌아가겠다는 말인가?"

"닭을 빌려 타고 가려네."

김 선생의 대답에 주인은 크게 웃고서 닭을 잡아 대접하였다.

– 서거정, 「차계기환(借鷄騎還)」 –

조건 및 채점 기준

• '김 선생'의 말하기 방식에 반영된 '우리말의 담화 관습'은 교과서의 용어로 쓴 것만 정답으로 인정함.

같은 언어를 사용하는 공동체 안에서는 각 언어 공동체 특유의 담화 관습이 있다. 우리말에도 다음과 같이 우리말을 사용하는 사람들 사이에서 오랫동안 지켜 내려온 담화 관습이 존재한다. 다음을 봅시다.

> • **신중하게 말하기** : 말을 중요하게 여겨 불필요한 말을 삼가고, 대화 상대나 상황을 고려하여 필요한 말만 조심히 한다.
> • **돌려 말하기** : 직설적으로 말하며 상대방의 감정을 상하게 할 수 있는 내용이나 직접적으로 표현하기 어려운 내용을 완곡하게 돌려 말한다.
> • **겸손하게 말하기** : 상대방을 존중하고 예의를 갖추면서 자기를 낮추어 말한다.
> • **경청하고 말하기** : 상대방이 하는 말이 관심을 끌지 않더라도 귀 기울여 끝까지 잘 듣고, 도리에 맞지 않거나 남을 헐뜯는 말 등은 가려 듣는다.

그렇다면, '㉮발 없는 말이 천리 간다. ㉯세 살 먹은 아이 말도 귀담아 들으랬다.'에 나타난 속담은 어느 경우에 해당하는지 알아봅시다.

---

03 〈보기〉를 바탕으로 물음에 답하시오.

> ┤ 보기 ├
>
> 김 선생은 담소를 즐겨 하였다.
> 그가 일찍이 벗의 집을 찾아간 적이 있었다. 주인은 술상을 내오되 안주는 단지 채소뿐이라며 먼저 사과부터 하는 것이었다.
> "집은 가난하고 시장마저 멀다네. 맛있는 음식일랑 전혀 없고 담박한 것뿐이네. 그저 부끄러울 따름일세."
> 그때 마침 한 무리의 닭들이 마당에서 어지럽게 모이를 쪼고 있었다.
> 김 선생이 그를 보며 말하였다.
> "대장부는 천금(千金)도 아까워하지 않는 법이네. 내 말을 잡아 술안주를 장만하게."
> "하나뿐인 말을 잡으라니, 무엇을 타고 돌아가겠다는 말인가?"
> "㉠닭을 빌려 타고 가려네."
> 김 선생의 대답에 주인은 크게 웃고서 닭을 잡아 대접하였다.
>
> — 서거정, 「차계기환(借鷄騎還)」 —

(1) 김 선생이 ㉠에서 말한 의도가 명확하게 드러나도록 바꾸어 표현하시오.

(2) ㉠에 드러난 담화 관습의 특징을 〈조건〉에 맞게 서술하시오.

> ┤ 조건 ├
>
> • 4개의 담화 관습 중 어디에 해당하는지 밝힐 것.
> • 이 담화의 장점과 단점을 설명할 것.

04 ㉮, ㉯의 속담이 윗글에 제시된 담화 관습 중 어디에 해당하는지 〈조건〉에 맞게 쓰시오.

┌─ 조건 ├─
• 4개의 담화 중 어디에 해당하는지 각각 밝힐 것.

05 다음 글을 읽고, 주어진 형식에 맞추어 글의 중심 내용을 완성한 후에 그대로 옮겨 쓰시오.

> 언어 예절이란 대화를 할 때 지켜야 할 예절로서, 상대방을 존중하는 마음을 언어로 표현하는 사회적 관습이다. 대화 내용 자체는 타당하더라도, 대화 상황이나 대화 상대에 맞게 적절하지 않으면 언어 예절에 어긋날 수 있다. 언어 예절을 지키지 않으면 다른 사람들과의 의사소통이 원활하게 이루어지기 어렵고, 원만한 인간관계를 유지하기 어려울 수도 있다. 따라서 대화할 때에는 대화 상황과 대화 상대에 맞게 언어 예절을 갖추어 말하도록 노력해야 한다.

> "언어 예절을 지키며 대화하기 위해서는 대화 상황과 대화를 고려해야 하며, 언어 예절을 잘 지켜야 하는 이유는 _____ 때문이다."

06 다음에서 강조한 우리말의 담화 관습으로 적절한 것은?

> **(가)** 남이 지난 일이나 색다른 얘기를 할 때에는 이미 들은 것이라도 그가 신나게 말하거든 끝가지 자세하게 들을 것인지, 중간에 가로막고 이러쿵저러쿵하며 "나는 벌써부터 자세히 아는 일인데, 그대는 이제야 들었구려, 거듭 말할 것 없네."라고 말해서는 안 된다.

> **(나)** 음담패설, 도리에 안 맞는 말, 허황된 말, 과장된 말, 남을 헐뜯는 말, 속이는 말이나 도에 지나쳐 가혹한 말, 원한이 섞인 말 등을 듣거든 수작하지 말고 슬금슬금 물러서라.

	(가)	(나)
①	돌려 말하기	신중하게 말하기
②	경청하기	신중하게 판단하며 가려듣기
③	겸손하게 말하기	경청하기
④	돌려 말하기	신중하게 판단하며 가려듣기
⑤	경청하기	돌려 말하기

[01~07] 다음 글을 읽고, 물음에 답하시오.

(가) 世솅宗종御엉製졩訓훈民민正졍音흠

㉠나·랏:말쓰·미中듕國·귁·에달·아文문字·쫑·와·로서르스뭇·디아·니홀·씨㉡이런젼·ᄎ·로어·린百·빅姓·셩·이니르·고·져·홇·배이·셔·도ᄆ·ᄎ·내제·ᄠ·들시·러펴·디:몯홇·노·미하·니·라㉢내·이·ᄅᆞᆯ爲·윙·ᄒ·야:어엿·비너·겨㉣·새·로·스·믈여·듧字·쫑·ᄅᆞᆯ밍·ᄀᆞ노·니㉤:사ᄅᆞᆷ:마·다:ᄒᆡ·ᅇᅧ:수·ᄫᅵ니·겨·날·로·ᄡᅮ·메便뼌安한·킈ᄒ·고·져홇ᄯᆞᄅᆞ·미니·라

– 「훈민정음(訓民正音)」 언해본에서 –

(나)

---

01 (가)에서 중세국어의 음운을 분석한 내용으로 적절하지 **않은** 것은?

① :말쓰·미 → :말씀+·이
② ·ᄠ·들 → ·ᄠᅳᆮ+·을
③ ·노·미 → ·놈+·이
④ ·배 → ·바+ㅣ
⑤ ·ᄡᅮ·메 → ·ᄡᅳ-+움+·에

02 (가)에서 훈민정음의 창제정신이 나타난 부분을 고른 것으로 적절한 것은?

	자주정신	실용정신	애민정신
①	㉠	㉡	㉤
②	㉠	㉢	㉤
③	㉠	㉤	㉢
④	㉡	㉢	㉣
⑤	㉡	㉤	㉢

03 〈보기〉에서 (나)를 보고 중세국어와 현대국어의 표기에 대해 나눈 대화 중 옳은 것만 고른 것은?

┤ 보기 ├

소원 : 중세국어에서는 세로쓰기를 하였어.

예린 : 지금 우리가 가로쓰기하는 것과는 다른 쓰기방식이었네?

엄지 : 중세에는 문장 단위의 띄어쓰기를 했나봐. 읽을 때 의미파악이 어려워.

은하 : 그렇지. 중세국어에는 표기에 한글과 한자가 섞인 모습도 보여.

유주 : 현대에서는 '씀에(쓰는 데)'로 표기하는 것을 '·뿌·메'로 표기했던 것으로 보아 이어적기를 사용했어.

신비 : '뜬·미니라'도 '따름이니라'를 분철한 것이지?

① 소원, 예린, 엄지, 은하

② 소원, 예린, 엄지, 유주

③ 소원, 예린, 은하, 유주

④ 예린, 엄지, 유주, 신비

⑤ 소원, 예린, 엄지, 은하, 유주

04 중세국어와 현대국어의 음운에 대한 대화 중 옳은 것만 고른 것은?

┤ 보기 ├

혜빈 : 중세국어에서 사용하던 'ㅸ', '·'같은 음운은 지금은 사용하지 않아.

연우 : ':사룸'을 지금은 '사람'으로 쓰는 것이 좋은 예지.

제인 : ':수·비'를 현대에서는 '수이(쉬 → 쉽게)'로 사용하는 것도 예시가 될 수 있어.

나윤 : 그리고 중세국어에서는 글자 왼쪽에 성조를 나타내던 방점이 있었어.

주이 : 성조는 방점의 종류로 보아 총 두 가지가 있었나봐.

태하 : '·뜬·들', '·뿌·메'에서 'ㅳ', 'ㅄ'과 같은 초성도 지금은 사용하지 않아.

① 혜빈, 연우, 나윤, 주이, 태하

② 혜빈, 연우, 제인, 주이, 태하

③ 혜빈, 연우, 제인, 나윤, 태하

④ 혜빈, 연우, 제인, 나윤, 주이

⑤ 혜빈, 연우, 제인, 나윤, 주이, 태하

05 중세국어와 현대국어의 어휘에 대한 대화 중 옳은 것만 고른 것은?

┤ 보기 ├

초롱 : 중세국어에 있던 어휘가 현대 국어에서 없어지기도 했어.

보미 : 중세국어에서 '젼ᄎ'라는 어휘가 현대 국어에서 없어진 것이 좋은 예야.

은지 : 그래, 또 '스ᄆᆺ디'가 현대국어에서 없어진 것도 하나의 예지.

나은 : '어리다'가 중세에는 '어리석다'의 의미지만 현대에는 '나이가 적은'으로 사용하는 것처럼 의미가 축소된 경우도 있어.

남주 : 중세국어의 '어엿브다'는 '불쌍하다'라는 의미가 현대에는 '예쁘다'라는 의미로 아예 변화되기도 했어.

하영 : '놈'은 중세에 '남자나 사람을 낮잡아 이르는 말'이란 뜻에서 지금은 '일반적인 사람'으로 의미가 축소되었지?

① 초롱, 보미, 은지, 나은
② 초롱, 보미, 은지, 남주
③ 초롱, 보미, 나은, 하영
④ 초롱, 보미, 나은, 남주
⑤ 초롱, 은지, 남주, 하영

06 중세국어와 현대국어의 문법과 문법적 요소에 대한 대화 중 옳은 것만 고른 것은?

┤ 보기 ├

솔라 : '中듕國·귁·에달·아'를 '중국과 달라'로 해석하는 것으로 보아 비교 주사격 조사가 '에'에서 '과'로 바뀌었다는 것을 알 수 있어.

화사 : '·홇·배'를 '하는 바가'로 해석하는 건 중세국어에는 주격조사 '가'가 없었음을 알 수 있는 예야.

문별 : '衛·윙·ᄒᆞ·야'를 '위하여'로 쓰는 것으로 보아 현대국어에서는 모음조화를 잘 지키지 않게 되었음을 알 수 있어.

① 솔라   ② 솔라, 화사   ③ 화사, 문별
④ 솔라, 문별   ⑤ 솔라, 화사, 문별

07 이 글에 대한 설명으로 바른 것은?

① 새로 만든 28자는 자음 18자, 모음 10자이다.
② 창제의 3대 정신은 자주, 근면, 협동의 정신이다.
③ 글의 주제는 훈민정음의 창제 이유를 밝힌 것이다.
④ 새로 만든 ㅸ, ㅿ, ㆍ, ㆆ의 4글자는 이후 소실되었다.
⑤ 훈민정음이라는 책의 서문으로, 언해 이전 원문은 한글로 기록되어 있다.

[08~10] 다음 글을 읽고, 물음에 답하시오.

(가) 말하기 좋다 하고 남의 말을 말을 것이

남의 말을 내 하면 남도 내 말 하는 것이

말로써 말이 많으니 말 말을까 하노라

– 작자 미상 –

(나) 김 선생은 담소를 즐겨 하였다.

그가 일찍이 벗의 집을 찾아간 적이 있었다. 주인은 술상을 내오되 안주는 단지 채소뿐이라며 먼저 사과부터 하는 것이었다.

"집은 가난하고 시장마저 멀다네. 맛있는 음식일랑 전혀 없고 담박한 것뿐이네. 그저 부끄러울 따름일세."

그때 마침 한 무리의 닭들이 마당에서 어지럽게 모이를 쪼고 있었다.

김 선생이 그를 보며 말하였다.

"대장부는 천금(千金)도 아까워하지 않는 법이네. 내 말을 잡아 술안주를 장만하게."

"하나뿐인 말을 잡으라니, 무엇을 타고 돌아가겠다는 말인가?"

"닭을 빌려 타고 가려네."

김 선생의 대답에 주인은 크게 웃고서 닭을 잡아 대접하였다.

– 서거정, 「차계기환(借鷄騎還)」 –

(다) 같은 언어를 사용하는 공동체 안에서는 각 언어 공동체 특유의 담화 관습이 있다. 우리말에도 다음과 같이 우리말을 사용하는 사람들 사이에서 오랫동안 지켜 내려온 담화 관습이 존재한다. 특히 신중하게 말하기, 돌려 말하기, 겸손하게 말하기, ⊙경청하고 가려듣기 등이 그에 해당한다.

그러나 이러한 언어 공동체의 담화 관습은 사회·문화적 상황에 따라 변화한다. 따라서 과거 우리말의 담화 관습을 비판적인 안목으로 바라보고, 오늘날의 시대 상황을 반영하여 그것을 수정하거나 보완하여 계승할 필요가 있다. 바람직한 의사소통 문화 발전에 기여하기 위해서는 우리의 언어생활을 성찰하면서 담화 상황에 맞는 적절한 의사소통 방법을 사용해야 한다.

08 (가)~(나)에 대한 설명으로 적절하지 않은 것은?

① (가)의 화자는 언어유희적 표현을 통해 말에 대한 인식을 드러내고 있다.

② (가)의 화자는 내가 남에 대해 함부로 말하면 남도 똑같이 나에게 함부로 말할 수 있음을 들어 신중하게 말할 것을 당부하고 있다.

③ (나)의 '김 선생'은 친구와의 관계를 불편하게 하지 않으면서 자신의 의도를 효과적으로 드러내고 있다.

④ (나)에서 '김 선생'은 친구에게 이익이 되는 표현 대신 부담되는 표현을 하며 인색한 대접에 대해 지적하고 있다.

⑤ (가)와 (나)에 나타난 담화의 특징은 우리말을 사용하는 사람들 사이에서 오랫동안 지켜 내려온 담화 관습이라고 할 수 있다.

09 (다)에서 ㉠이 드러난 담화 상황으로 가장 적절한 것은?

① **가** : 너는 참 공부를 열심히 하는구나, 대단해.

 나 : 아니야, 게을러서 이제라도 조금하는 것뿐이야.

② **가** : 이렇게 쉬운 문제도 틀리다니, 넌 공부를 하긴 하는 거니?

 나 : 매일 복습을 하긴 했는데…….

③ **가** : 유진이는 노래도 잘하고 운동도 잘하고 못하는 게 없구나.

 나 : 아니에요. 특별히 잘하는 것도 없는데요. 아직 많이 부족합니다.

④ **가** : 집이 참 좋네요. 구석구석 어쩌면 이렇게 정돈이 잘 되어 있는지……. 사모님 살림 솜씨가 대단하신데요.

 나 : 부족한 살림 솜씨를 칭찬해 주시니 고맙습니다.

⑤ **가** : 컴퓨터 사용 시간을 한 시간 연장하는 대신 반드시 인터넷 동영상 강의를 한 시간 이상은 들어야 한다. 알겠지?

 나 : 네, 그럼 강의 먼저 듣고 컴퓨터를 사용할게요.

10 (다)를 참고하여 ㉮~㉯를 이해한 것으로 적절하지 <u>않은</u> 것은?

> **[면접 담화 상황]**
> ㉮ 능력이 많이 부족하고 실무 경험도 적은 편이지만, 저를 뽑아주시면 열심히 일하겠습니다.
> ㉯ 업무에 활용할 수 있는 자격증을 취득하였고, 인턴 활동을 하며 실무 경험을 쌓았습니다. 꾸준히 성장하는 저의 모습이 궁금하시다면 저를 뽑아 주십시오.

① ㉮는 예의를 갖추면서 자기를 낮추어 겸손하게 말한 표현이다.

② ㉮와 같은 말하기는 바람직한 의사소통 문화 형성을 위해 수정되어야만 한다.

③ ㉯는 자신의 장점을 구체적으로 드러내서 상대방에게 좋은 인상을 줄 수 있는 표현이다.

④ ㉮와 ㉯는 면접 담화 상황에서 자신의 의도를 적절하게 잘 드러내고 있다.

⑤ ㉮보다는 ㉯로 표현하는 것이 오늘날의 면접 담화 상황에서 좋은 평가를 받을 수 있다.

11 다음 대화에서 나타나는 ㉠~㉤의 듣기·말하기 태도에 대한 설명으로 적절하지 <u>않은</u> 것은?

> 승기 : ㉠<u>자, 그럼 다 모였으니 모둠 활동 발표 주제를 정해 보자.</u> 선생님께서 가장 좋아하는 시인의 작품 세계에 대해 발표하라고 하셨는데, 어떤 시인이 좋을까?
>
> 수빈 : 나는 윤동주 시인이 좋을 것 같아. 잘생겼잖아!
>
> 현창 : ㉡<u>맞아, 윤동주 시인의 옛날 사진을 보니까 정말 멋있더라! 하지만 난 백석 시인이 더 잘생겼다는 생각이 들어.</u>
>
> 승기 : 아무리 그래도 잘생겼다는 이유로 시인을 선정하면 안 되지. 시인은 시를 쓰는 사람이잖아.
>
> 수빈 : ㉢<u>하지만 단지 잘생겼다는 이유만은 아냐. 윤동주 시인의 시 가운데 좋은 작품이 얼마나 많다고.</u>
>
> 혜윤 : 나는 윤동주 시인의 '서시'를 좋아해. "오늘 밤에도 별이 바람에 스치운다." 난 이 구절이 참 좋더라!
>
> 승기 : 와, 혜윤이 너 '서시'를 외우니? 대단하다, 정말!
>
> 혜윤 : ㉣<u>이 정도야 기본이지. 너흰 외우는 시 없어?</u>
>
> 현창 : 자자, 그럼 다른 의견이 없으면 우리 윤동주 시인으로 결정하자. 그럼 오늘 방과 후부터 모두 교실에 남도록 해.
>
> 수빈 : 오늘부터? 난 오늘 오후에 친구랑 약속이 있는데…….
>
> 현창 : ㉤<u>약속보다는 발표 수업 준비가 더 중요한 거 아니니? 그러니 오늘부터 시작하는 거야.</u>

① ㉠ : 여러 사람이 모였다는 상황을 고려하며 대화를 이끌어 가고 있다.

② ㉡ : 상대방의 말을 인정하면서 상대를 배려한 후 자신의 의견을 제시하고 있다.

③ ㉢ : 타당한 이유를 밝히며 자신의 견해를 상대방에게 이해시키고 있다.

④ ㉣ : 상대방의 칭찬을 당연하게 받아들이며 상대방에게 동의를 구하고 있다.

⑤ ㉤ : 상대방에 대한 배려와 존중 없이 자신의 의견만을 강요하고 있다.

MEMO

MEMO

고등국어
HIGH SCHOOL

실전기출
문제은행

정답 및 해설

2B
2학기기말

비상 | 박영민

(1) 청산별곡

P.08

확인학습

01 ○	02 ○	03 ×	04 ○	05 ○	06 ○	07 ×	08 ○
09 ○	10 ×	11 ○	12 ○	13 ○	14 ×	15 ○	16 ○
17 ○	18 ○	19 ○	20 ○				

객관식 기본문제

P.09~16

01 ⑤	02 ③	03 ②	04 ③
05 ②	06 ⑤	07 ⑤	08 ②
09 ②	10 ③	11 ④	12 ③
13 ③	14 ①		

01 ①~④는 소박한 음식을 상징하는 시어들이며 ⑤의 강수는 괴로움을 잊기 위한 수단으로서의 시어이다.

02 돌은 화자가 세상에 저항하는 수단이 아닌, 피할 수 없는 인간의 운명, 화자의 비애를 야기하는 매개체이다.

03 농사일을 하러 가는 장면이 아니라, 속세를 떠나 이상향인 청산으로 향하면서 속세에 대한 미련이 남아 뒤를 돌아보는 장면을 표현하고 있다.

04 8연의 '내 엇디 ᄒ리잇고'를 보면 의문문의 형식을 통한 설의적 표현을 사용함으로써 체념적인 정서를 강조하고 있다.

05 〈보기〉에서 '고려 가요는 민간에서 민요로서 구전되었다. 많은 민요가 그러하듯 집단적으로 가창되기도 하였다. 함께 어울려 노동을 하는 가운데 소리에 자신이 있는 누군가가 선창을 하면 다함께 후렴구를 후창하거나, 여러 개의 연을 하나씩 나누어 부르며 흥겨움을 즐겼다.'를 통해 민요의 형태로 불렸을 때 후렴구가 존재했을 것이라는 것을 알 수 있다.

06 화자가 술을 빚으며 자연과 하나되는 태도가 아니라, 술을 통해서 현실의 고통을 잠시나마 잊고 싶어하는 태도와 체념적 태도가 드러나있다.

07 각 연의 끝에 후렴구를 배치함으로써 연과 연을 구분해주며 반복을 통해 운율감을 형성한다. 또한 작품 전체에 통일성과 안정감을 부여하며, 이러한 구조를 통해 구전되기 쉽게 하였다.

08 구조상 '우러라 우러라 새여'와 대응되는 것은 '어듸라 더디던 돌코'로 볼 수 있다.

09 ㉠일 경우 '가던 새'는 '갈던 밭이랑'으로 볼 수 있다.

10 고려 가요는 주로 평민들이 향유했던 것으로, 유교적 이념이나, 자연 예찬, 풍류나 도학적인 내용보다는 평민들의 진솔한 생활감정, 남녀 간의 사랑, 삶의 애환등 보편적인 정서를 노래하였다.

11 ㉢의 ᄂ 므자기 구조개는 소박한 음식을 상징한다.

12 본문의 '새'는 감정이입의 대상이다. 감정이입이 쓰인 시는 초혼으로, 사슴의 무리도 슬피 운다는 표현을 통해 화자의 감정을 사슴의 무리에 이입했다.

13 현실에 대한 미련과 이상향으로 갈 수 없는 체념적인 태도가 드러난다.

14 화자의 주관적인 감정이 이입된 대상의 '새'는 3연의 새가 아니라 2연의 '새'이다.

객관식 심화문제

P.17~37

01 ③	02 ②	03 ①	04 ④
05 ⑤	06 ⑤	07 ④	08 ①
09 ②	10 ⑤	11 ④	12 ③
13 ①	14 ⑤	15 ②	16 ③
17 ④	18 ②	19 ⑤	20 ④
21 ②	22 ③	23 ⑤	24 ⑤
25 ⑤	26 ②	27 ④	28 ⑤
29 ④	30 ②		

01 ③을 제외한 나머지 보기는 이상향으로서의 상징을 하는데 비해 (나)에서의 산은 이상향으로 상징될 수 있는 '무릉도원'이 그렇지 않은 '산'으로 변질되어 버린 것을 문맥상으로 파악할 수 있다.

02 (가)~(라) 모두 비슷한 유형의 문장 구조를 반복하는 대구법을 사용했음을 파악할 수 있다.

03 a. 동병상련의 처지를 2연의 '새'에 감정을 이입하여 표현하고 있다.
b. 청산별곡은 3 · 3 · 3(2)조의 음수율을 보인다.
c. 청산별곡은 4음보가 아닌 3음보의 음보율을 보인다.
d. 청산별곡은 5연과 6연의 순서를 바꾸었을 때 1~4연은 청산의 노래, 5~8연은 바다의 노래로 구성될 수 있다.
e. 화자는 속세를 떠나 이상향으로 가고 싶어 한다.
f. 후렴구를 통해 각 연을 나눠주며 구조적으로 안정감과 통일성을 준다. 또한 후렴구의 반복을 통해 운율을 형성하기도 한다.
g. 후렴구는 어떠한 의미를 지니고 있다고 보기 어려움으로 화자의 마음을 더욱 잘 드러낸다고 보기 어렵다.

04 (다)와 (라)에서 반어적 표현은 없으며, (다)에서는 주로 주객 전도적 표현이, (라)에서는 역설적 표현이 돋보인다.

05 (가)는 고려가요, (나)는 민요로, 서로의 공통된 특성은 구전된다는 점이다. 구전이 되면서 새로운 내용의 추가나, 기존 내용의 삭제 등 많은 변화를 겪었기 때문에 내용상 유기성이 떨어진다고 할 수 있다.

06 극복하려는 의지는 드러나지 않으며 상황에 대해 체념하는 태도가 두드러진다.

07 [A]에 드러난 화자의 정서는 체념적 정서이다. 보기 ④의 시에서 '쭈그려 앉아 담배나 피우고/나는 돌아갈 뿐이다.'에서 체념

적 정서를 엿볼 수 있다.

08 청산과 바다는 이상향의 공간이지만 모든 것이 완벽하게 갖추어진 공간이라고 할 수 없다. 현실이 너무나도 고통과 비애가 가득하기 때문에 이곳을 벗어나기 위한 도피처라고 할 수 있으며, 적어도 현실보다는 나은 공간일 수 있으며 화자가 가고 싶어 하는 곳이기에 이상향으로 표현되곤 한다.

09 〈보기〉에서 3연과 4연을 통해 현실이 매우 부정적임을 알 수 있다.

10 자연과의 동화를 통해 자연 속에서의 삶을 긍정적으로 그려내고 있으나, 이러한 자연이 현실과 조화된다는 것은 알 수 없다.

11 ㉣에 대한 주된 해석은 기적을 바라는 화자의 모습이라고 할 수 있다. 잠시나마 즐거워하는 화자의 심정으로 해석되지 않는다.

12 ⓐ는 후렴구로, 어떠한 내용적 의미를 갖지 못한다. 때문에 애상적 분위기를 강조하고 있지 않다.

13 후대에 궁중으로 유입된 것은 (가) 고려 가요만의 특징이다.

14 ⓑ는 감정 이입의 대상이다. ⑤의 시에서 '산꿩도 설게(서럽게) 울은'이라는 시구에서 화자의 슬픈 감정, 산꿩의 슬픈 감정이 일치함으로서 '산꿩'이 감정 이입의 대상임을 알 수 있다.

15 '위 증즐가 대평셩딕(大平盛代)'는 임금의 선정에 대한 송축의 의미가 있으나, '얄리얄리 얄랑셩 얄라리 얄라' 내용적 의미를 가지고 있지 않으므로 송축의 의미로 볼 수 없다.

16 '가시는 듯 도셔 오쇼셔'를 통해 화자의 재회에 대한 소망이 드러난다.

17 (다)와 (마) 모두 현실과 자연에 대한 대비가 드러난다. 이러한 대조적 구조를 통해서 주제를 강조하고 있다.

18 화자를 ㉠으로 추측할 경우, 이 시가는 무신 정권의 횡포로 속세를 떠나 사는 지식인의 현실 극복에 대한 의지가 아니라 현실에 대한 체념을 드러낸 작품으로 해석할 수 있다.

19 화자의 감정을 대상에 투영하여(감정이입) 화자의 처지를 돋보이게 하고 있는 것이지, 현실에 대한 비판 의식을 우회적으로 드러내는 것은 아니다.

20 ㉣은 불가능한 상황을 설정하여 기적이 일어나기를 바라는 삶의 태도가 드러난다. 기적이 일어남으로써 현실에 대한 고통을 해결하고 싶어 함을 알 수 있다.

21 유랑민일 경우, ⓐ는 '갈던 밭이랑', ⓑ는 이끼 묻은 쟁기 실연한 여인인 경우 ⓐ떠나간 임 ⓑ이끼 묻은 은장도로 해석이 되며 좌절한 지식인의 경우 ⓐ함께하던 벗 ⓑ날이 무딘 병기로 해석 할 수 있다.

22 위 시에서는 현실에 부딪히는 모습은 드러나지 않고, 현실에 대한 체념이 돋보인다. 〈보기〉의 시에서는 바다라는 공간에 부딪히는 모습에서 '어린 날개가 물결에 절어서 공주처럼 지쳐서 돌아온다.'는 부분에서 좌절하고 돌아오는 모습을 보인다.

23 위 시의 '얄리 얄리 얄라셩 얄라리 얄라', 그리고 〈보기〉에서의 '강 ~ 강 ~ 술 ~ 래'에서 모두 울림소리인 비음과 유음이 반복하여 밝고 경쾌한 느낌을 주고 있다.

24 청산별곡에서는 반어적 표현을 사용한 부분은 드러나지 않는다.

25 '짒대예 오른 사슴'을 통해 기적이 일어나기를 바라고 있으나 현실을 바꿀 수 있는 기대감을 표현하지는 않는다.

26 현실에 대한 관심을 끊은 것이 아니라 현실(속세)에 대한 미련이 남아서 뒤를 돌아보는 부분이다.

27 청산별곡 역시도 구전을 통해서 하나의 주제로 연결되는 것이 아니라 다양한 상황과 정서가 나열된 형태로 구성되어 유기성이 떨어진다.

28 (나)와 (다)에서는 자연에서 느끼는 것이 아니라 현실에서 느끼는 비애감과 쓸쓸함을 드러내고 있다고 보는 것이 옳다.

29 ㉠은 후렴구이다. 시조의 종장의 첫 구 3음절에 영향을 준 것은 10구체 향가에서의 낙구의 첫머리가 감탄사인 것과 연관이 있다.

30 ㉡의 '새'는 감정이입의 대상으로, ①에서는 '산꿩'이, ③ '가얏고(가야금)', ④ '사슴의 무리', ⑤ '우는 벌레'가 감정이입의 대상이며 ②에서는 감정 이입의 대상이 드러나지 않는다.

서술형 심화문제   P.38~41

01 화자는 청산과 바다를 이상향으로 인식하나 속세에 해당하는 '믈 아래'를 바라보며 속세에 대한 미련을 느끼고 있다.

02 산은 '청산'과 비슷한 의미의 시어로 속세에서 벗어난 이상적 공간을 의미한다.

03 ㉮갈던 밭이랑 ㉯이끼묻은 쟁기일랑

04 (1) 이끼 묻은 쟁기일랑 (2) 날이 무딘 병기일랑 (3) 이끼 묻은 은장도일랑

05 형태적 안정감과 통일성. 운율형성. 연 구분

06 3·3·2조, 3음보의 율격을 지닌다. 분연체의 구성을 지닌다. 후렴구가 발달하였다.

07 (1) 고려 가요 (2) 3·3·2조, 3음보의 율격을 지니고 있다. 분연체의 구성을 지닌다. 후렴구가 발달하였다.

08 '좌절한 지식인'으로 볼 때 '날이 무딘 병기'로 해석할 수 있다. '실연한 여인'으로 볼 때 '이끼 묻은 은장도'로 볼 수 있다.

09 (1) 기적을 바랄 만큼 괴로운 상황
(2) 도피처. 괴로운 속세를 벗어나 가고 싶은 이상향

(2) 시조 세 편(눈마자/ 동짓달/ 두터비)

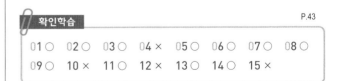

확인학습   P.43

01 ○   02 ○   03 ○   04 ×   05 ○   06 ○   07 ○   08 ○
09 ○   10 ×   11 ○   12 ×   13 ○   14 ○   15 ×

01 ①	02 ⑤	03 ④	04 ③
05 ⑤	06 ⑤	07 ⑤	08 ③
09 ⑤	10 ②	11 ④	12 ③
13 ⑤	14 ⑤	15 ①	16 ④

01 ㄷ. 관념적이고 추상적인 내용을 다룬 시조도 있으나, (다)와 같이 구체적이고 사실적인 내용을 주로 다룬 사설시조도 있다.
  ㄹ. 시간이 흐름에 따라 작자층과 향유층이 점차 일치되었다.
  ㅁ. 초기엔 정형성이 강조되었지만 후기로 갈수록 정형성이 조금씩 파괴되며 율격도 엄격하게 유지되지는 않았다.

02 (가)시조는 대나무의 지조와 절개를 예찬하는 시조이다. 같은 맥락으로 ⑤의 시조도 대나무를 예찬하며 대나무의 상징성을 드러내고 있다.

03 시조 종장의 첫머리 '아마도'와 향가 낙구의 첫머리 감탄사 '아아'는 시상을 전환하거나, 집약하는 기능을 갖추며, 서정적 완결성을 갖추는 역할을 한다.

04 (나)의 시조에서는 종결어미 '–리라'를 통해 화자의 의지적인 태도를 보여주나, 〈보기〉의 시조에서는 화자의 의지적, 능동적 태도를 찾아볼 수 없다.

05 주어진 상황을 극복하고자 하는 민중들의 삶의 의지는 드러나지 않는다.

06 ① 세 시조 모두 첫음보가 감탄사의 성격을 지니지 않는다.
  ② (가)와 (나)는 초장부터 종장까지 일정한 율격을 지니며, 사설시조인 (다)는 일정한 율격을 지니지 못한다.
  ③ (가), (나), (다) 모두 3장으로 3단계로 시상이 전개된다.
  ④ (다) 시조는 종장에서 화자가 두터비로 전환되어 두터비의 대화체로 진행된다.

07 '눈 속의 푸르름'은 대나무의 속성으로, 간신을 의미하는 눈으로 가득찬 세상에서 홀로 푸른빛을 발산하는 지조와 절개의 모습을 의미한다. 따라서 푸르름은 ㉠을 부정하는 근거가 아니다.

08 (나)의 주된 시적 발상은 '추상적 개념의 구체화'이다. '수심(매우 근심하는 마음)'이라는 추상적 개념을 '불'이라는 구체적 대상으로 형상화하고 있다.

09 '백송골'은 '두터비'에 대해 동정심을 유발하지 않고, 대상에 대한 부정적 인식을 바탕으로 대상을 날카롭게 비판하는 표현방식이다.

10 고충속에서 약해지는 화자의 모습이 아닌, 휘어지더라도 그대로 휘어진 모습으로 남아있지 않고, 휘어질지언정 부러지지 않을 화자의 강인한 의지를 내포한다고 할 수 있다.

11 〈보기〉의 화자는 '천리'라는 공간적 거리감과, 심리적 거리감을 나타낸다.

12 '희화화'한 두터비의 모습을 통해서 우스꽝스럽게 자빠진 모습에서도 탐관오리들의 허장성세를 엿볼 수 있다.

13 (나)에서의 '서리서리', '구뷔구뷔' (다)에서는 '풀덕'의 음성상징

어가 쓰이고 있다.

14 〈보기〉의 시조는 멸망한 왕조에 대한 탄식이 아니라, '백설'로 표현되는 간신들(세조의 신하들)이 득세하고 있을때도 화자 혼자서 단종의 신하로서 지조와 절개를 지키려는 모습을 표현하고 있다.

15 전원에 남은 '흥'이라는 추상적 개념을 나귀에 짐처럼 싣는다고 표현함으로써 추상적 개념의 구체화를 볼 수 있다.

16 열거법과 연쇄법을 확인할 수 없으며 피지배층의 고통과 절신한 감정 표현보다는 지배층인 탐관오리의 횡포 등을 풍자하고 있다.

01 ⑤	02 ①	03 ②	04 ②
05 ⑤	06 ②	07 ⑤	08 ①
09 ⑤	10 ②	11 ③	12 ②
13 ④	14 ③	15 ①	16 ④
17 ④	18 ①	19 ⑤	20 ③
21 ③	22 ②	23 ②	24 ⑤
25 ④	26 ①	27 ⑤	28 ①
29 ①	30 ②	31 ③	32 ⑤
33 ③	34 ⑤	35 ③	36 ⑤
37 ①	38 ①	39 ④	40 ③

01 (마)시조에서의 여흘(흐르는 물)은 님이 울어서 보내는, 님의 슬픔을 전해주는 기능을 하고 있다. 종장에서 저 물이 거슬러(거꾸로) 흐른다면, 나도 나의 슬픔을 임에게 전하고 싶다는 의미를 가지고 있다. 따라서 슬픔에서 벗어나려고 노력하고 있다는 보기는 틀린 설명이다.

02 관습적 상징이란 한 나라나 민족에게서 공통적으로 생각해 낼 수 있는 상징성을 의미한다. (가)의 대나무나, (라)의 매화는 우리나라 정서상 매난국죽(매화, 난초, 국화, 대나무), 즉 지조와 절개를 상징하는 상징물들이며 이를 예찬하는 모습을 보이고 있다.

03 (가)에서의 눈은 시적 대상인 대나무를 짓누르는, 고난과 시련을 의미한다. 이러한 맥락에서 ②의 시에서의 눈(일제 강점기를 상징)이 가장 비슷한 상징적 의미를 가지고 있다.

04 '제 구태여'를 행간 걸침으로 해석하면, '제 구태여 보내놓고 그리워 하는 정은 나도 몰라 하노라'가 되므로 이때의 '제'는 '내가', 즉 화자로 풀이된다.

05 (가)의 만중운산은 속세와 차단, 단절된 공간을 의미한다. '단절'의 맥락으로 보았을 때 〈보기〉에서 님과 나 사이를 막고 있는 구름이 가장 유사한 상징성을 갖는다.

06 (라)를 제외한 (다)~(사)시조의 경우 임과의 이별이나, 임에 대한 사랑 혹은 그리움을 주제로 하고 있으나 (라)는 서민들의 애환, 탐관오리에 대한 우회적 비판을 주제로 하고 있다.

07 '세한고절은 너뿐인가 ㅎ노라.'를 통해 지조와 절개를 상징하는 대나무를 예찬하는 모습을 보이고 있다.

08 안빈낙도(安貧樂道): 가난 속에서도 편안한 마음으로 도(道)를

즐김.

무위자연(無爲自然): 자연에 맡겨 덧없는 행동은 하지 않음.

맥수지탄(麥秀之嘆): 고국의 멸망을 한탄함.

고진감래(苦盡甘來): 고생 끝에 즐거움이 옴.

09 자연물에 감정을 이입한 '감정 이입'은 드러나지 않는다.

10 (나)시조의 시적 대상(대나무)에 대한 화자의 태도는 예찬적이다. ②에서의 임의 인품을 '높이 켠 등불' 같다고 예찬하는 태도를 보인다.

11 비유나 재미있는 말장난을 활용하여 골계미를 구현하고 있는 것은 사설시조인 (라)이다.

12 두꺼비를 의인화하여 지배 계층(탐관오리)을 풍자하고 있다.

13 수주대토(守株待兎): 한 가지 일에만 얽매여 발전을 모르는 어리석은 사람을 비유한 말.

반포지효(反哺之孝): 자식이 자라서 어버이의 은혜에 보답하는 효성.

토사구팽(兎死狗烹): 필요할 때는 쓰고 필요하지 않을 때는 야박하게 버리는 경우를 이르는 말.

허장성세(虛張聲勢): 실속은 없으면서 허세만 떠벌림.

침소봉대(針小棒大): 바늘만 한 것을 몽둥이만 하다고 한다는 뜻으로, 작은 일을 크게 불려 떠벌림의 비유.

14 (라)시조 즉, 사설시조에서는 음수율을 구분하기 어렵다.

15 (가)와 (다)시조는 기생시조로 시적 화자와 시적 대상이 이별한 상황이므로 공간적으로 떨어져 있다고 볼 수 있다.

16 '밤비'와 '눈'이 각각 시간적 배경과 계절적 배경을 드러내는 것은 맞지만, '밤비'는 화자가 시련을 겪고 있는 상황을 강조하고 있다고 볼 수 없다.

17 자기 합리화는 드러나지 않는다.

18 ㄴ. 대화의 형식을 사용하지 않고 독백체의 형식을 사용하고 있다.

ㄷ. 동일한 시어의 반복은 제시되어 있지 않다.

ㅁ. 대비되는 감각적 심상으로 눈의 흰색과 대나무의 푸른색의 대비는 보이지만 대상인 대나무에 대한 비판이 아니라 예찬적 태도를 드러내고 있다.

19 '구뷔구뷔'와 '서리서리'에서 단어의 중첩 사용을 알 수 있고 의미를 강조하고 리듬감을 살리고 있다.

20 '두터비'에 인격을 부여하여 마지막에 '두터비'의 대사에서 시적 상황을 표현해주고 있다.

21 10구체 향가의 3단 구성인 4-4-2의 구성을 시조의 3장인 초장-중장-종장으로 계승되었으며, 10구체 향가의 낙구 첫머리의 감탄사는 시조 종장의 첫머리의 3음절에 영향을 주었다고 볼 수 있다.

22 세속의 이해타산에 물들지 않는 '대나무'의 지조와 절개를 의인화한 표현이다.

23 (마)에서의 희화화 및 해학적 표현 등이 〈보기〉로 계승되어 있다. 〈보기〉에서 장인과 주인공의 싸움장면을 우스꽝스럽게 표

현하여 해학적 효과를 획득하고 있다.

24 (다)는 중장이 아닌 종장에서 화자를 바꾸어 풍자의 효과를 높이고 있다.

25 임에 대한 그리움을 나타내는 시조는 4번 시조가 가장 정서가 유사하다.

26 ㉠은 시적 대상인 '누이'를 가리키며 ㉣은 화자가 아닌 '만날 날'의 '날'을 의미한다.

27 〈5수〉의 '백구(白鷗)야 하 즐겨 마라 세상(世上)알가 하노라'의 구절에서 자연에서 느끼는 흥취를 세상(세상 사람들)이 알까 하는, 즉 타인이 알지 않았으면 하는 마음가짐이 드러나 있다.

28 (가)에서 '눈'을 통해 계절적 배경이 겨울임을, (나)에서 동짓달을 통해서 계절적 배경이 겨울임을 알 수 있다.

29 나에서는 임의 부재로 임을 그리워하며 임과 만날 날을 대비하는 화자의 모습을 볼 수 있지, 삶의 무상감은 드러나지 않는다.

30 화자는 '딕'와 '낙락장송'을 통해 자신의 굽힐 수 없는 지조와 절개를 자연물에 빗대어 표현하고 있다. 〈보기1〉에서 백설(간신)이 만건곤할 제(가득차 있을때도) 독야청청하리라(혼자서 푸른 빛을 내리라)의 해석을 통해 자신의 지조와 절개를 드러내고 있다.

31 '딕'는 지조와 절개를 드러내며 3의 시에서도 국화를 통해 오상고절(서릿발이 심한 속에서도 굽히지 않고 외로이 지키는 절개라는 뜻)을 드러내고 있다.

32 (라)에서는 종교적으로 극복하려는 모습을 보이지만, 〈보기〉의 시에서는 극복하려는 모습은 드러나지 않는다.

33 (다)에서는 대화 형식을 활용하지 않고 종장 부분에서 두꺼비로 화자가 전환되어 두꺼비가 말하듯이 표현하고 있을 뿐이다.

34 자신의 지조와 절개를 드러내는 시조는 5번 시조이다.

35 ㄱ. 동짓달 기나긴 밤(임이 없는 부정적 시간)과, 어론님 오신날 밤(임이 온 긍정적 시간)의 대조를 하고 있다.

ㄴ. 인간과 자연을 대비시키고 있지는 않다.

ㄷ. 구뷔구뷔, 서리서리의 음성상징어를 사용하여 우리말의 묘미를 살리고 있다.

ㄹ. 시간이라는 추상적 개념을 반으로 베어내는 구체적 사물로 형상화 시키는 추상적 개념의 구체화 기법을 써서 화자의 소망을 드러내고 있다.

36 현학적 태도란 학식의 두드러짐을 자랑하는 것이다. 두터비의 현학적 태도를 비판하는 것이 아니라 두터비의 허장성세를 비판하고 있다.

37 비유적 표현은 '떨어질 잎'이나 '한 가지' 등으로 찾을 수 있으나 중의적 표현은 찾을 수 없다.

38 아무 말도 하지 못하고 떠나게 된 것은 화자가 아니라 시적 대상인 '누이'이다.

39 (가)는 율격을 지니고 있지 않다.

40 (다)에 쓰인 시적 발상과 두드러진 표현 방식은 '추상적 개념의 구체화(형상화)'이다. '늙음'이라는 추상적 개념을 '늙는 길'로 구체화함으로써 가시로 막는 추상적 개념의 구체화가 드러난다.

01 3단구성의 형식, 낙구의 감탄사

02 10구체 향가의 3단구성과 낙구가 시조에 계승되었다.

03 자신과 동일시하는 대상은 대나무이고, 상징적 의미는 세조의 세력과 타협하지 않는 충절이다.

04 ㉮ 참새 ㉯ 홀아비

05 (1) 추상적 개념의 구체화

06 윗글은 '밤'이라는 보이지 않는 추상적 대상을 '한허리 버혀낼' 수 있는 구체적 대상으로 표현했다. 예시 작품에서는 '마음'이라는 추상적 대상을 '젊고, 늙는' 존재로 구체화(시각화) 하는 방식으로 적용되었다.

07 ㉢은 추상적 대상을 구체화하여 님에 대한 그리움의 정서를 효과적으로 표현했고, ㉣은 순우리말을 섬세하게 사용함으로써 임과 함께할 시간에 대한 기다림을 효과적으로 표현했다.

08 (1)(가)-지조와 충절을 강조한다. (다)-당시 사회 현실을 반영하여 부조리한 세태를 풍자하여 비판한다. (2)(가)-3장 6구 45자 내외의 형식을 취하며 각 장은 4음보를 유지한다. (다)-3장 6구에서 변형되어 중장이 길어지고 4음보의 정형성이 파괴되어 시조의 장형화를 이룬다.

09 추상적인 시간 개념인 '밤'을 '버혀 내어, 너헛다가, 펴리라' 등의 표현을 통해 구체적인 사물처럼 형상화하고 있다. '서리서리, 구뷔구뷔'와 같은 음성 상징어를 사용하여 우리말의 아름다움을 잘 살려 표현하고 있다.

10 (나)의 3단 구성은 (가)의 초장, 중장, 종장으로 나타나며 시상을 전환하는 (나)의 낙구 첫머리 감탄사는 (가)의 종장 첫 음보와 기능이 유사하다.

11 두꺼비-탐관오리(부패한 양반) / 백송골(중앙관리, 외세) / 파리(힘없는 백성, 피지배층)

(3) 홍계월전

01 ○	02 ○	03 ○	04 ○	05 ×	06 ○	07 ×	08 ○
09 ○	10 ○	11 ×	12 ×	13 ○	14 ×	15 ○	16 ○
17 ○	18 ○	19 ○	20 ○				

01 ⑤	02 ⑤	03 ①	04 ②
05 ①	06 ③	07 ①	08 ①, ③
09 ②	10 ①		

01 한문 소설이 아닌 국문 소설 즉, 한글 소설이 성행하여 한문보다 읽기 쉬운 한글이 보급됨으로써 독자층이 다양한 계층으로 확대되었다.

02 여성의 모습으로 여성의 지위를 유지할 경우 여성의 지위를 근본적으로 변화시키기 힘들다. 때문에 남장을 한 것이다.

03 군대에서의 지위 체계일때는 계월에게 비난을 못했으나, 이제 군에서 돌아와 집에서는 남편의 권위를 앞세워서 계월의 처사를

비난하고 있다.

04 여공이 아들인 보국보다 며느리인 계월을 더 기특하게 여기는 부분은 드러나지 않는다.

05 사건의 급작스러운 발생은 고전 소설의 특성중 하나인 '우연성'을 말한다. 우연성이 남용될 경우 사건과 사건사이의 인과 관계가 떨어지므로 설득력이 떨어진다.

06 계월은 남성중심의 봉건적 가치관을 깨기 위한 진취적 인물이라면, 사씨는 봉건적 가치관을 중시하며 남성을 위한 여성적 인물로 보수적인 인물로 평가할 수 있다.

07 허장성세(虛張聲勢): 실속은 없으면서 허세만 떠벌림.
사면초가(四面楚歌): 아무에게도 도움을 받지 못하는, 외롭고 곤란한 지경에 빠진 형편을 이르는 말《중국 초(楚)나라 항우가 한(漢)나라 군사에게 포위되었던 고사에서 유래함
진퇴유곡(進退維谷): 앞으로 나아갈 수도 뒤로 물러날 수도 없이, 꼼짝할 수 없는 궁지에 몰림. 진퇴양난.
고립무원(孤立無援): 고립되어 구원 받을 데가 없음.
진퇴양난(進退兩難): 이러지도 저러지도 못하는 난처한 처지에 놓여 있음

08 '모든 별이 살기등등하여 은하수에 비치고 있었다. 원수가 크게 놀라 중군장을 불러 말했다.'를 통해 불길한 징조임을 알 수 있으며, 위험한 사건을 암시하고 있다.
인과관계가 부족한 사건이 발생하는 우연성은 원수가 황성에 이르렀을 때 우연히 마주친 한 노인이 여공이었을 때 우연하게 사건이 전개됨을 알 수 있다.

09 궁노는 남성 노비를 일컫는다. 궁비가 여성 노비를 일컫는다.

10 전기수는 보수를 받고 소설을 읽어주던 직업적인 낭독가이다.

01 ①	02 ⑤	03 ②	04 ④
05 ⑤	06 ⑤	07	08 ②
09 ④	10 ③	11 ①	12 ②
13 ④	14 ③	15 ⑤	16 ③
17 ③	18 ①	19 ⑤	20 ⑤
21 ⑤	22 ④	23 ③	24 ②
25 ④	26 ③	27 ③	28 ④
29 ②	30 ⑤	31 ③	32 ⑤
33 ④	34 ①	35 ②	36 ②
37 ⑤	38 ③	39 ②	40 ③

01 ② 인물들의 대결 의식을 통해 사건 전개가 고조되고 있다.
③ 각장면이 이질적이지는 않다.
④ 혼사는 이미 이루어 진 것으로 사건전개의 주된 내용이 아니다.
⑤ 인물 간의 갈등을 한 시점에서 조명하여 사건 전개를 하고 있다.

02 천자는 계월이 여자인 것에 대해 실망하지는 않았다.

03 〈보기〉에서의 천사마는 천상에서 내려온 비룡이라고 서술되어 있으므로, 지상의 존재만 등장한다는 설명은 틀린 내용이다.

04 〈보기〉에서의 충군 사상과 같은 당대 유교적 이념의 벽은 여전히 견고했다. 라는 설명을 통해 천자에게 충성을 다하는 모습에서 유교적 이념을 버리지 못하고 있음을 알 수 있다.

05 ① ⓐ는 '고귀한 혈통에서 태어남'이라 할 수 있다.
② ⓑ는 자녀가 없던 양 씨가 선녀가 나온 꿈을 꾸고 계월을 낳은 것이라 할 수 있다.
③ ⓒ는 장사랑의 반란으로 부모와 헤어지고, 죽을 위기에 처한 것이라 할 수 있다.
④ ⓓ는 '조력자에 의한 도움'이라 할 수 있다.

06 계월의 행동에 숨겨진 동기는 없다.

07 괄목상대(刮目相對): 눈을 비비고 상대편을 본다는 뜻으로, 남의 학식이나 재주가 놀랄 만큼 부쩍 는 것을 일컬음.
백척간두(百尺竿頭): 백 자나 되는 높은 장대 위에 올라섰다는 뜻으로, 매우 위태롭고 어려운 지경을 이르는 말.
부화뇌동(附和雷同): 일정한 주견이 없이 남의 의견에 따라 같이 행동함.
절차탁마(切磋琢磨): 옥·돌 따위를 갈고 닦아서 빛을 낸다는 뜻으로, 부지런히 학문이나 덕행을 닦음을 이르는 말.
견문발검(見蚊拔劍): 모기를 보고 칼을 뺀다는 뜻으로, 하찮은 일에 너무 크게 성내어 덤빔.

08 ① 불교 사상을 바탕에 깔고 있지는 않다.
③ 작품에 편집자적 논평이 빈번하게 등장하지는 안는다.
④ 운명에 순응하는 것이 아는 운명에 대항하는 인물의 삶을 부각시켰다.
⑤ 작품 속 인물이 서술자가 되어 사건을 관찰하는 1인칭 관찰자 시점이 아닌, 작품 밖의 서술자가 작품을 서술하는 3인칭 전지적 작가 시점이 쓰인다.

09 ⓔ의 중군장은 계월이 아닌 보국을 뜻한다.

10 윗 글의 천자도 항서를 쓰려 하는 등의 무능한 모습을 보이고 있다.

11 ② 계월은 여성으로서의 자신의 정체성에 만족하지 못한다.
③ 계월은 천기를 살펴보다가 천자가 위험에 처한 것을 알아챘다.
④ 계월이 보국을 조롱하는 모습을 통해 계월의 권위적인 모습보다는 주체적인 모습을 볼 수 있다.
⑤ 여공은 계월이 보국을 해할까 염려하고 있지는 않다.

12 ㄴ. 윗글은 3인칭 전지적 작가 시점이므로 작품 안의 서술자가 존재하지 않는다.
ㄹ. 유사한 장면을 나열하고 있지 않다.
ㅁ. 서술자는 바뀌지 않고 전지적 작가 시점으로 계속 진행이 된다.

13 ⓔ은 황상이 위기에 처한 부분을 드러내며 이는 앞으로 계월의 활약상을 더욱 돋보이게 한다.

14 조력자의 도움은 계월을 강에서 건져 키워준 여공의 모습에서 볼 수 있다.

15 남장을 들킨 이후에도 주변 인물들에 의한 계월의 평가는 달라지지 않는다.

16 편집자적 논평(서술자의 개입)은 드러나지 않는다.

17 계월은 거만했던 영춘을 죽였고 이는 보국의 사랑을 받지 못하는 시기심으로 인한 분노가 아니다.

18 보국의 말에서 맞지 않거나, 헐뜯는 말은 가려들으며 보국에게 상황 및 인물의 입장을 설명해주고 있다.

19 '계월은 자신이 남자가 되지 못한 것에 깊은 실망을 하고 남자를 이기려고 한다. 그러나 그것은 자신이 여자임을 철저히 인식하는 데에서 온 결과는 아니다. 이는 여자를 거부하고 세상을 지배하는 남자를 향해 가려는 데에서 나온 행위이다. 이러한 면에서 계월이 여자로서의 자기 정체성을 뚜렷이 지닌 인물은 아니라는 한계를 보인다'라는 부분을 통해 여성의 지위와 한계를 탈피하여야 주체적인 삶을 살 수 있었다는 결론을 도출할 수 있다.

20 • 누란지위(累卵之危): 매우 위태로운 상태.
• 명재경각(命在頃刻): 금방 숨이 끊어질 지경에 이름. 거의 죽게 됨.
• 사면초가(四面楚歌): 아무에게도 도움을 받지 못하는, 외롭고 곤란한 지경에 빠진 형편을 이르는 말《중국 초(楚)나라 항우가 한(漢)나라 군사에게 포위되었던 고사에서 유래
• 진퇴유곡(進退維谷): 앞으로 나아갈 수도 뒤로 물러날 수도 없이, 꼼짝할 수 없는 궁지에 몰림. 진퇴양난.
• 풍수지탄(風樹之嘆): 효도하고자 할 때에 이미 부모를 여의고 효행(孝行)을 다하지 못하는 자식의 슬픔을 이르는 말.

21 ⓗ의 혼례의 시작에서부터 보국의 첩인 영춘과 계월의 갈등으로 영춘을 죽이게 되고, 이후 보국과 계월은 서로 갈등의 관계를 갖게 된다.

22 어의의 진맥을 통해 계월이 여성임이 드러나도, 후에 국란에서도 계월을 찾는 신하들의 모습에서 계월이 여성임이 밝혀진 후에도 이전과 같은 시각으로 계월의 능력을 평가하고 있음을 알 수 있다.

23 조야는 '조정과 민간'을 뜻하며 조정의 관직을 받은 사람의 뜻은 '작록'에 가깝다.

24 '적장 오십여 명과 군사 천여 명을 한칼로 소멸하고 본진으로 돌아왔다.'를 통해 주인공의 능력을 비현실적으로 서술하여 전기성이 드러나며 영웅적인 면모를 부각시키고 있다.

25 고립무원(孤立無援): 고립되어 구원 받을 데가 없음.
누란지위(累卵之危): 매우 위태로운 모양새.
백척간두(百尺竿頭): 백 자나 되는 높은 장대 위에 올라섰다는 뜻으로, 매우 위태롭고 어려운 지경을 이르는 말.
사상누각(沙上樓閣): 기초가 약하여 오래 견디지 못할 일이나 실현 불가능한 일.

진퇴유곡(進退維谷): 앞으로 나아갈 수도 뒤로 물러날 수도 없이, 꼼짝할 수 없는 궁지에 몰림. 진퇴양난.

26 장수로서의 기개와 용기를 ③의 시조에서 잘 보여주고 있다. 특히 종장에서 거칠 것이 없다는 부분에서 찾아낼 줄 알아야 한다.

27 계월에게 국난을 극복하는 중대한 일을 맡기는 것으로 여성이 남성에게 굴종을 당하는 모습을 보이는 것이 아니라 국난을 해결할 수 있는 존재가 남성이 아닌 여성임을 드러냄으로써 여성의 주체적인 모습과 남성보다 우월한 모습의 여성의 인물상을 볼 수 있다.

28 계월이 보국을 예로써 대하고 있으니 그르다고 하지는 않다.

29 기고만장(氣高萬丈): 일이 뜻대로 잘되어 뽐내는 기세가 대단함.
    명재경각(命在頃刻): 금방 숨이 끊어질 지경에 이름. 거의 죽게 됨.
    전무후무(前無後無): 전에도 없었고 앞으로도 없음.
    파죽지세(破竹之勢): 적을 거침없이 물리치고 쳐들어가는 당당한 기세.
    환호작약(歡呼雀躍): 기뻐서 크게 소리치며 날뜀.
    조야는 '조정과 민간'을 뜻하며 조정의 관직을 받은 사람의 뜻은 '작록'에 가깝다.

30 계월이 보국을 인정한 것이 아니라 보국이 계월을 인정함으로써 갈등이 해소된다.

31 역사적 사건을 바탕으로 하지 않았다.

32 중군장은 보국을 뜻한다. 나머지는 계월을 의미한다.

33 계월의 전령을 보고 보국은 매우 불쾌해한다.

34 영춘이 시기와 질투가 심한 것이 아니라 계월이 영춘이를 군법에 따라 죽인 이후에 보국이 자신의 첩을 죽인 계월에 대해 무척이나 분노를 느끼고 있다.

35 그 당시에 여성들이 국난에 참여했음은 잘못된 설명이다. 계월을 통해 여성도 남성보다 우월함을 보여주는 것으로 독자들이 대리만족을 느끼는 설명이 옳다.

36 보국이 겁을 내며 명령을 기다리는 장면에서 '권선징악'(착한 일을 권장하고 악한 일을 징계함.)의 특징은 드러나지 않는다.

37 누란지위(累卵之危): 매우 위태로운 모양새.
    사면초가(四面楚歌): 아무에게도 도움을 받지 못하는, 외롭고 곤란한 지경에 빠진 형편을 이르는 말《중국 초(楚)나라 항우가 한(漢)나라 군사에게 포위되었던 고사에서 유래
    진퇴양난(進退兩難): 이러지도 저러지도 못하는 난처한 처지에 놓여 있음. 진퇴유곡.
    풍전등화(風前燈火): 바람 앞에 놓인 등불이라는 뜻으로, 매우 위급한 처지에 놓여 있음을 가리키는 말.
    혼비백산(魂飛魄散): 혼백이 이리저리 날아 흩어진다는 뜻으로, 몹시 놀라 넋을 잃음을 이르는 말.

38 '첩'이라는 말은 '본처 외에 데리고 사는 여자'라는 뜻을 지니고 있으며 이는 자신의 성별을 드러내고 있음을 알 수 있다.

39 ① 남성의 가부장적 지위가 약해졌다기 보다 여성의 우월성을

보여주는 부분이다.
    ③ 신분보다 능력 위주의 사회보다는 성별보다 능력 위주의 사회라는 설명이 더 적절하다.
    ④ 천자의 명을 받고 전쟁에 참전했으며, 천자가 위기에 빠졌을 때 한달음에 달려온 계월의 모습에서 충군 사상을 엿볼 수 있다.
    ⑤ 당시 실제 사회는 여성의 사회 진출은 막혀 있었다.

40 윗글에 쓰인 사직은 '나라 또는 조정'을 의미하며 보기의 사직은 '맡은 직무를 내놓고 물러남.'의 의미이다.

서술형 심화문제

01 (1) 이부시랑 '홍무'의 딸로 태어남
   (2) 자녀가 없던 양씨가 선녀 꿈을 꾸고 낳음
   (3) 어려서부터 대단히 총명함
   (4) 장사랑의 반란으로 부모와 헤어지고, 죽을 위기에 처함
   (5) 여공을 만나 목숨을 건지고 보국과 함께 양육됨
02 (1) 비정상적 출생
   (2) 조력자의 도움
   (3) 여공을 만나 목숨을 건지고 보국과 함께 양육됨
   (4) 여자임이 탄로남, 영춘을 죽인 일로 남편 보국과 갈등함
03 장부가 되어 계집에게 괄시를 당할 수 있겠나이까
04 ㉠은 비정상적 출생이고 ㉡은 조력자의 도움이다.
05 사씨의 가치관은 가부장적 가치관이고 계월의 가치관은 근대적 가치관이다.
06 (1) 비현실성(전기성)
   (2) 동방이 밝아오므로 바라보니 하룻밤 사이에 황성에 다다른 것이었다.
07 여공이라는 사람의 도움으로 목숨을 건진다.
08 ⓐ이부시랑 '홍무'의 딸로 태어남
   ⓑ 장사랑의 반란으로 부모와 헤어지고 죽을 위기에 처함
09 국문소설이 성행하며 독자층이 사대부가 여성을 비롯하여 평민층으로까지 확대되고 가부장제 사회에서 굴종을 강요당하던 여성의 의식이 변화하기 시작했다. 황제에 대한 충성을 강하게 보이는 계월의 모습에서 유교적 이념을 여전히 볼 수 있지만 남성보다 뛰어난 활약을 보이는 계월의 특성에서 여성의식의 성장 및 근대적 사고관을 볼 수 있다.

단원 종합평가

01 ④	02 ⑤	03 ③	04 ②
05 ③	06 ①	07 ⑤	08 ①
09 ③	10 ①	11 ⑤	12 ④
13 ②	14 ①	15 ①	16 ③

01 국문학사상 최초로 정형화된 서정시로 평가받는 것은 고려가요가 아닌, 10구체 향가이다.

02 ㄱ. '살어리-살어리랏다-청산에-살어리랏다'의 'A-A-B-A' 구조가 나타난다.
   ㄴ. 3·3·2조의 3음보의 율격이 드러난다.
   ㄷ. 비슷한 문장 구조의 반복과, 시어 및 후렴구의 반복 등을 통해 운율감을 드러낸다.
   ㄹ. 사회상을 풍자하고 있지는 않다.

8. 삶 속에 흐르는 한국 문학의 강 **7**

ㅁ. 후렴구에서 'ㄹ'이나 'ㅇ'의 음운의 반복이 드러난다.

03 ㉠은 후렴구로서, 청산별곡에서의 후렴구는 어떠한 의미를 담고 있지 않다. 따라서 시가의 내용을 압축하고 있지 않다.

04 ㉢의 밤은, 낮도 부정적인 고독이 지속되는 시간이지만 더욱더 그 고독이 극대화되고 심화되는 시간적 배경을 의미한다.

05 (마)에서는 설의적 표현이 쓰인 종결어미가 쓰이지 않았고, 감탄형 종결어미를 통해 운명으로 인한 삶의 비애를 드러내고 있다.

06 (가)에서의 자연(청산, 바다)은 이상향을 의미하며 〈보기1〉에서의 자연(청산, 유수)는 변함없는 태도를 의미한다. 이 변함없는 태도는 영원한 질서와 조화를 의미할 수 있다.

07 (가)에서 시적화자가 부정적으로 인식하는 대상은 대나무와 대비되는 '눈'이며, (다)에서 시적화자가 부정적으로 인식하는 대상은 '두터비'이다.

08 파리는 힘없는 백성을 상징하는데 두터비로부터 고통을 받는 존재이다. 〈보기〉의 작품에서의 제비는 황새나 뱀에게 고통을 받는 존재로 파리와 마찬가지로 해석할 수 있다.

09 교언영색(巧言令色): 남의 환심을 사려고 아첨하는 교묘한 말과 보기 좋게 꾸미는 얼굴빛.
개과천선(改過遷善): 지나간 허물을 고치고 착하게 됨. 개과자신.
허장성세(虛張聲勢): 실속은 없으면서 허세만 떠벌림.
간담상조(肝膽相照): 서로 속마음을 터놓고 친하게 사귐.
가렴주구(苛斂誅求): 세금을 혹독하게 거두고, 재물을 강제로 빼앗음.

10 머뭇거리는 대상은 삶과 죽음의 문턱에서 머뭇거렸던 화자의 모습이 아닌, '누이'의 모습이다.

11 여성의 능력을 중시하던 현실이 아니라 남성 중시 사회의 현실을 비판한 작품이다.

12 천자가 중매한 사람이므로 계월은 보국에게 하대할 수 있다는 것이 아니라 보국이 계월을 싫어 한다면, 천자에게도 미움을 살 수 있다는 것이다.

13 오왕과 초왕의 반란이 아닌 장사랑의 반란이다.

14 ㉣ '천자'는 '평국'이 여자라는 것을 알고 있었지만, 이에 전혀 개의치 않고 부른 것이 아니라, "평국이 전날에는 세상에 나왔으므로 불렀지만 지금은 규중에 있는 여자니 차마 어찌 불러서 전장에 보내겠는가?"를 통해 마지 못해 불렀음을 알 수 있다.
㉤ '계월'은 비범한 능력을 가진 영웅적 인물임은 맞지만 가정과 국가 사이에서 갈등을 겪는 모습은 보이지 않는다.
㉥ 홍계월이 천자의 부름을 받아 사직을 보전하라는 명을 받은 것에서 국가의 위기를 극복할 기회를 얻은 것은 맞지만, 남장이 발각된 위기를 극복할 기회를 얻은 것은 아니다.

15 • 혼비백산(魂飛魄散): 혼백이 이리저리 날아 흩어진다는 뜻으로, 몹시 놀라 넋을 잃음을 이르는 말.
• 난형난제(難兄難弟): 누구를 형이라 하고 누구를 아우라 하기 어렵다는 뜻으로, 두 사물의 낫고 못함을 분간하기 어려움의 비유.

• 우화등선(羽化登仙): 사람의 몸에 날개가 돋쳐 하늘로 올라가 신선이 됨.
• 허장성세(虛張聲勢): 실속은 없으면서 허세만 떠벌림.
• 사면초가(四面楚歌): 아무에게도 도움을 받지 못하는, 외롭고 곤란한 지경에 빠진 형편을 이르는 말《중국 초(楚)나라 항우가 한(漢)나라 군사에게 포위되었던 고사에서 유래

16 처첩문제로 갈등하는 계월의 모습은 보이지 않는다. 다만 과감히 첩인 영춘을 죽인 계월의 모습에서 가부장적 사회 현실을 비판하는 모습을 읽어 낼 수 있다.

(1) 국어의 어제와 오늘

확인학습
P.149

01 ○ 02 ○ 03 × 04 ○ 05 ○ 06 ○ 07 ○ 08 ○
09 ○ 10 ○ 11 ○ 12 ×

01 동국정운식 표기에 음가 없는 'ㆁ'이 사용되었다.
05 방점을 통해 분별할 수 있다.

객관식 기본문제
P.150~155

01 ⑤	02 ②	03 ③	04 ⑤
05 ④	06 ①	07 ①	08 ③
09 ⑤	10 ①	11 ⑤	12 ③
13 ④	14 ④	15 ②	

01 ㅂ과 ㄷ을 써서 ㅳ로 사용했다.
02 ㉠ '니'에서 두음법칙이 없었다는 것을 확인. ㉡ 어리다(어리석다 → 나이가 적다) 의미의 이동, ㉢ '바+주격조사 ㅣ'
03 원형을 밝혀 적지 않고 소리 나는 대로 적었다.
04 현대 국어에서 쓰일 수 없고 중세 국어에선 어두자음군이라는 명칭으로 쓰인다.
05 양성모음 'ㆍ, ㅗ, ㅏ, ㅛ, ㅑ'가 있는데 'ㆍ, ㅑ'로 모음 조화가 제대로 지켜졌다.
06 '배'에 쓰인 조사는 주격조사이다. '에서'는 단체와 결합할 때 주격조사로 사용되므로 같은 역할을 하고 있다.
07 '말씀'은 의미의 축소의 예이다.
08 '노·미'에서 이어적기가 사용되었는데 '어엿비'에만 쓰이지 않았다.
09 ㉠은 ㅸ, ㉡은 초성자 밑에 모음을 쓰라는 설명으로 'ㅗ, ㆍ'가 해당이며, ㉢은 초성자 오른쪽에 모음을 붙여써야 하는 점으로 'ㅏ, ㅣ, ㅑ'가 해당된다.
10 '위니'로 쓴 것은 연철식(이어적기) 표기이다.
11 사룸은 의미가 변화된 단어가 아니다.
12 'ㅅ믓·디'처럼 어휘가 사라진 것은 음운 측면이 아니라 어휘 면에서 변화를 보이는 것이다.
13 평성은 방점이 0개이며 낮은 소리를 나타낸다.
14 '나+ㅣ'로 주격조사 'ㅣ'가 사용되었지만, '제'에는 쓰이지 않았다.
15 두음법칙은 단어의 첫머리에 'ㄴ, ㄹ'이 오는 것을 꺼리는 현상으로 이 글에는 적용되지 않았다.

객관식 심화문제
P.156~174

01 ③	02 ③, ⑤	03 ⑤	04 ①
05 ②	06 ③	07 ③	08 ③
09 ②	10 ⑤	11 ③	12 ③
13 ③	14 ⑤	15 ①, ③	16 ①
17 ⑤	18 ①	19 ③	20 ④
21 ④	22 ⑤	23 ④	24 ③
25 ⑤	26 ②	27 ③	28 ⑤
29 ④	30 ③	31 ⑤	32 ③
33 ④	34 ⑤	35 ①	36 ④
37 ②	38 ③	39 ④	40 ①
41 ④	42 ④	43 ⑤	44 ③

01 ㄱ. 평등사상은 나타나지 않는다.
ㄹ. 훈민정음 창제 동기만 밝히고 있을 뿐 창제 원리를 밝힌 것은 아니다.
ㅅ. 우리나라의 말이 중국의 말과 달라 백성들이 문자생활하는 데 어려움이 있었기 때문에 글자를 만든 것이다. 중국과 소통하려고 만든 것은 아니다.
02 (가)의 '니르고져'를 보면 두음법칙이 지켜지지 않은 것을 확인할 수 있고, (다)에서는 음가가 없는 'ㆁ'을 표기하지 않았다.
03 ⑩ '하다'는 '많다'의 의미만 지니고 있다. ⑭의 '배'는 '바+ㅣ (주격조사)'로 이루어져 있다.
04 '날 두려'는 '나에게'라는 뜻으로 해석한다.
05 '·뜯+·을'이다.
06 자주정신은 중국과 다른 언어를 쓰고 있다는 점에서, 실용정신은 백성들이 편하게 쓰는 점에서, 애민정신은 백성들이 말하고 싶은 바가 있어도 말하지 못함을 고려하는 부분에서 확인할 수 있다.
07 중세에는 띄어쓰기를 하지 않았다. 'ㅼ ᄅ미니라'는 '따름이니라'를 연철한 것이다.
08 성조는 총 세 가지가 있다. '평성, 거성, 상성'의 세 가지이다.
09 '어리다'는 의미가 이동된 경우이고, '놈'은 사람 → 남자를 낮잡아 이르는 말로 의미의 축소이다.
10 '바+주격조사 ㅣ'를 사용했기 때문에 '가'가 없음을 알 수 있고, '야'를 '여'로 쓴 이유는 모음조화를 지키기 위해 같은 양성모음끼리 사용하였다.
11 새로 만든 28자는 자음 17자, 모음 11자이다.
12 고려 건국부터 16세기 말까지의 국어를 중세 국어라 한다.
13 '밍ᄀᆞᆯ+ᄂᆞ+오+니' ㄹ과 ㆍ가 탈락된 것만 확인 가능하고 이어적기가 쓰인 것을 확인할 수는 없다.
14 방점은 의미의 높낮이를 표시하기 위한 것이다. 동국정운식 표기와는 상관이 없다.
15 말씀은 의미의 축소이다. ㅅ믓디는 의미의 소멸이다.
16 '에'를 현대어로 옮기면 '과'가 된다.
17 '이셔도'는 이어적기가 쓰인 것이다.

18 이 글에는 '무ᅟᅵᆷ물'과 같은 부분에 이어적기 방식이 나타난다.

19 후음의 기본자 'ㅇ'에 가획하여 'ㆆ'으로 만들었다. 반설음은 설음의 기본자 'ㄴ'에 가획하여 'ㄹ'로 만들고, 반치음은 치음의 기본자 'ㅅ'에 가획하여 'ㅿ'으로 만들었다.

20 'ㆍ+ㅡ =ㅗ', 'ㅣ+ㆍ=ㅏ'로 합용의 원리가 적용되었다.

21 ⓒ에서 둘째 음절의 종성은 'ㅅ'으로 발음되었다. ⓔ 당시의 '이상적' 한자음을 표기하기 위해 동국정운식 표기를 하였다.

22 ⓛ의 '뿌메'는 '쓰(어간)+움(명사형전성어미)+에(부사격조사)'로 이루어져 있는데 비교의 의미를 지니는 부사격 조사가 아니고, 앞말이 원인임을 나타내는 부사격조사이다.

23 (나)는 16세기 우리말의 모습을 연구하는 자료로 사용된다.

24 입성은 방점의 개수와 상관이 없다.

25 'ᄉᆞᆺ다'는 원래 통하다를 뜻하는 말이었으나 지금은 사라진 단어이다. '말씀'은 의미의 축소로 '원래 일반적인 말 전체 → 남의 말을 높여 이르거나 자기의 말을 낮추어 이름.'이며, '어엿브다'는 '불쌍하다 → 예쁘다'로 의미의 이동이 나타났다.

26 '바+주격조사 ㅣ'의 결합이다. 생략되지 않았다.

27 ③은 이어적기가 쓰인 것이고 다른 어형의 변화가 일어난 것은 아니다.

28 ㉮ '뜯+을' : 음성 모음('ㅡ')끼리 결합하고, '믈+은' : 음성 모음('ㅡ')끼리 쓰였다.

29 새로 만드는 글자는 조선 백성들의 문자생활을 편리하게 하는 것이지 중국과 소통하기 위한 것은 아니다.

30 '내'는 '나+ㅣ(주격조사)'로 분석할 수 있다.

31 〈보기〉는 외국어가 남용되는 실태에 대해 보여주는 글이다. (가)는 조선 백성들이 중국과 서로 말이 다른데 한자를 사용해야 하므로 '문자 사용'이 불편하다는 요지의 글이다. 한자어는 우리나라 말에 많이 들어와 있으므로 생각을 드러내기에 적절한 수단이 아니라고 하는 것은 적절하지 않다.

32 ㉠의 '가시ᄂᆞᆫ'의 주어는 '자내'인데 이것은 2인칭 대명사이다. 따라서 첨사 '-다'를 연결해서 써야 하는데 ㉠에는 첨사가 생략되어 있다.

33 방점은 글자 왼쪽에 찍는 것이다.

34 ⓐ에 쓰인 주격 조사는 '바+ㅣ'에 'ㅣ'이다.

35 구개음화가 일어나지 않은 표기를 찾아야한다. '됴코'의 '됴'에서 구개음화가 일어나지 않았다.

36 '뿜에', 'ᄇᆞ룸애', '믈은', '곳올' 다 이어적기가 쓰였고 ④는 이어적기 표기가 아니다.

37 이어적기와 'ㄹㅇ'활용을 적용해야 한다.

38 ⓐ : ㅳ - 합용병서에 대한 설명이다.
ⓑ : ㅸ - 연서에 대한 설명이다.

39 '내 우름'처럼 이어적기가 완전히 사라진 건 아니다.

40 시간의 흐름, 역사에 따라 의미가 변화를 겪는다.

41 'ᄉᆞᆺ디, 펴디'에서 구개음화가 지켜지지 않았고, '니르고져' 등 두음법칙도 지켜지지 않았다.

42 주격조사 '이'는 자음으로 끝난, 즉 받침이 있을 때 사용된다.

43 'ㆍ, ㅗ'는 양성 'ㅕ'는 음성으로 모음조화가 지켜지지 않았다.

44 (나)에 '수비'에서 ㅸ이 사용되었고, (다)에서 사용되지 않았다.

01 ㉠ ㄱ, ㄴ, ㅁ, ㅅ, ㅇ ㉡ ㆍ, ㅡ, ㅣ

02 이어적기(연철)

03 '爲윙ᄒᆞ야'에서 보듯이 중세 국어에서 잘 지켜지던 모음조화가 현대 국어에서는 '위하여'에서처럼 잘 지켜지지 않는다. '中듕國귁에'의 '에'는 비교 부사격 조사로 현대 국어에서 '과'로 쓰인다. '스믈'이 현대 국어에서는 원순 모음화가 일어나 '스물'로 쓰인다. 'ᄒᆞᆯ배'에서 보듯이 현대 국어에서 쓰이는 주격조사 '가'가 중세 국어에서는 쓰이지 않았다.

04 중세 국어에서는 소리 나는 대로 적었으나 현대 국어에서는 어법에 맞게 표기한다.

05 어휘 면에서 기존 어휘가 없어지기도 하고, 형태나 의미가 바뀌기도 하며 새로운 어휘가 만들어지거나 외부에서 들어오기도 한다. 어휘 소멸은 '젼ᄎᆞ, ᄉᆞᆺ디', 의미 이동은 '어린, 어엿비', 의미 축소는 '말씀, 놈'이 그 예이다.

06 공통적으로 설명한 문법 원리는 모음조화이다. 모음조화는 'ㅏ, ㅗ, ㆍ' 따위의 양성 모음은 양성 모음끼리, 'ㅓ, ㅜ, ㅡ' 따위의 음성 모음은 음성 모음끼리 어울리는 현상이다.

07 훈민정음에는 나라의 말이 중국과 다르니 우리 것이 필요하다는 '자주정신', 한자가 어려워 백성들이 자기 생각을 표현할 수 없음을 안타깝게 여긴 '애민정신', 새로 28자를 만든 '창조정신', 백성들이 쉽게 익혀 쓰기에 편하게 만들고자 했던 '실용정신'이 나타난다.

08 종성법으로 'ㄱ, ㄴ, ㄷ, ㄹ, ㅁ, ㅂ, ㅅ, ㆁ'의 여덟 자만 받침으로 사용하는 것이다.

09 초성은 상형의 원리에 의해 'ㄱ, ㄴ, ㅁ, ㅅ, ㅇ'을 만들었고, 가획의 원리에 따라 'ㅋ, ㄷ, ㅌ, ㅂ, ㅍ, ㅈ, ㅊ, ㆆ, ㅎ', 이체자로 'ㆁ, ㄹ, ㅿ'을 만들었다. 중성은 상형의 원리에 의해 'ㆍ, ㅡ, ㅣ'를 만들었고, 합성의 원리에 의해 'ㅗ, ㅏ, ㅜ, ㅓ, ㅛ, ㅑ, ㅠ, ㅕ'를 만들었다. 종성은 종성부용초성에 의해 종성의 글자를 별도로 만들지 않고 초성으로 쓰는 글자를 다시 사용했다.

10 밍ᄀᆞ노니 : 밍ᄀᆞᆯ- + ㄴᆞᆫ + -오- + -니

11 (1) 어두자음군, ᄢ, ᄣ, ᄯ (2) 어렵슬, 잇서서

12 (1) ㉠ 소리 나는 대로, ㉡ 어법에 맞게 (2) ⓐ 말씀, 놈 ⓑ 축소

13 ⓒ, ⓔ, ㉠, ⓗ, ⓛ, ⓜ

(2) 우리말의 담화 관습 다시 보기

01 ①   **02** ④   **03** ⑤

01 ② (나)는 말을 삼가고 꼭 필요한 말만 가려서 신중하게 해야한다는 교훈을 전한다.
③ 출연자의 말하기 방식에서 상대방을 존중하고 상대방에 대한 예의를 갖추면서 자기를 낮추어 말하는 "겸손하게 말하기"의 담화 관습이 드러난다.
④ (라)는 상대방이 하는 말을 귀 기울여 듣기(경청하기)의 자세를 강조한다.

⑤ (마)는 자신을 낮추지 않고 자신의 장점을 직접적으로 말하며 자신감을 표출하고 있다.

02 진우는 수미의 말을 끊어버리고 있으므로, 상대방의 말을 끝까지 듣는 '경청하기'의 자세가 필요하다.

03 자신의 의도를 명확하게 표현하려면 간접적인 화법보다는 직접적인 화법이 필요하다. 하지만 〈보기〉의 내용은 '돌려 말하기'의 간접적인 화법에 대해서 이야기 하고 있다.

객관식 심화문제
P.186~189

01 ④　　02 ①　　03 ④　　04 ⑤
05 ③　　06 ③　　07 ①

01 '돌려 말하기'에 대한 설명이다. '돌려 말하기'는 직접적 표현이 아닌 간접적인 표현이므로 말하는 사람의 의도를 상대방이 잘못 파악할 수도 있다.

02 밖에 닭이 있음에도 불구하고 채소만은 가져온 친구를 꾸짖기 위해, 자신의 말을 먹자고 함으로써 벗에게 닭을 잡아 안주로 내어 달라고 하는 말이다.

03 '고기는 씹어야 맛이고 말은 해야 맛이다'라는 속담은 고기는 씹으면 씹을수록 참맛이 느껴지며 이와 같이 말도 하면 할수록 맛이라는 의미이다. 때문에 말을 많이 하라는 뜻으로 (나)의 말을 삼가야 한다는 교훈과는 반대되는 속담이다.

04 (나)에서 남학생의 성적이 여학생보다는 뛰어나지만, 상대방을 위해서 자신을 낮추며 겸손하게 말하기 방식이 잘 활용되어야 한다.

05 면접같은 상황에서는 자기 자신의 장점을 드러내는 것이 중요하다. 때문에 겸손하게 말하는 자세는 오히려 자신을 잘 드러내 보일 수 없다. A보다는 B가 더욱 좋은 평가를 받을 것이다.

06 '진목'의 '유슬 엄마'에게 예의 없는 태도, '유슬'이의 '진목'이를 무시하는 태도는 상대방을 존중하고 예의를 갖추어야 하는 태도이다.

07 ㉮와 ㉯에는 '말'을 중요하게 여겨 불필요한 말을 삼가고, 대화 상대나 상황을 고려하여 필요한 말만 조심히 하는 '신중하게 말하기'의 담화 관습이 반영되어 있다.

서술형 심화문제
P.190~192

01 (1)자신을 인색하게 대접하는 친구의 잘못을 지적하면서, 닭을 잡아 안주를 내오라는 자신의 요구를 드러내고자 함.
(2)돌려 말하기

02 '돌려말하기'를 사용하였다. 이 관습은 상대의 감정을 상하지 않게 표현하여 친구와의 관계를 불편하지 않게 하면서도 자신의 의도를 드러낼 수 있다는 장점이 있으나 상대가 자신의 의도를 전혀 이해하지 못하거나 잘못 받아들일 수 있다는 단점이 있다.

03 (1) 마당에 있는 닭을 잡아 안주를 내오게
(2) 돌려 말하기에 해당된다. 돌려 말하기는 상대방의 감정을 상하지 않게 하면서 직접적으로 표현하기 어려운 내용을 완곡하게 돌려 말할 수 있다는 장점

이 있으나 자신의 의도를 직접적으로 전달하지 않기 때문에 상대방이 자신의 의도를 전혀 이해하지 못하거나 잘못 받아들일 수도 있다는 단점이 있다.

04 ㉮는 신중하게 말하기, ㉯는 경청하고 가려듣기와 관련이 있다.

05 언어 예절을 지키며 대화하기 위해서는 대화 상황과 대화를 고려해야 하며, 언어 예절을 잘 지켜야 하는 이유는 다른 사람과 원활하게 의사소통을 하고 원만한 인간관계를 유지할 수 있게 하기 때문이다.

06 (가)는 상대방의 말을 끝까지 듣는 '경청하기'의 자세이고, (나)는 상대와의 대화시 '신중하게 판단하며 가려듣기'의 자세이다.

단원 종합평가
P.193~231

01 ②　　02 ③　　03 ③　　04 ③
05 ②　　06 ⑤　　07 ③　　08 ④
09 ⑤　　10 ④　　11 ④

01 '·뜯+·을'이다.

02 자주정신은 중국과 다른 언어를 쓰고 있다는 점에서, 실용정신은 백성들이 편하게 쓰는 점에서, 애민정신은 백성들이 말하고 싶은 바가 있어도 말하지 못함을 고려하는 부분에서 확인할 수 있다.

03 중세에는 띄어쓰기를 하지 않았다. '쯘르미니라'는 '따름이니라'를 연철한 것이다.

04 성조는 총 세 가지가 있다. '평성, 거성, 상성'의 세 가지이다.

05 '어리다'는 의미가 이동된 경우이고, '놈'은 사람 → 남자를 낮잡아 이르는 말로 의미의 축소이다.

06 '바+주격조사 ㅣ'를 사용했기 때문에 '가'가 없음을 알 수 있고, '야'를 '여'로 쓴 이유는 모음조화를 지키기 위해 같은 양성모음끼리 사용하였다.

07 새로 만든 28자는 자음 17자, 모음 11자이다.

08 '김 선생'은 '돌려 말하기'의 자세로 직접적인 표현을 하지 않으며 간접적으로 친구의 인색한 대접에 대해 지적하고 있다.

09 상대방의 말을 경청하여 핵심적인 내용들을 정리하여 다시 답변해주고 있다. 이는 상대방의 말을 경청했음을 드러낸다.

10 ㉮는 면접 담화 상황에서 자신을 낮추는 겸손한 표현을 사용했다. 이는 자신의 의도를 적절하게 잘 드러낼 수 없으며, ㉯는 면접 담화 상황에서 자신의 의도를 적절하게 잘 드러내고 있다.

11 상대방의 칭찬을 들었을 때는 겸손하게 자신을 낮추는 표현을 해주는 것이 올바른 담화 관습이다. 하지만 칭찬을 당연하게 받아들이는 태도는 담화 관습에 어긋난다. 그리고 혜윤이의 말에서 상대방에게 동의를 구하는 부분은 찾을 수 없다.

MEMO

고등
국어

HIGH SCHOOL

실문
전제
기은
출행